Óscar Ce

Diccionario
práctico de gramática
800 fichas de uso correcto del español

GRUPO DIDASCALIA, S.A.

1.ª edición: 2005
10.ª impresión: 2020

Autor: Óscar Cerrolaza Gili

Dirección y coordinación editorial: Departamento de Edición de Edelsa.
Diseño de cubierta: Departamento de Imagen de Edelsa.
Diseño y maquetación de interior: Imagina, S.L.

ISBN: 978-84-7711-604-2
Depósito legal: M-35518-2011

Impreso en España / *Printed in Spain*

Índice

Introducción

*D*iccionario práctico de gramática quiere ser una obra de referencia durante todo el proceso de aprendizaje del español para aquellos estudiantes que, sin conocer necesariamente teorías ni descripciones gramaticales, desean aprender el uso correcto del español. Partimos de la idea de que la mayoría de los estudiantes necesitan aclaraciones de gramática no desde una explicitación metalingüística, abstracta y/o filológica, sino desde algo más concreto; cuanto más situacional y funcional es la enseñanza, más efectiva es y, por tanto, más accesible para los estudiantes.

Al mismo tiempo, es un manual completo para quienes quieren realizar un curso de profundización y afianzamiento de sus conocimientos gramaticales.

Para ello este libro se divide en dos partes bien diferenciadas. La primera, la más extensa, consta de 800 entradas clasificadas alfabéticamente y numeradas para su rápida localización. La segunda es un apéndice gramatical donde se presentan los aspectos fundamentales de la gramática española.

Fichas descriptivas

Se presentan en 800 fichas los operadores del discurso más frecuentes e importantes del español. Cada ficha proporciona la siguiente información:

1. **Entrada:** el operador organizado alfabéticamente y de manera reconocible.

2. **Explicación:** se detalla su valor funcional, qué significado tiene o qué función cumple en la lengua. **En vista de**, por ejemplo, expresa la causa de un acontecimiento, **a no ser que** expresa lo único que puede ocurrir para que no se produzca algo, **sin embargo** expresa una oposición a una información anterior. Del mismo modo, **para** + *persona* expresa el destinatario de una acción y **por** + *persona* expresa la sustitución de una persona por otra y, también, el agente de la voz pasiva.

3. **Dos ejemplos:** para que se pueda ver claramente el uso de la expresión y su significado; los dos ejemplos son sencillos y claros.

4. **Gramática:** se proporciona la categoría gramatical a la que corresponde la expresión. Esta categoría está explicada, detallada y sistematizada en el apéndice gramatical.
   Este epígrafe está pensado para aquellas personas que se sienten cómodas con la descripción lingüística o para quienes la necesitan como confirmación de una hipótesis, así como para que el estudiante pueda organizar el aprendizaje.

5. **Origen:** se da el origen etimológico de la palabra.

6. **Estructura:** se le dan al estudiante indicaciones de qué tiempos verbales, preposiciones, etc., tiene que utilizar. Son ayudas para la correcta utilización de la expresión dentro de las producciones. En algunos casos reflejan aspectos contrastivos entre el español y otras lenguas (lo que en otras lenguas se expresa de otra manera o lo que no se puede decir en español de la misma forma).

7. **Uso:** se indica la frecuencia de uso de la expresión y los contextos en los que suele aparecer, en el caso de expresiones de utilización limitada (contextos cultos, literarios, escritos, familiares, etc). Es importante que el estudiante conozca en qué registros debe o no utilizar cada una de las expresiones.

8. **Contraste con:** se presentan expresiones parecidas con valores diferentes o expresiones que el estudiante extranjero podría confundir. Se aclaran las diferencias semánticas y funcionales y se proporciona un ejemplo para mostrarlo. Se incluyen los números de entrada de la expresiones para que el estudiante que lo desee pueda revisar cómodamente las expresiones y profundizar en las diferencias.

9. **Otras expresiones similares:** se listan otras expresiones de valores y usos parecidos y se dan los números de entrada para su fácil localización.

Apéndice gramatical

Está organizado por categorías gramaticales: artículos, sustantivos, pronombres, verbos, etc. Se presentan en cuadros de fácil visualización e identificación, con explicaciones sencillas y cortas, con ejemplos ilustrativos y con las referencias oportunas a las distintas fichas.

Es una gramática de referencia y consulta que pretende ayudar al estudiante a clasificar las distintas categorías del español y presentar las herramientas fundamentales para la comprensión de la gramática y la correcta producción de textos orales y escritos.

Para quienes deseen comprobar los conocimientos adquiridos con este *Diccionario práctico de gramática*, para quienes realicen cursos de gramática o para quienes, de forma autónoma, se acerquen a este curso gramatical, hemos diseñado un libro que en paralelo propone ejercicios y actividades de práctica y reutilización de todos los contenidos presentados en este libro. El *Libro de ejercicios* recoge en un único volumen los 800 ejercicios fundamentales para un correcto aprovechamiento y aprendizaje de este libro. Se presenta en fichas de trabajo independientes para que el estudiante o el profesor pueda escoger aquellos que precisa en un momento determinado. A su vez, estas fichas están colocadas de forma progresiva, de tal manera que el libro pueda ser utilizado como un manual completo en los cursos de gramática.

Índice de entradas

207. DE + característica
208. DE + causa
209. DE + etapa de la vida
210. DE + grupo
211. DE + infinitivo (condición)
212. DE + infinitivo (característica)
213. DE + lugar
214. DE + material
215. DE + país o ciudad
216. DE + parte del día
217. DE + unidad
218. DE + uso
219. DE ACUERDO
220. DE AQUÍ A
221. DE AHÍ
222. DE CUANDO EN CUANDO
223. DE DÍA / DE NOCHE
224. DE ESO NI HABLAR
225. DE ESTA MANERA / DE ESTE MODO
226. DE LO MÁS
227. DE MODO QUE
228. DE MOMENTO
229. DE NUEVO
230. DE PRONTO / DE REPENTE / DE SÚBITO
231. DE PURO
232. ¿DE QUIÉN / DE QUIÉNES + SER?
233. DE TANTO
234. DE TANTO/A/OS/AS
235. DE TODAS FORMAS / DE TODAS MANERAS
236. DE UN
237. DE UN MOMENTO A OTRO
238. DE UNA VEZ POR TODAS
239. ¿DE VERAS? / ¿DE VERDAD?
240. DE VERDAD
241. DE VEZ EN CUANDO
242. DEBAJO DE
243. DEBER + infinitivo
244. DEBER DE + infinitivo
245. DEBIDO A
246. DECIR QUE
247. DECIR QUE SÍ / DECIR QUE NO
248. DEJAR + infinitivo
249. ¿DEJAR + algo?
250. DEJAR + algo + participio
251. DEJAR DE + infinitivo
252. DEJARSE DE
253. DEL
254. DELANTE DE
255. DEMASIADO
256. DENTRO DE
257. DENTRO DE + tiempo
258. DESDE + fecha
259. DESDE + lugar
260. DESDE + lugar de origen
261. ¿DESDE CUÁNDO?
262. DESDE HACE + tiempo
263. DESDE LUEGO
264. ¡DESDE LUEGO!
265. DESDE LUEGO QUE NO
266. DESDE QUE
267. DESPUÉS
268. DESPUÉS DE + acontecimiento
269. DESPUÉS DE + fecha
270. DESPUÉS DE + hora / fecha
271. DETRÁS DE
272. DICHO/A
273. DIGAMOS QUE SÍ / DIGAMOS QUE NO
274. DIME / DIGA / DÍGAME

275. DISCULPA/E
276. DON / DOÑA
277. DONDE
278. DONDE + nombre propio
279. ¿DÓNDE?
280. ¿DÓNDE + verbo?
281. DONDEQUIERA QUE
282. DURANTE

E

283. E
284. ECHAR(SE) A + infinitivo
285. EL / LA / LOS / LAS
286. EL + día de la semana o del mes
287. El/LA CUAL, LOS/LAS CUALES
288. EL/LA QUE, LOS/LAS QUE
289. EL HECHO DE QUE
290. EL UNO Y/CON EL OTRO, LA UNA Y/CON LA OTRA
291. ÉL / ELLA / ELLOS / ELLAS
292. ELLO
293. EN + cantidad de tiempo
294. EN + ciencia
295. EN + fecha futura
296. EN + lugar
297. EN + lugar interior
298. EN + modo
299. EN + precio
300. EN + tiempo
301. EN + vehículo
302. EN AQUELLA ÉPOCA
303. EN CAMBIO
304. EN CASO DE QUE
305. EN CONTRA DE
306. EN CONTRA DE LO QUE
307. EN CUANTO
308. EN CUANTO A
309. EN CUANTO QUE
310. EN ESTO
311. EN LA MEDIDA EN QUE
312. EN LA VIDA / EN MI VIDA
313. EN LUGAR DE
314. EN PUNTO
315. EN TU LUGAR / EN SU LUGAR
316. EN ÚLTIMA INSTANCIA / EN ÚLTIMO TÉRMINO
317. EN UNA DE ESTAS
318. EN VEZ DE
319. EN VISTA DE
320. ENCANTARLE
321. ENCIMA
322. ENCIMA DE
323. ENFRENTE
324. ENFRENTE DE
325. ENSEGUIDA
326. ENTERO/A
327. ENTONCES + consecuencia
328. ENTONCES + tiempo pasado
329. ENTRE
330. ENTRETANTO
331. ÉRASE UNA VEZ
332. ES DECIR
333. ES MÁS
334. ES QUE
335. ESE/A/OS/AS
336. ESO
337. ESO ES
338. ESO SÍ
339. ESPECIALMENTE
340. ESPERAR
341. ESTAR + adjetivo
342. ESTAR + fecha

343. ESTAR + gerundio
344. ESTAR + lugar
345. ESTAR + participio
346. ESTAR A + precio
347. ESTAR A + temperatura
348. ESTAR AL + infinitivo
349. ESTAR A FAVOR DE / ESTAR EN CONTRA DE
350. ESTAR A PUNTO DE
351. ESTAR CLARO QUE
352. ESTAR DE
353. ESTAR DE ACUERDO
354. ESTAR PARA + infinitivo
355. ESTAR POR + infinitivo
356. ESTAR SEGURO DE
357. ESTAR SIN + infinitivo
358. ESTE/A/OS/AS
359. ESTO
360. ESTO ES
361. ESTOS/ESTAS... AQUELLOS/ AQUELLAS
362. EVIDENTEMENTE
363. EXCEPTO
364. EXCEPTO QUE

F

365. FALTAR POCO
366. FIJARSE
367. FRANCAMENTE
368. FRECUENTEMENTE
369. FRENTE A
370. FUERA DE
371. FULANO/A

G

372. GENERALMENTE
373. GENTE
374. GRACIAS
375. GRACIAS A
376. GRACIAS A + causa
377. GRACIAS POR
378. GUSTARLE

H

379. HABER
380. HABER + participio
381. HABER DE + infinitivo
382. HABER QUE + infinitivo
383. HABÍA UNA VEZ
384. HABLANDO DE
385. HACE
386. HACE... QUE
387. HACE (MUCHO) TIEMPO
388. HACER + temperatura
389. HACER + tiempo
390. HACER FALTA
391. HACER ILUSIÓN
392. HACERSE
393. HACERSE EL / HACERSE LA
394. HACIA + lugar
395. HACIA + persona
396. HACIA LA(S) + hora
397. HARTO
398. HASTA
399. HASTA + lugar
400. HASTA + tiempo
401. HASTA AHORA
402. HASTA CUÁNDO
403. HASTA QUE
404. ¡HAY QUE VER!
405. HOY
406. HOY (EN) DÍA

I
407. IGUAL
408. IGUALMENTE
409. INCLUSO
410. INMEDIATAMENTE DESPUÉS
411. IR + gerundio
412. IR A + infinitivo
413. IR + participio
414. IR A VER / IR A HABLAR

J
415. JAMÁS
416. JUNTO A
417. JUNTO CON
418. JUSTO

L
419. LA MANERA EN QUE
420. LA MAÑANA
421. LA MAR DE
422. LA MAYOR PARTE DE
423. LA MAYORÍA DE
424. LA VERDAD
425. LEJOS (DE)
426. LIGERAMENTE
427. LLEGAR A + infinitivo
428. LLEGAR A SER
429. LLEVAR + gerundio
430. LLEVAR + número + participio
431. LLEVAR SIN + infinitivo
432. LO + adjetivo
433. LO + adjetivo/adverbio + QUE
434. LO CUAL
435. LO DE
436. LO DE QUE
437. LO MÍO / LO TUYO
438. LO QUE
439. LO QUE PASA ES QUE
440. LO QUE SE DICE
441. LO SIENTO
442. LOS / LAS + número
443. LOS DEMÁS / LAS DEMÁS
444. LOS MÍOS / LOS TUYOS
445. LUEGO
446. LUEGO + frase

M
447. MAL QUE
448. MAÑANA
449. MAS
450. MÁS
451. MÁS AÚN
452. MÁS BIEN
453. MÁS DE
454. MÁS TARDE
455. MÁS(...) QUE
456. ME
457. MEDIANTE
458. MEJOR
459. MEJOR DICHO
460. MENGANO/A
461. MENOS
462. MENOS DE
463. MENOS MAL
464. MENOS... QUE
465. MI / MIS
466. MÍ
467. MIENTRAS
468. MIENTRAS + condición
469. MIENTRAS QUE
470. MIENTRAS TANTO
471. MÍO/A/OS/AS
472. MIRA/E

473. MIRA QUE
474. MIRÁNDOLO BIEN
475. MISMO/A/OS/AS
476. MUCHO
477. MUCHO/A/OS/AS
478. MUY
479. MUY DE MAÑANA
480. MUY SEÑOR/A MÍO/A

N
481. NADA
482. NADA + adjetivo
483. NADA MÁS
484. NADIE
485. NECESITAR
486. NI
487. NI HABLAR
488. NI IDEA
489. NI QUE
490. NI SE TE OCURRA
491. NI SIQUIERA
492. NINGUNO/A/OS/AS
493. NO
494. NO... ANTES BIEN
495. NO BIEN
496. NO DEJES DE
497. NO ES QUE
498. NO LLEGAR A + infinitivo
499. NO... MÁS
500. NO... MÁS DE
501. ¡NO ME DIGAS!
502. NO PASAR DE + infinitivo
503. NO PORQUE..., SINO
504. NO PUEDE SER
505. NO SABER
506. NO SABER SI / NO SABER DÓNDE
507. NO SEA QUE
508. NO..., SINO (QUE)
509. NO TAN... COMO PARA
510. NO... TANTO COMO PARA
511. NO... TANTO/A/OS/AS... COMO PARA
512. NOS
513. NOSOTROS/AS
514. NUESTRO/A/OS/AS
515. NUNCA

O
516. O
517. O SEA
518. O SEA, QUE
519. OCURRÍRSELE
520. OJALÁ
521. OS
522. OTRA VEZ
523. OTRO/A/OS/AS
524. OYE / OIGA

P
525. PARA + fecha
526. PARA + finalidad
527. PARA + infinitivo
528. PARA + lugar
529. PARA + opinión
530. PARA + persona
531. PARA EL / PARA LA / PARA LO... QUE
532. ¿PARA QUÉ?
533. PARAR DE + infinitivo
534. PARECERLE
535. PASADO MAÑANA
536. PENSAR + infinitivo

537. PENSAR QUE + verbo
538. PERDÓN/A/E
539. PERO
540. PERO BUENO
541. PERO SI
542. PESE A
543. PÉSIMO
544. POCO
545. POCO/A/OS/AS
546. POCO A POCO
547. POCO MENOS DE
548. PODER + infinitivo
549. PODER INCLUSO QUE
550. PODER SER QUE
551. ¿PONER + algo?
552. PONERSE
553. PONERSE A + infinitivo
554. POR + algo / alguien
555. POR + causa
556. POR + fecha
557. POR + finalidad
558. POR + lugar
559. POR + lugar aproximado
560. POR + medio / instrumento
561. POR + parte del día
562. POR + persona (agente)
563. POR + persona (destinatario)
564. POR + precio
565. POR + unidad de tiempo
566. POR + tiempo superado
567. POR AHORA
568. POR CIENTO
569. POR CIERTO
570. POR CULPA DE
571. POR EL CONTRARIO
572. POR ESO
573. POR FAVOR
574. ¡POR FIN!
575. POR LO GENERAL
576. POR LO MENOS
577. POR LO QUE RESPECTA A
578. POR (LO) TANTO
579. POR LO VISTO
580. POR MÁS QUE / POR MUCHO QUE
581. POR MUY... QUE
582. POR POCO
583. ¿POR QUÉ?
584. ¿POR QUÉ NO?
585. POR SI ACASO
586. POR SI NO
587. POR ÚLTIMO
588. PORQUE
589. POSIBLEMENTE
590. PRECISAMENTE
591. PROBABLEMENTE
592. PROPIO
593. PUES
594. PUES + causa
595. PUESTO QUE

Q
596. QUE (relativo)
597. QUE (comparativo)
598. QUE (completivo)
599. QUE + causa
600. QUE + deseo
601. QUE + finalidad
602. QUE + lo dicho antes
603. QUE SI/DÓNDE/CUÁNDO/CÓMO
604. QUE SÍ / QUE NO
605. ¿QUÉ?
606. ¡QUÉ + algo!

607. ¡QUÉ + cualidad!
608. ¡QUÉ + IR A!
609. QUÉ BIEN
610. ¡QUÉ DIGO!
611. QUÉ LE VAMOS A HACER
612. ¡QUÉ MÁS DA!
613. QUÉ PENA / QUÉ RARO / QUÉ SUERTE
614. ¡QUÉ VA!
615. QUEDAR + participio
616. QUEDAR EN
617. QUEDAR POR / QUEDAR SIN + infinitivo
618. QUEDARLE BIEN / QUEDARLE MAL
619. QUEDARSE + cambio
620. QUEDARSE + gerundio
621. QUEDARSE + participio
622. QUERER
623. ¡QUIÉN!
624. ¿QUIÉN? / ¿QUIÉNES?
625. QUIEN/ES
626. QUIENQUIERA / QUIENESQUIERA QUE
627. QUIZÁ(S)

R
628. RARAMENTE
629. REALMENTE
630. RECOMENDAR
631. RECORDAR
632. RESULTA DIFÍCIL

S
633. SABER
634. ¿SABER SI? / ¿SABER CUÁNDO?
635. SALIR + estado
636. SALVO
637. SALVO QUE
638. SE
639. SE + verbo
640. SE + verbo + complemento
641. SEGUIR + gerundio
642. SEGÚN + algo
643. SEGÚN + alguien
644. SEGÚN + modo
645. SEGÚN + variación
646. SEGÚN + verbo
647. SEGURO QUE / SEGURAMENTE
648. SENDOS/AS
649. SENTIR
650. SENTIR + información
651. SENTIR LO DE
652. SEÑOR/A
653. SER + adjetivo
654. SER + fecha
655. SER + hora
656. SER + identidad
657. SER + lugar
658. SER + material
659. SER + número
660. SER + origen
661. SER + participio
662. SER + precio
663. SER + profesión u ocupación
664. SER + pertenencia
665. SER + valoración
666. SER ALGO
667. SER EL / SER LA
668. SER EVIDENTE / SER VERDAD / SER CIERTO
669. SER MEJOR
670. SER NECESARIO / SER PRECISO
671. SER UN / SER UNA + adjetivo

672. ¡SERÁ POSIBLE!
673. SÍ (reflexivo)
674. SÍ (afirmativo)
675. SÍ + verbo
676. ¿SÍ?
677. ¿SÍ? + indiferencia
678. SÍ, QUIZÁS SÍ
679. SÍ, SÍ
680. SÍ QUE
681. SI + condición
682. SI + contradicción
683. SI + pregunta
684. SI ACASO
685. SI BIEN ES CIERTO QUE
686. SI ES POSIBLE
687. SI (ES QUE)
688. SI (YO) ESTUVIERA EN TU LUGAR / SI (YO) ESTUVIERA EN SU LUGAR
689. SI PUEDE SER
690. SI SE MIRA BIEN
691. SI SE TIENE EN CUENTA QUE
692. SI YO FUERA TÚ / SI YO FUERA USTED
693. SIEMPRE
694. SIEMPRE QUE
695. SIEMPRE QUE + condición
696. SIGUIENTE
697. SIN
698. SIN + actividad
699. SIN EMBARGO
700. SINO
701. SIQUIERA
702. SO
703. SOBRE
704. SOBRE + cantidad
705. SOBRE + tema
706. SOBRE + tiempo
707. SOLER
708. SOLO/A/OS/AS
709. SÓLO + cantidad
710. SÓLO CON
711. SÓLO SI
712. SU / SUS
713. SÚBITAMENTE
714. SUGERIR
715. SUMAMENTE
716. SUSODICHO/A/OS/AS
717. SUYO/A/OS/AS

T
718. TAL VEZ
719. TAMBIÉN (afirmación)
720. TAMBIÉN (acuerdo)
721. TAMPOCO (negación)
722. TAMPOCO (acuerdo)
723. TAN
724. TAN... COMO
725. TAN PRONTO COMO
726. TANTO/A/OS/AS
727. TANTO COMO
728. TANTO MÁS... CUANTO QUE
729. TE
730. TENER + participio
731. TENER GANAS DE
732. TENER QUE + infinitivo
733. TENER RAZÓN
734. TENIENDO EN CUENTA QUE
735. TERMINAR + gerundio
736. TI
737. TODAS LAS VECES QUE
738. TODAVÍA

739. TODO/A/OS/AS
740. TODO/A + sustantivo
741. TODO EL MUNDO
742. TODO LO MÁS
743. TOTAL
744. TOTAL, QUE
745. TRANSFORMARSE EN
746. TRAS
747. TÚ
748. TU / TUS
749. TÚ QUE / USTED QUE / VOSOTROS QUE
750. TUYO/A/OS/AS

U
751. U
752. UN / UNA / UNOS / UNAS
753. UN (BUEN) DÍA
754. UN DÍA DE ESTOS
755. UN POCO
756. UN POCO MÁS DE
757. UN POCO MENOS DE
758. UN TAL / UNA TAL
759. UN TANTO
760. UNA DE
761. UNA VEZ
762. ÚNICO/A/OS/AS
763. UNOS / UNAS + cantidad
764. UNOS CUANTOS / UNAS CUANTAS
765. USTED / USTEDES

V
766. VALE
767. VARIAS VECES
768. VENGA
769. VENGA, VENGA
770. VENIR A + infinitivo
771. VENIR + gerundio
772. ¿VERDAD?
773. VERDADERAMENTE
774. VEZ AL/A LA, VECES AL/A LA
775. VOLVER A + infinitivo
776. VOLVERSE
777. VOS
778. VOSOTROS/AS
779. VUESTRO/A/OS/AS

Y
780. Y
781. Y + hora
782. Y + número
783. ¿Y A MÍ QUÉ?
784. ¿Y ENTONCES?
785. ¿Y ESO?
786. Y ESO QUE
787. Y MIRA QUE
788. ¿Y QUÉ?
789. ¿Y SÍ?
790. Y TÚ, ¿POR QUÉ? / Y USTED, ¿POR QUÉ?
791. YA + futuro
792. YA + pasado
793. YA + presente
794. YA ESTÁ
795. YA NO
796. YA QUE
797. YA SEA... (YA SEA)
798. YO
799. YO QUE TÚ / YO QUE USTED

Z
800. ZUTANO/A

1

A + algo = Indica un elemento al que se le quita o añade algo.

▸ *Échale sal a la sopa, que está muy sosa.*
▸ *He añadido unos párrafos al informe. A ver qué te parecen.*

Gramática ▸ Preposición para indicar un elemento.
Estructura ▸ Se utiliza, precedido de verbos como *poner, añadir, echar, quitar, restar,* etc., con un sustantivo no contable o con un determinante y un sustantivo contable.

2

A + alguien = Indica la persona en la que recae una acción.

▸ *El otro día vi a Juan, pero no lo reconocí. ¡Qué cambiado está!*
▸ *Llama a María, que venga inmediatamente.*

Gramática ▸ Preposición para introducir el complemento directo de persona.
Estructura ▸ Se utiliza sólo seguido de nombres propios de persona, de sustantivos de persona, o de pronombres personales.

CASOS ESPECIALES:

▸▸ No se utiliza la preposición **A** cuando se refiere a una persona que no interesa tanto como tal, sino como un número, una profesión, etc.
Busco una secretaria que hable tres idiomas.
He examinado veinte alumnos y todos han aprobado.

▸▸ Se emplea la preposición **A** con no personas:
1. Cuando queremos personalizar.
*Yo quiero muchísimo **a** mi gato, es especial.*
2. Cuando el hablante siente la necesidad de marcar la función gramatical de dos sustantivos.
*Juan se cayó porque la puerta empujó **a** Juan, no Juan **a** la puerta.*

3

A + alguien / algo = Indica el destinatario de una acción.

▸ *Le he comprado esto a Pilar. ¿Crees que le gustará?*
▸ *A mí no me gusta nada el fútbol. ¿Y a ti?*

Gramática ▸ Preposición para introducir el complemento indirecto.
Estructura ▸ Se utiliza seguido de nombres propios, de sustantivos de persona, animal o cosa o de pronombres personales.

CONTRASTE CON PARA:

▸▸ **Para** + *persona* (ver entrada 530): Se utiliza también para indicar el destinatario de una acción, pero se quiere hacer más énfasis en el destinatario. Con el verbo *ser* es necesario utilizar **Para** si se quiere indicar el destinatario.
*Le he comprado esto a Juan y esto es **para** ti.*

4

A + fase de desarrollo = Sitúa un acontecimiento con respecto a una fase de desarrollo de algo.

> ▶ *Al principio de estar aquí no conocía a nadie, pero ahora, sí.*
> ▶ *A mitad del camino se detuvo y dijo que no quería seguir.*
> ▶ *El tema era difícil de entender, pero, al final de la clase, todo parecía claro.*

Gramática ▶ Preposición para indicar fase de desarrollo.
Estructura ▶ Se utiliza con sustantivos como *principio, mitad, final*, etc.

5

¡A + infinitivo / sustantivo! = Expresa una orden en situaciones familiares.

> ▶ *¡A comer!*
> ▶ *¡Venga, al colegio, que se hace tarde!*

Gramática ▶ Preposición para expresar una orden.
Estructura ▶ Se utiliza con un verbo en infinitivo o un sustantivo, precedido del artículo determinado, excepto el sustantivo *casa*.

6

A + lugar = Indica el destino de un movimiento.

> ▶ *Mañana llegaré a la oficina tarde.*
> ▶ *¿Vienes al cine con nosotros?*

Gramática ▶ Preposición para indicar un lugar.
Estructura ▶ Se utiliza, precedido de un verbo de movimiento, con:
> ■ Un determinante y un sustantivo (que indica un lugar).
>   *Se han ido a la universidad.*
> ■ Un verbo en infinitivo (que indica un destino).
>   *Se han ido a comer.*

CONTRASTE CON OTRAS PREPOSICIONES DE MOVIMIENTO:

▶▶ **Hacia** + *lugar* (ver entrada 394): Indica la dirección de un movimiento.
*Para ir a Bustarcillas siga por la carretera C-41 **hacia** Bollullos y 5 kilómetros antes verá la desviación.*

▶▶ **Hasta** + *lugar* (ver entrada 399): Indica el punto final de un movimiento.
*Este tren no va **hasta** Huesca, sólo **hasta** Zaragoza. Allí tendrá que tomar otro.*

▶▶ **Para** + *lugar* (ver entrada 528): Indica una meta y el objetivo de un movimiento que se puede alcanzar, o no.
*Me voy **para** el bosque, a ver si llego. ¿Vienes conmigo?*

▶▶ **Por** + *lugar* (ver entrada 558): Indica el tránsito, el camino a través del cual se realiza el movimiento.
*El ladrón entró **por** la ventana.*

7

A + lugar no concreto = Expresa la ubicación de un lugar de forma abstracta.

▸ - *¿Dónde hay una farmacia?*
  • *Sí, mira, gira la segunda calle a la derecha. Allí hay una farmacia.*
▸ - *¿Los servicios?*
  • *Al final del pasillo.*

Gramática ▸ Preposición para indicar un lugar.
Estructura ▸ Se utiliza precedido de un verbo de movimiento o de estado, con un lugar no concreto como *derecha, izquierda, entrada de,* con un punto cardinal, etc.

CONTRASTE CON **EN:**

▸▸**En** + *lugar* (ver entrada 296): Indica un lugar reconocido por los que hablan.
*Se citaron **en** la misma mesa en la que habían comido la primera vez.*

8

A + modo = Indica la manera de hacer alguna cosa.

▸ - *¿Y cómo lo hago?*
  • *Tienes que cocer la carne a fuego lento.*
▸ *Se puso tan nervioso que empezó a hablar a gritos.*

Gramática ▸ Preposición para indicar modo.
Estructura ▸ Se utiliza precedido de un verbo de acción y seguido de un sustantivo que indique un modo de hacer las cosas: *mano, máquina, gritos, voces, empujones*, etc.

CONTRASTE CON **DE / EN:**

▸▸**De** + *causa* (ver entrada 208): Más que expresar un modo, expresa la causa de hacer algo de una manera.
*No, no lloro **de** tristeza, lloro **de** alegría.*

▸▸**En** + *modo* (ver entrada 298): Se indica una manera figurada, una actitud, un estilo. Con **A** + *modo* se indica una forma más mecánica, física, de hacer las cosas.
*Lo dijo **en** voz alta, **a** gritos.*

9

A + número (de algo) + POR + unidad = Señala la velocidad o el ritmo de una acción.

▸ *Este coche corre a 200 (kilómetros) por hora.*
▸ - *¿Hay que ir muy rápido?*
  • *Pues sí, el promedio de hacer paquetes es a 30 (paquetes) por día.*

Gramática ▸ Preposición para indicar ritmo o velocidad.
Estructura ▸ Se utiliza con un número cardinal, la preposición *por* y un sustantivo de unidad de tiempo: *minuto, hora, día...*

10

A + número de medida de espacio = Expresa la distancia entre dos puntos.

▶ - *¿Está muy lejos?*
  • *Pues Almería está a unos 700 kilómetros de Barcelona, más o menos.*
▶ - *Tu casa no está en el centro, ¿no?*
  • *No, pero vivo a 100 metros de una estación de metro.*

Gramática ▶ Preposición para indicar una distancia.
Estructura ▶ Se utiliza precedido de un verbo de ubicación y seguido de un sustantivo de unidad de espacio: *metro, kilómetro,* etc.

11

A + número de medida de tiempo = Expresa la distancia temporal.

▶ - *¿Tardaremos mucho en llegar?*
  • *Almería está a siete horas de viaje desde aquí.*
▶ - *Mi casa está a dos minutos de aquí. ¿Vienes?*
  • *¡A sólo dos minutos andando! Claro, vamos.*

Gramática ▶ Preposición para indicar tiempo.
Estructura ▶ Se utiliza, precedido de un verbo de ubicación, y seguido de un número cardinal y un sustantivo en plural de unidad de tiempo: *minutos, horas,* etc.

12

A + precio = Indica que un precio es cambiante.

▶ - *¿Cuál es el cambio del euro hoy?*
  • *El euro está a un dólar con veinte centavos.*
▶ - *¿A cuánto están las manzanas?*
  • *Un kilo de manzanas está a 15 pesos.*

Gramática ▶ Preposición para indicar un precio.
Estructura ▶ Se utiliza precedido del verbo *estar* y seguido de un número cardinal y de una moneda.

CONTRASTE CON **EN / POR**:

▶▶**En** + *precio* (ver entrada 299): Se utiliza para hacer una estimación de lo que puede costar algo.
   *Este coche tan viejo lo puedes vender **en** 660 euros, no creo que más.*

▶▶**Por** + *precio* (ver entrada 564): Indica el valor de algo obtenido mediante la negociación.
   *Lo he comprado **por** sólo 24 pesos. Barato, ¿no?*

▶▶En otros contextos no se utiliza ninguna preposición para indicar el precio.
   El periódico cuesta 1 euro.

A

13

A CUAL MÁS / A CUAL MENOS = Compara dos o más elementos sin destacar ninguno.

▶ - *Son dos chicos listísimos.*
  • *Sí, a cual más inteligente.*
▶ - *Mira, he comprado estos aparatos muy baratos.*
  • *¿Pero qué has comprado? ¡Qué tonterías! A cual menos útil.*

Gramática ▶ Locución adverbial de comparación.
Estructura ▶ Se utiliza seguido de un adjetivo.

CONTRASTE CON **TAN... COMO**:

▶▶ **Tan... como** (ver entrada 724): Establece una relación de igualdad entre dos elementos de forma general. Con **A cual más / A cual menos** establecemos una relación de igualdad entre dos elementos señalando el grado máximo o mínimo de lo que se compara.
  *Este coche es **tan** rápido **como** el otro.*

14

A + EL / LA + tiempo = Indica la frecuencia o periodicidad con la que se realiza algo.

▶ - *A ti te gusta esquiar, ¿no?*
  • *Sí, suelo ir dos o tres veces al año.*
▶ - *Doctor, ¿qué tengo que hacer?*
  • *Tiene que tomarse estas pastillas dos veces a la semana.*

Gramática ▶ Locución preposicional de tiempo.
Estructura ▶ Se utiliza seguido de un sustantivo referido a una unidad temporal: *día, semana, mes, año...*

CONTRASTE CON **POR**:

▶▶ **Por** + *unidad de tiempo* (ver entrada 565): Significa lo mismo.
  *Voy al gimnasio dos veces **por** semana.*
  *Le escribo una vez **por** año.*

15

A + EL / LA... SIGUIENTE = Sitúa temporalmente un acontecimiento con relación a otro mencionado previamente.

▶ - *Es una persona muy decidida.*
  • *Sí, sí. Me dijo que se iba y a la semana siguiente ya estaba volando rumbo a América.*
▶ *Estuve con ella en el cine. Al día siguiente volvimos a salir y...*

Gramática ▶ Locución preposicional de tiempo.
Estructura ▶ Se utiliza seguido de un verbo en pasado.

▶▶

CONTRASTE CON **OTRAS EXPRESIONES DE TIEMPO:**

▶▶**A los / A las** + *tiempo* (ver entrada 24): Expresa el tiempo transcurrido entre dos acontecimientos, pero no implica la simultaneidad de las acciones.

  *Dijo que se iba y **a los** tres días se fue como había dicho.*

▶▶**Al cabo de** (ver entrada 64): Expresa la distancia temporal entre dos acontecimientos pasados.

  *Se conocieron en octubre y **al cabo de** seis meses se casaron.*

▶▶**Después** (ver entrada 267): Indica un tiempo posterior, sin especificar el momento exacto.

  *Yo he viajado mucho. En 1996 estuve en Guatemala, **después** en El Salvador...*

▶▶**Siguiente** (ver entrada 696): Indica una unidad de tiempo justo después de otra, pero no relaciona acontecimientos.

  *La fiesta fue fantástica, pero el día **siguiente** fue horrible, hubo que recogerlo todo.*

16

A ESO DE LA(S) = Expresa una hora aproximada.

 ▶ *Llegó a eso de la **una**, creo yo.*
 ▶ *Volveré a eso de las **tres y media**, espero.*

Gramática ▶ Locución preposicional de tiempo.
Estructura ▶ Se utiliza seguido de la expresión de la hora.

CONTRASTE CON **OTRAS EXPRESIONES DE TIEMPO:**

▶▶**Ahí por / Allá por** + *fecha* (ver entrada 58): Sitúa un acontecimiento en una fecha aproximada.

  *Iré a veros **allá por** Navidad.*

▶▶**Alrededor de** + *tiempo* (ver entrada 80): Sitúa un acontecimiento en una hora o en una fecha aproximada.

  *Vendrán después de comer, **alrededor de** las cuatro.*

▶▶**Hacia la(s)** + *hora* (ver entrada 396): Indica una hora o un día de la semana aproximado.

  *Estará terminado **hacia las** cinco. Pero llame antes de venir, por si acaso.*

▶▶**Por** + *fecha* (ver entrada 556): Indica el tiempo aproximado en que se produce un acontecimiento.

  *Me compré el coche **por** marzo o abril.*

▶▶**Por** + *parte del día* (ver entrada 561): Sitúa un acontecimiento en una parte aproximada del día.

  *Te llamo **por** la mañana y hablamos.*

▶▶**Sobre** + *tiempo* (ver entrada 706): Indica una hora aproximada o la duración (cantidad de tiempo) aproximada.

  *Ahora tengo trabajo. **Sobre** las tres habré terminado. Ven a verme entonces.*

17

A FIN DE = Expresa la finalidad de una acción.

> ▸ *Se aplicarán nuevas leyes más restrictivas a fin de evitar nuevos delitos.*
> ▸ *Se interrogó a todos los testigos el mismo día a fin de que no se despistara ninguno.*

Gramática ▸ Locución preposicional y conjuntiva de finalidad.
Estructura ▸ Se utiliza con:

  ■ Infinitivo cuando el sujeto de esta frase es el mismo que el de la oración principal.
  Me he leído ya el informe a fin de estar (yo) informado antes de la reunión.

  ■ *Que* + Subjuntivo cuando los sujetos de los dos verbos son diferentes.
  Te doy este informe a fin de que tú estés informado antes de la reunión.

Uso ▸ Se utiliza en contextos formales y en el lenguaje escrito.

OTRAS EXPRESIONES FINALES:

▸▸**Con el objeto de** (ver entrada 154) y **Con vistas a** (ver entrada 163): Significan lo mismo.
▸▸**Para** + *finalidad* (ver entrada 526): Es la expresión de la finalidad más generalizada.

18

A FUERZA DE = Presenta la causa de algo como el resultado de una acción que implica esfuerzo, interés o intención.

> ▸ *A fuerza de trabajar, consiguió lo que se proponía.*
> ▸ *Aprobó la oposición a fuerza de estudiar días y días.*

Gramática ▸ Locución preposicional de causa.
Estructura ▸ Se utiliza seguido de un verbo en infinitivo.

CONTRASTE CON OTRAS EXPRESIONES DE CAUSA:

▸▸**De puro** (ver entrada 231): Presenta la causa como consecuencia de una característica o actitud repetida.
  Aprobó el examen de puro estudioso, porque era dificilísimo.
▸▸**De tanto** (ver entrada 233): Presenta la causa como el resultado de la insistencia de una acción, pero no tiene ese matiz de voluntariedad.
  Se quedó afónico de tanto gritar.
▸▸**De tanto/a/os/as** (ver entrada 234): Presenta la causa como la repetición constante de algo.
  De tanto dinero que tiene no sabe qué hacer con él.

19

A LA(S) = Sitúa un acontecimiento con respecto a una hora.

> ▸ *Normalmente me levanto a las siete de la mañana.*
> ▸ *A las nueve y cuarto sale mi avión.*

Gramática ▸ Locución preposicional de tiempo.
Estructura ▸ Se utiliza con la expresión de la hora.

20

A LA + adjetivo = Expresa la manera de hacer algo comparándolo con cómo se supone que se hace en una cultura.

▶ *El asado a la argentina es algo realmente apetitoso.*
▶ *Se despidió a la francesa, sin decir nada.*

Gramática	▶ Locución preposicional de modo.
Estructura	▶ Se utiliza con un adjetivo de nacionalidad en forma femenina.
Uso	▶ Se suele utilizar para hablar de estilos de comida o de platos: *tortilla a la francesa*.

21

A LO + nombre / adjetivo = Expresa la manera de hacer algo comparándolo con algo.

▶ *Se puso a bailar a lo loco, de una manera extraña para todos.*
▶ *Tenía tanta hambre que comió a lo bestia, no dejó nada en la bandeja.*
▶ *Viste a lo Elvis Presley, es que es su ídolo.*

| Gramática | ▶ Locución preposicional de modo. |
| Estructura | ▶ Se utiliza con un adjetivo o un nombre de persona (al que se le asocian una serie de cualidades o de comportamientos). |

22

A LO MEJOR = Expresa una hipótesis posible.

▶ *¡Qué raro que no haya venido! A lo mejor se ha olvidado de la cita.*
▶ *A lo mejor me voy de vacaciones a la playa este verano.*

| Gramática | ▶ Locución adverbial de hipótesis. |
| Estructura | ▶ Se utiliza con un verbo en Indicativo. |

CONTRASTE CON **OTRAS EXPRESIONES DE HIPÓTESIS:**

▸▸ **Deber de** + *infinitivo* (ver entrada 244), **Seguro que / Seguramente** (ver entrada 647), **Posiblemente** (ver entrada 589) y **Probablemente** (ver entrada 591): Expresan lo que se considera probable, muy próximo a la realidad, casi seguro.
*No sé qué hora es, pero **deben de** ser las tres y cuarto. Hace un rato he oído las campanas del reloj.*
***Seguramente** Celia llegará enseguida, es muy puntual.*

▸▸ **Igual** (ver entrada 407): Expresa una hipótesis que se considera posible, pero de ser cierta, sería una sorpresa.
***Igual** me dan la plaza de subsecretario en la nueva delegación que van a abrir.*

▸▸ **Poder incluso que** (ver entrada 549): Presenta una eventualidad remota aunque posible.
*Tal vez no tengamos suficiente dinero. **Puede incluso que** pasemos hambre, pero hemos decidido irnos y nos vamos.*

▸▸ **Poder ser que** (ver entrada 550): Expresa una hipótesis posible.
*No ha venido Mariano, **puede ser que** esté enfermo.*

▶▶ **Quizá(s)** (ver entrada 627) y **Tal vez** (ver entrada 718) + *Indicativo*: Expresan lo que se considera posible, pero con una gran duda.

*Mañana tengo una reunión y **quizá** llego tarde al partido. No sé cuánto va a durar.*

▶▶ **Quizá(s)** (ver entrada 627) y **Tal vez** (ver entrada 718) + *Subjuntivo*: Mencionan una posibilidad remota, una conjetura, sin tener datos objetivos.

*¡Qué raro que no haya llegado! **Quizá** le haya pasado algo. Suele ser muy puntual.*

*En la reunión de mañana **tal vez** elijan al próximo delegado. Ya se rumorean varios nombres.*

23

A LO SUMO = Presenta una cantidad alta como lo máximo que se puede decir.

▸ *A lo sumo **tenía cinco años cuando tuvo aquel accidente.***
▸ *Esto costará a lo sumo 45 euros.*

Gramática ▸ Locución adverbial de cantidad.
Estructura ▸ Se utiliza seguido de una expresión de cantidad.
Uso ▸ Sólo se emplea en registros cultos.

OTRAS EXPRESIONES SIMILARES:

▶▶ **Como mucho** (ver entrada 138) y **Todo lo más** (ver entrada 742): Son las expresiones más utilizadas en todos los registros.

24

A LOS / A LAS + tiempo = Expresa la distancia temporal entre dos acontecimientos pasados.

▸ *El martes pasado comió en un restaurante del centro. A los dos días volvió.*
▸ *Se marchó a México en marzo y a los dos meses decidió instalarse allí para siempre.*

Gramática ▸ Locución preposicional de tiempo.
Estructura ▸ Se utiliza con números cardinales y expresiones de tiempo y con verbos en Indefinido.

CONTRASTE CON OTRAS EXPRESIONES DE TIEMPO:

▶▶ **A + el / La... siguiente** (ver entrada 15): Sitúa temporalmente un acontecimiento con relación a otro mencionado anteriormente.

*El 15 de agosto me dijo que se iba **al** día **siguiente**.*

▶▶ **Al cabo de** (ver entrada 64): Significa lo mismo.

*Se conocieron en octubre y, **al cabo de** seis meses, se casaron.*

▶▶ **Después** (ver entrada 267): Indica un tiempo posterior sin especificar el momento exacto.

*Yo he viajado mucho. En 1996 estuve en Guatemala, **después** en Perú.*

» **Siguiente** (ver entrada 696): Indica una unidad de tiempo posterior, pero no relaciona acontecimientos.

*La fiesta fue fantástica, pero el día **siguiente** fue horrible, hubo que recogerlo todo.*

25

A LOS + número + tiempo (de edad) = Expresa una edad de la vida en la que se hizo algo.

▸ *A los veintiún años se marchó a vivir a Argentina.*
▸ *Mi hija a los dos años ya hablaba muy bien.*

Gramática ▸ Locución preposicional de tiempo.
Estructura ▸ Se utiliza con:

■ Un verbo en Indefinido.
A los doce meses mi hija empezó a andar.

■ El adverbio de tiempo *ya* y un verbo en Imperfecto.
A los doce meses mi hija ya andaba.

Uso ▸ Equivale a una oración temporal con *cuando* (ver entrada 186).

***Cuando** tenía veintiún años, se marchó a vivir a Argentina.*
***Cuando** mi hija tenía dos años ya hablaba muy bien.*

26

A MÁS TARDAR = Indica el límite temporal de un acontecimiento futuro.

▸ *Tienen que entregar los informes a más tardar el veinticinco.*
▸ *Le pidió que volviera a más tardar en tres días. Y lo cumplió.*

Gramática ▸ Locución adverbial de tiempo.
Estructura ▸ Se utiliza seguido de una fecha.

Contraste con **otras expresiones de tiempo**:

» **Antes de** + *hora / fecha* (ver entrada 89): Marca un límite de tiempo.
*Dejaré todo acabado **antes de** dejar mi puesto de trabajo.*
» **Cuanto antes** (ver entrada 194): Se refiere a un momento futuro, indicando que tiene que ser después del menor tiempo posible.
*Me voy a poner ahora mismo con esto a ver si puedo terminarlo **cuanto antes**.*
» **De aquí a** (ver entrada 220): Marca el plazo para que se produzca un acontecimiento insistiendo en el desarrollo de un periodo.
De aquí a que deje mi puesto, iré solucionado todas las cosas pendientes.
» **Dentro de** + *tiempo* (ver entrada 257): Indica el tiempo que tiene que transcurrir para que ocurra un acontecimiento.
*Nos vemos **dentro de** una semana. Hasta entonces no te volveré a ver.*
» **Para** + *fecha* (ver entrada 525): Marca un plazo concreto en el que se tiene que cumplir una acción. Se utiliza siempre con fechas determinadas y concretas.
***Para** el 30 de marzo tenemos que haber terminado esto.*
***A más tardar** en un par de semanas tenemos que haber terminado esto.*

27 **A MEDIDA QUE** = Presenta dos acontecimientos como progresivos y paralelos.

> ▸ *A medida que fue pasando el tiempo, fue sintiéndose mejor.*
> ▸ *Se sentirá mejor a medida que le baje la fiebre.*

Gramática ▸ Locución conjuntiva de tiempo.
Estructura ▸ Se utiliza con:

■ Indicativo cuando nos referimos a acontecimientos habituales o pasados.
Me sentí mejor a medida que me bajaba la fiebre.

■ Subjuntivo cuando nos referimos a acontecimientos futuros.
Se sentirá mejor a medida que le baje la fiebre.

OTRAS EXPRESIONES SIMILARES:

▸▸**Conforme** + *acción* (ver entrada 165): Tiene los mismos usos.
▸▸**Según** + *verbo* (ver entrada 646): Tiene un uso más coloquial.

28 **A MEDIO** = Expresa que todavía no se ha terminado de realizar una acción.

> ▸ *Dejó la comida a medio hacer y se fue de paseo. Después la terminó.*
> ▸ *Tengo el ejercicio a medio hacer. Después lo acabo.*

Gramática ▸ Locución adverbial de modo.
Estructura ▸ Se utiliza con un verbo en infinitivo.

29 **A MENOS QUE** = Expresa lo único que podría ocurrir para que no se produzca algo.

> ▸ *Volveré a casa temprano a menos que el jefe me necesite para algo.*
> ▸ *Este año me voy de vacaciones en julio a menos que tuviera que cubrir alguna baja.*

Gramática ▸ Locución conjuntiva condicional.
Estructura ▸ Se utiliza con:
■ Presente de Subjuntivo cuando se considera posible que se produzca la acción en el presente o en el futuro.
Te llamaré al llegar al hotel a menos que se retrase el avión y sea muy tarde.

■ Imperfecto de Subjuntivo cuando se considera improbable la acción en el presente o en el futuro.
Iremos a la costa en mi coche nuevo a menos que se estropee.

■ Perfecto de Subjuntivo cuando se considera posible que se haya producido la acción en el pasado.
Voy a llamar a Alfredo, que ya estará en su casa, a menos que su jefe le haya pedido hacer algo, como todos los días.

■ Pluscuamperfecto de Subjuntivo cuando se considera improbable que se haya producido la acción en el pasado.
Alberto ya estará casado a menos que hubiera decidido no hacerlo en el último momento.

▸▸

▸▸**Como** + *condición* (ver entrada 136): Expresa una advertencia.
Como sigas sin ir a clase, vas a suspender.

▸▸**Con que** (ver entrada 158), **Con sólo** (ver entrada 161) **Con tal de que** (ver entrada 162), **Siempre que** + *condición* (ver entrada 695), **Sólo con** (ver entrada 710) y **Sólo si** (ver entrada 711): Expresan una condición que se considera mínima, imprescindible.
*Te dejo el dinero **con tal de que** me prometas devolvérmelo pronto.*

▸▸**En caso de que** (ver entrada 304): Presenta una eventualidad, una posibilidad remota de que algo ocurra.
*Deja un recado **en caso de que** no esté en la oficina, pero suele estar.*

Otras expresiones similares:

▸▸**A no ser que** (ver entrada 31), **Excepto que** (ver entrada 364) y **Salvo que** (ver entrada 637): Tienen los mismos usos.

30

A MENUDO / A VECES = Expresa la frecuencia con la que se hace una actividad.

▸ - *¿Vas mucho al gimnasio?*
• *Voy a menudo, **una o dos veces a la semana.***
▸ - *A veces necesito estar solo, pensar en mis cosas.*
• *Sí, yo también.*

Gramática ▸ Locución adverbial de frecuencia.
Estructura ▸ Se utiliza seguida de un verbo en Indicativo.

Contraste con **otras expresiones de frecuencia**:

▸▸**Con frecuencia** (ver entrada 155) y **Frecuentemente** (ver entrada 368): Indican una frecuencia y una periodicidad mayor que **A menudo / A veces**. Se usan en contextos más formales o cultos.
- *¿Qué sueles hacer los fines de semana?*
• *Pues yo **frecuentemente** salgo con mis amigos.*
- *¿Y qué hacéis?*
• *A menudo vamos al cine.*

▸▸**De cuando en cuando** (ver entrada 222) y **De vez en cuando** (ver entrada 241): Indican una frecuencia algo menor.
*A veces vamos de vacaciones a la casa de mis padres en la costa y, **de vez en cuando**, nos llevamos a algún sobrino.*

31

A NO SER QUE = Expresa lo único que podría ocurrir para que no se produzca algo.

▸ - *¿Cómo vamos a ir?*
- *Iremos en mi coche, a no ser que siga en el taller. En ese caso, vamos en el tuyo.*
▸ - *¿Cuándo vas a venir a verme?*
- *Mañana, a no ser que me surja un imprevisto.*

Gramática ▸ Locución conjuntiva condicional.
Estructura ▸ Se utiliza con:
▪ Presente de Subjuntivo cuando se considera posible que se produzca la acción en el presente o en el futuro.
- *Espero que no se retrase.*
- *Juan vendrá puntual a la reunión, a no ser que tenga un contratiempo, claro.*
▪ Imperfecto de Subjuntivo cuando se considera improbable la acción en el presente o en el futuro.
- *¿Cuándo puedo hablar contigo?*
- *Llámame a la oficina de ocho a dos, que seguro que estoy, a no ser que tuviera que salir por algo imprevisto.*
▪ Perfecto de Subjuntivo cuando se considera posible que se produzca la acción en el pasado.
- *¡Qué raro que no haya venido María!*
- *Estará a punto de llegar, es muy puntual. A no ser que le haya pasado algo por el camino.*
▪ Pluscuamperfecto de Subjuntivo cuando se considera improbable que se produzca la acción en el pasado.
- *¿Tú crees que va a venir?*
- *Estoy seguro de que llegará a tiempo, es muy puntual, a no ser que hubiera cambiado su forma de ser.*

CONTRASTE CON OTRAS EXPRESIONES CONDICIONALES:

▸▸ **Como** + *condición* (ver entrada 136): Expresa una advertencia.
Como sigas sin ir a clase, vas a suspender.

▸▸ **Con que** (ver entrada 158), **Con sólo** (ver entrada 161), **Con tal de que** (ver entrada 162), **Siempre que** + *condición* (ver entrada 695), **Sólo con** (ver entrada 710) y **Sólo si** (ver entrada 711): Expresan una condición que se considera mínima, imprescindible.
Te dejo el dinero con tal de que me prometas devolvérmelo pronto.

▸▸ **En caso de que** (ver entrada 304): Presenta una eventualidad, una posibilidad de que algo ocurra, remota.
Deja un recado en caso de que no esté en la oficina, pero suele estar.

OTRAS EXPRESIONES SIMILARES:

▸▸ **A menos que** (ver entrada 29), **Excepto que** (ver entrada 364) y **Salvo que** (ver entrada 637): Tienen los mismos usos.

32

A PARTIR DE = Indica el inicio temporal de un acontecimiento futuro.

> ▶ *A partir de **mañana** voy a trabajar en tu oficina.*
> ▶ *No, Pedro no está. Ha salido. Estará aquí a partir de **las tres**. ¿Quiere dejarle un recado?*

Gramática	▶ Locución preposicional de tiempo.
Estructura	▶ Se utiliza con la expresión de la hora, con días de la semana o meses del año, con adverbios de tiempo futuro o con fechas.
Uso	▶ También se puede utilizar con cantidades para expresar la cantidad más alta de algo como origen de un acontecimiento.

> *En este museo hacen descuento a grupos. A partir de **quince personas** cuesta un 10% menos.*

CONTRASTE CON **DESDE**:

▸▸ **Desde** + *fecha* (ver entrada 258): Se utiliza para indicar el origen temporal de un acontecimiento tanto futuro como pasado.

> ***Desde** el sábado no sé nada de Juana. ¿Sabes si se ha ido de viaje?*

33

A PESAR DE = Expresa que un acontecimiento ocurre aunque hay un impedimento para ello.

> ▶ *A pesar de **la oposición de sus padres**, se marchó a vivir a Nueva York.*
> ▶ *A pesar de **que estaba muy cansado**, se acostó muy tarde.*

Gramática	▶ Locución preposicional y conjuntiva concesiva.
Estructura	▶ Se utiliza seguido de:

■ Sustantivo cuando el impedimento es el tema o el objeto.
> *A pesar del **dolor de cabeza**, salí con mis amigos.*

■ Infinitivo cuando los sujetos de las dos oraciones son el mismo.
> *A pesar de **dolerme la cabeza**, salí con mis amigos.*

■ *Que* + Indicativo cuando presentamos el impedimento como una información nueva.
> *Paco salió con sus amigos a pesar de **que su mujer se encontraba mal**.*

■ *Que* + Subjuntivo cuando presentamos el impedimento como una idea conocida.
> *A Lucía le dolía la cabeza y, a pesar de **que su mujer se encontrara mal**, Paco salió con sus amigos.*

Uso	▶ Se utiliza en situaciones formales y registros cultos.

CONTRASTE CON **OTRAS EXPRESIONES CONCESIVAS**:

▸▸ **Aunque** (ver entrada 107): Es la expresión de la concesión más general. Con **A pesar de** se hace más énfasis en la oposición de las dos ideas.
> ***Aunque** no tenía dinero se compró ese coche, **a pesar de** que no podía pagarlo.*

▸▸ **Con** + *infinitivo* (ver entrada 151): Sirve para hacer una advertencia de que es inútil hacer algo para conseguir el objetivo.
> ***Con** estudiar las reglas, no aprenderás bien la gramática. Tienes que practicarlas.*

▸▸ **Por más que / Por mucho que** (ver entrada 580) y **Por muy... que** (ver entrada 581): Advierte de que no importa la insistencia con la que se hace algo, porque no se conseguirá lo que se pretende.
> ***Por mucho que** insistas, no me vas a convencer. Déjalo ya.*

▶▶

Otras expresiones similares:

▶▶Aun (ver entrada 104), **Si bien es cierto que** (ver entrada 685), **Y eso que** (ver entrada 786) y **Y mira que** (ver entrada 787): Significan lo mismo.

34

A PODER SER = Expresa una posibilidad.

> ▶ *- ¿Cuándo terminará de arreglar mi coche?*
> • *Lo tendré, a poder ser, mañana por la mañana.*
> ▶ *- Llámame, a poder ser, antes de las tres, por favor.*
> • *No te preocupes, lo haré.*

Gramática ▶ Locución adverbial condicional.
Uso ▶ Se utiliza en contextos cultos.

Otras expresiones similares:

▶▶Si es posible (ver entrada 686) y **Si puede ser** (ver entrada 689): Se utilizan en todos los contextos.

35

A TRAVÉS DE = Indica el medio de una acción o el camino de un movimiento.

> ▶ *- ¿Cómo sabes que fuimos nosotros?*
> • *Porque vi lo que estabais haciendo a través de la ventana.*
> ▶ *- ¡Qué rápido has llegado!*
> • *He llegado antes que vosotros porque he venido a través del bosque.*

Gramática ▶ Locución preposicional de lugar.

Contraste con POR:

> **▶▶Por** + *lugar* (ver entrada 558): Tiene el mismo significado, pero es más frecuente. Con **A través de** se indica mayor dificultad, violencia, o se hace un mayor énfasis en que se trata de un tránsito.
> *Como perdí la llave de casa, tuve que entrar **por** la ventana, pero de verdad, **a través de** la ventana, o sea, rompiéndola.*

36

A VER SI = Indica la posibilidad de que algo conocido o pensado ocurra.

> ▶ *No nos vemos nunca. A ver si nos vemos un día con más tiempo.*
> ▶ *Esto no está muy bien hecho. A ver si la próxima vez te sale mejor.*

Gramática ▶ Expresión de deseo.
Estructura ▶ Se utiliza seguido de un verbo en Indicativo.
Uso ▶ Se utiliza para expresar intención de hacer algo, esperanza, curiosidad, temor o sospecha y mandato.
　 ▶ Se usa en contextos familiares.

▶▶

▶▶**Ojalá** (ver entrada 520): Expresa un deseo que es difícil que ocurra. Tiene un sentido de esperanza.

*A **ver si** tengo un poco de suerte y me suben el sueldo. O, si no, **ojalá** me toque la lotería y dejo de trabajar.*

▶▶**¿Por qué no?** (ver entrada 584) y **¿Y si?** (ver entrada 789): Proponen una actividad futura.

- *A **ver si** nos vemos un día.*
- *¿**Y si** nos vemos mañana después de las clases?*

▶▶**Que** + *deseo* (ver entrada 600): Expresa deseos en despedidas y situaciones determinadas y establecidas culturalmente.

***Que** aproveche.*

▶▶**¡Quién!** (ver entrada 624): Expresa una amargura por algo que no se tiene.

*¿Te vas tres meses de vacaciones? ¡**Quién** pudiera!*

37

ABAJO = Señala un espacio inferior, sin compararlo o relacionarlo con nada.

- ▶ *Mi vecina vive en el piso de abajo.*
- ▶ *En este cuadro, en la parte de abajo, hay un papel en blanco. ¿Qué significará?*

Gramática ▶ Adverbio de lugar.
Origen ▶ **Abajo** < preposición *a* y preposición *bajo*.

▶▶**Bajo** (ver entrada 108): Sitúa algo en una posición inferior física o figuradamente.

*Juan está durmiendo la siesta **bajo** esos árboles.*

▶▶**Debajo de** (ver entrada 242): Sitúa algo en una posición inferior respecto a otro elemento.

***Debajo de** mi casa hay una tienda de frutas y verduras.*

38

ACÁ = Señala el lugar en el que se está.

- ▶ *Estoy en un lugar precioso. Acá todo es tranquilidad y belleza.*
- ▶ *Ven acá, que quiero hablar contigo.*

Gramática ▶ Adverbio deíctico de lugar.
Origen ▶ **Acá** < *eccum hac* (lat.), he aquí.
Estructura ▶ Se utiliza con:
■ Verbos de movimiento.
Mueve la mesa un poco más acá, a ver si puedo pasar.
■ Valor temporal para indicar presente.
Del siglo pasado acá han cambiado mucho las cosas.
Uso ▶ En algunos países de América se utiliza con más frecuencia *acá* que *aquí*, especialmente en situaciones poco formales o familiares. Indica una posición más próxima a quien habla.

▶▶

▶▶

CONTRASTE CON **OTRAS EXPRESIONES DE LUGAR:**

▶▶**Ahí** (ver entrada 57): Indica una posición alejada de quien habla, pero próxima a quien escucha.

*No, no mires por **ahí**, que ya he buscado yo. Mira mejor por **allá**, detrás del sofá.*

▶▶**Allí /Allá** (ver entrada 77): Indican una posición alejada de quien habla y de quien escucha.

*No, no mires por **ahí**, que ya he buscado yo. Mira mejor por **allá**, detrás del sofá.*

OTRA EXPRESIÓN SIMILAR:

▶▶**Aquí** (ver entrada 95): Significa lo mismo.

Acabar< de *a* y *cabo* (lat.)
Usos del verbo. Entradas 39 a 43.

39

ACABAR + algo = Señala el resultado de un proceso o de un acontecimiento.

▶ *Gastaba tanto que acabó arruinado.*
▶ *Al final Marisa y yo acabamos enfadados.*
▶ *La película empezó mal, pero acabó bien.*

Gramática ▶ Verbo transitivo.
Estructura ▶ Se utiliza seguido de un participio, un adverbio o un adjetivo.

40

ACABAR + gerundio = Indica que finalmente ocurre una acción deseada o esperada.

▶ *Le insistimos entre todos y acabó diciendo la verdad.*
▶ *Estudió tanto que acabó hablando correctamente el español.*

Gramática ▶ Perífrasis verbal perfectiva.

OTRA EXPRESIÓN SIMILAR:

▶▶**Terminar** + *gerundio* (ver entrada 735): Significa lo mismo.

41

ACABAR CON = Señala la desaparición de algo o de alguien.

▶ *Como sigas así vas a acabar con mi paciencia.*
▶ *Mis enemigos quieren acabar conmigo.*

Gramática ▶ Verbo preposicional.
Estructura ▶ Se utiliza seguido de un nombre propio de persona, un sustantivo o un pronombre personal.

42

ACABAR DE + infinitivo = Indica que la acción ocurre o ha ocurrido ahora mismo.

▶ *Acabo de enterarme de tu accidente. ¡Cuánto lo siento!*
▶ *Acababa de entrar en la ducha cuando sonó el teléfono.*

Gramática ▶ Perífrasis verbal perfectiva.
Estructura ▶ Esta perífrasis, en general, sólo se utiliza en:
■ Presente para referirse a algo que ha ocurrido ahora mismo.
César no está, acaba de salir.

■ Imperfecto para referirse a una situación pasada.
No pudo subir al tren porque, cuando llegó a la estación, el tren acababa de salir.

43

ACABAR POR + infinitivo = Expresa que una acción es consecuencia del resultado de otra acción o de otra situación.

▶ *Juan fue tan confuso en sus explicaciones que Ana acabó por no saber qué hacer.*
▶ *Miguel acabó por salir de la sala ante tanta hipocresía.*

Gramática ▶ Perífrasis verbal perfectiva.
Uso ▶ Es igual que *acabar* + gerundio (ver entrada 40), pero no se considera tan correcta.

44

ACONSEJAR = Da un consejo.

▶ *El maestro me aconsejó leer "El Quijote".*
▶ *El profesor me aconseja que tome clases particulares.*

Gramática ▶ Verbo transitivo.
Estructura ▶ Se utiliza seguido de:
■ Sustantivo cuando se aconseja sobre algo.
En este restaurante les aconsejo el cebiche, es riquísimo.

■ Infinitivo cuando se dan consejos generales.
Esta guía aconseja comer en ese restaurante.

■ *Que* + Subjuntivo cuando se da un consejo a otra persona distinta de quien da el consejo. Los sujetos son diferentes.
A ti, que te gusta tanto el pescado, te aconsejo que comas en este restaurante. Te va a gustar.

CONTRASTE CON **OTRAS EXPRESIONES DE CONSEJO:**

▶▶**Recomendar** (ver entrada 630): Indica un consejo sobre algo cotidiano o poco importante.
*Te **recomiendo** este libro, es muy bueno.*

▶▶**Sugerir** (ver entrada 714): Hace una propuesta de forma modesta.
*Te **sugiero** que vengas con nosotros. Lo puedes pasar bien.*

Acordar < *accordāre* (lat.) de *cor, cordis*, corazón.
Usos del verbo. Entradas 45 y 46.

45

ACORDAR = Expresa llegar a un acuerdo.

▸ - *¿Cuál fue el resultado de la reunión?*
  • *Que la patronal y los sindicatos acordaron una subida de sueldo del 3% anual.*
▸ - *Han acordado reunirse todos los años en la misma fecha.*
  • *Me parece muy bien.*

Gramática ▸ Verbo transitivo.
Estructura ▸ Se utiliza seguido de un sustantivo, de un verbo en infinitivo o de la conjunción *que* y un verbo en Indicativo.

46

ACORDASE DE = Indica un acto voluntario o repentino de la memoria.

▸ - *No me acuerdo de su nombre. ¿Cómo se llamaba?*
  • *Samuel, me llamo Samuel Díaz Aguirre.*
▸ - *¿Te acuerdas de que lo vimos ayer?*
  • *Claro que me acuerdo.*
  - *Pues él dice que no, que no nos vimos.*

Gramática ▸ Verbo preposicional.
Estructura ▸ Se utiliza seguido de un sustantivo, un verbo en infinitivo o de la conjunción *que* y un verbo en Indicativo.

CONTRASTE CON **RECORDAR**:

▸▸**Recordar** (ver entrada 631): Indica que una información está en la memoria.
*Lo he leído antes, pero no **recuerdo** dónde.*

47

ACTO SEGUIDO = Presenta una acción como inmediatamente posterior a otra o a una sucesión de acciones.

▸ - *¿Qué hizo?*
  • *Instaló el equipo y, acto seguido, lo puso en funcionamiento.*
▸ - *No sé qué hacer. Este informe es muy importante. Tengo que estar seguro de que le llega.*
  • *Mándaselo por correo electrónico y, acto seguido, llámale para comprobar que ha llegado.*

Gramática ▸ Locución adverbial de tiempo.
Estructura ▸ Se usa en registros cultos.

OTRAS EXPRESIONES SIMILARES:

▸▸**Al** + *infinitivo* (ver entrada 62): Se utiliza también en registros cultos.
▸▸**Inmediatamente después** (ver entrada 410): Se utiliza en todos los contextos.

48

ADELANTE = Remite a un espacio anterior sin relación a otro elemento.

▶ *Sigue adelante hasta el puente, luego gira a la izquierda.*
▶ *Tres calles más adelante hay una biblioteca pública.*

Gramática ▶ Adverbio de lugar.
Origen ▶ **Adelante** < preposición *a* y adverbio de lugar *delante*.
Estructura ▶ Se usa con verbos de movimiento.

CONTRASTE CON **OTRAS EXPRESIONES DE LUGAR**:

▸▸**Ante** (ver entrada 85): Remite a un espacio anterior figuradamente.
　Ante tal situación no tuvimos más remedio que irnos.
▸▸**Delante de** (ver entrada 254): Indica la posición física de algo con relación a otro elemento.
　*El chico que está **delante de** ti es Eugenio, el novio de Marisa.*

49

ADEMÁS = Añade un elemento nuevo que no se considera decisivo en el relato.

▶ *Hacía mucho frío, estábamos mojados por la lluvia y, además, estábamos muy cansados. Por eso nos fuimos.*
▶ *Me parece fatal que vayamos con ellos si nos llevamos tan mal. Además, ¿para qué?*

Gramática ▶ Adverbio de cantidad.
Origen ▶ **Además** < preposición *a* y adjetivo *demás*.

CONTRASTE CON **ENCIMA**:

▸▸**Encima** (ver entrada 321): Introduce un elemento nuevo y negativo que no se considera decisivo en el relato. **Además**, no tiene ese carácter negativo.
　*Me regalaron una película en DVD. La película era mala, aburrida y, **encima**, estaba estropeada.*

50

ADENTRO = Indica un espacio interior, sin compararlo o relacionarlo con nada.

▶ *Pasa adentro, que hace mucho frío.*
▶ *Parecía que se llevaban muy bien, pero de puertas adentro la situación era otra.*

Gramática ▶ Adverbio de lugar.
Origen ▶ **Adentro** < preposición *a* y adverbio de lugar *dentro*.
Estructura ▶ Se utiliza con verbos de movimiento.
Uso ▶ A veces se utiliza *adentro* en plural y sustantivado indicando "una forma de pensar".
　*Estuve muy simpático con él, pero para mis **adentros**, me cayó fatal.*

CONTRASTE CON **DENTRO DE**:

▸▸**Dentro de** (ver entrada 256): Sitúa un elemento en el interior de otro.
　*Los libros están **dentro de** esa caja.*

51

ADONDE = Indica el lugar hacia el que se dirige un movimiento.

▸ *Este año queremos ir de vacaciones adonde van mis padres todos los años.*
▸ *El hotel adonde vais es el mismo en el que yo pasé mi luna de miel.*

Gramática ▸ Adverbio relativo de lugar.
Estructura ▸ Se utiliza con verbos de movimiento.
    ▸ Introduce una frase que va en:
      ■ Indicativo para explicar un lugar conocido y definido para el hablante y el oyente.
      Iremos al pueblo adonde vamos todos los años.

      ■ Subjuntivo para definir un lugar no definido o específico. Es muy utilizado cuando se quiere dejar la elección de un lugar a la otra persona o cuando se quiere expresar indiferencia.
      Iremos a comer adonde tú quieras.

Uso ▸ Se usa la forma *adonde* cuando el antecedente está expreso y *a donde* cuando el antecedente no aparece.

52

ADONDE + nombre de persona = Indica la casa de alguien hacia la que se dirige un movimiento.

▸ *- ¿Dónde vais?*
  • *Adonde Juan, que da una fiesta por su cumpleaños*
▸ *Me voy adonde Alberto, que me está esperando.*

Gramática ▸ Locución preposicional de lugar.
Estructura ▸ Se utiliza con verbos de movimiento y un nombre propio de persona.
Uso ▸ Es equivalente a *a casa de*.
    ▸ A veces se utiliza con la idea de la oficina, el despacho o el lugar de trabajo de alguien.
    Me voy adonde mi abogado, que tengo que recoger unos papeles.
    ▸ En español, al contrario que en otras lenguas, no se puede decir *ir a* y nombre de persona.

53

¿ADÓNDE? = Pregunta por el lugar hacia el que se dirige un movimiento.

▸ *¿Adónde vamos?*
▸ *Dime adónde ha ido tu padre, que quiero hablar con él.*

Gramática ▸ Adverbio interrogativo de lugar.
Estructura ▸ Se utiliza con verbos de movimiento.

OTROS INTERROGATIVOS:

• Para preguntar por un modo utilizamos **Cómo** (ver entrada 140); por un momento, **Cuándo** (ver entrada 188); por una cantidad, **Cuánto** (ver entrada 193); por un lugar, **Dónde** (ver entrada 279) y por un motivo, **Por qué** (ver entrada 583).

54

AFUERA = Indica un espacio exterior, sin compararlo o relacionarlo con nada.

▸ - *¡Uf, qué calor! Afuera hace un calor horroroso. Aquí, a la sombra, se está muy bien.*
  • *Sí, yo también he entrado porque tenía calor.*
▸ - *Me voy afuera a dar un paseo, que llevo todo el día en casa.*
  • *Te acompaño, yo también quiero salir.*

Gramática ▸ Adverbio de lugar.
Origen ▸ **Afuera** < preposición *a* y adverbio *fuera*.
Estructura ▸ Se utiliza con verbos de movimiento.
Uso ▸ A veces se utiliza en plural indicando la periferia de una ciudad.
  *Me he comprado una casa en las **afueras**.*

CONTRASTE CON FUERA DE:

▸▸**Fuera de** (ver entrada 370): Indica la posición exterior de algo con relación a otro elemento.
  *He puesto los muebles **fuera de** la habitación para pintarla cómodamente.*

¡Ah!, usos de la interjección. Entradas 55 y 56.

55

¡AH! = Expresa indiferencia, pena, admiración o sorpresa ante algo.

▸ - *Mañana me voy al cine.*
  • *¡Ah!*
▸ - *¡Ah, por fin te encuentro! Te he estado buscando todo el día.*
  • *Pues he estado en casa.*

Gramática ▸ Interjección.

56

AH + frase = Expresa que ahora se sabe o se recuerda algo.

▸ - *Mañana ¿a qué hora salís?*
  • *¿Pero tú no vienes?*
  - *No, es que tengo un examen.*
  • *Ah, no lo sabía. Pues a las diez.*
▸ - *Bueno, hasta el jueves.*
  • *¿Pero no hemos quedado mañana?*
  - *Ah, sí, es verdad. Hasta mañana.*

Gramática ▸ Interjección.
Estructura ▸ Se utiliza seguido de un adverbio afirmativo (*sí*) o negativo (*no*).
Uso ▸ Es frecuente el uso con un verbo como *saber* en Imperfecto.

57

AHÍ = Se refiere a un lugar lejano de quien habla, pero próximo de quien escucha.

> ▸ *Mira, ahí está el niño.*
> ▸ *Encontrarás el hotel ahí donde termina esta calle.*

Gramática ▸ Adverbio de lugar.
Origen ▸ **Ahí** < De *a* y el antiguo *hi*, y, en tal lugar.

CONTRASTE CON **OTRAS EXPRESIONES DE LUGAR:**

» **Acá** (ver entrada 38) y **Aquí** (ver entrada 95): Indican una posición más próxima a quien habla.

> *Me gusta más esta camisa de **aquí**, que esa que tienes tú **allí**.*

» **Allí / Allá** (ver entrada 77): Indican una posición alejada de quien habla y de quien escucha.

> *No, no mires por **ahí**, que ya he buscado yo. Mira mejor por **allá**, detrás del sofá.*

58

AHÍ POR / ALLÁ POR + fecha = Sitúa un acontecimiento en una fecha aproximada.

> ▸ *Eduardo se casó ahí por noviembre o diciembre.*
> ▸ *Iré a veros allá por Navidad.*

Gramática ▸ Locución preposicional de tiempo.
Estructura ▸ Se utiliza seguido de un nombre de mes o estación de año.

CONTRASTE CON **OTRAS EXPRESIONES DE TIEMPO:**

» **A eso de la(s)** (ver entrada 16): Indica una hora aproximada.

> *Vendrán después de comer, **a eso de las** tres.*

» **Alrededor de** + *tiempo* (ver entrada 80): Indica un día o una hora aproximada.

> *El concierto empezará **alrededor de** las ocho.*

» **Hacia la(s)** + *hora* (ver entrada 396): Indica una hora o un día de la semana aproximado.

> *Estará terminado **hacia las** cinco. Pero llame antes de venir, por si acaso.*

» **Por** + *fecha* (ver entrada 556): Indica el tiempo aproximado en que se produce un acontecimiento.

> *Me compré el coche **por** marzo o abril.*

» **Por** + *parte del día* (ver entrada 561): Sitúa un acontecimiento en una parte aproximada del día.

> *Te llamo **por** la mañana y hablamos.*

» **Sobre** + *tiempo* (ver entrada 706): Indica una hora aproximada o la duración (cantidad de tiempo) aproximada.

> *Ahora tengo que trabajar. **Sobre** las tres habré terminado. Ven a verme entonces.*

Ahora < *ad horam* (lat.), a la hora.
Usos del adverbio y la locución. Entradas 59 a 61.

59

AHORA = Indica el momento en que se habla.

▶ - *¿Dónde estás ahora?*
• *En el aeropuerto, a punto de tomar el avión.*
▶ - *¿Puedes venir un momento?*
• *Ahora mismo voy.*

Gramática ▶ Adverbio de tiempo.
Uso ▶ Para hacer énfasis en la inmediatez se usa *ahora mismo*.

OTRA EXPRESIÓN SIMILAR:

▸▸**Ya** + *presente* (ver entrada 793): Indica el instante inmediatamente después del que se habla.

60

AHORA BIEN = Presenta un segundo argumento que contrasta con el primero.

▶ *De momento todo ha salido perfectamente; ahora bien, a partir del próximo mes tenemos que cambiar la estrategia.*
▶ *Ya hemos dado los primeros pasos; ahora bien, tenemos que seguir trabajando para asegurar el éxito.*

Gramática ▶ Locución conjuntiva adversativa.
Uso ▶ Se utiliza en registros cultos.

OTRA EXPRESIÓN SIMILAR:

▸▸**Pero** (ver entrada 539): Es de uso más común y generalizado.

61

AHORA QUE = Indica que se habla de un momento presente y que antes no era así.

▶ - *¿Estás contento con tu nuevo trabajo?*
• *Ahora que ya sé cómo funciona todo, sí, estoy muy bien. Mejor que al principio.*
▶ *Ahora que te conozco bien, te puedo decir esto: no te conviene nada el chico con el que sales.*

Gramática ▶ Locución conjuntiva de consecuencia.

Contracción *a* + *el* = **al**.
A, usos de la preposición. Entradas 1 a 36 y 62 a 68.

62

AL + infinitivo = Sitúa paralelamente un acontecimiento en relación a otro.

▶ *Al salir de casa me di cuenta de que me había dejado las llaves dentro.*
▶ *Ayer, al oír la noticia, quise llamarte, pero me dejé la agenda en la oficina.*

A

➤➤ | Gramática ▸ Locución adverbial de tiempo.
| Uso ▸ Tiene un matiz culto. Equivale a una oración temporal con *cuando* (ver entrada 186).

OTRAS EXPRESIONES SIMILARES:

➤➤**Acto seguido** (ver entrada 47): También se utiliza en registros cultos.

➤➤**Inmediatamente después** (ver entrada 410): Se utiliza en todos los contextos.

63

AL + infinitivo = Indica la causa de un acontecimiento conocido por el interlocutor.

▸ *Julián trabaja mucho y tiene mucho estrés. Al tener tanto estrés, tiene que cuidarse bastante.*

▸ *Sólo le permitían cometer cuatro errores como máximo. Y claro, al cometer diez, le suspendieron.*

| Gramática ▸ Locución adverbial de causa.

CONTRASTE CON OTRAS EXPRESIONES DE CAUSA:

➤➤**Como** + *causa* (ver entrada 135) y **En vista de** (ver entrada 319): La situación previa es presentada como una información que da el hablante. Con **Al** + *infinitivo* se presenta una causa conocida, está en el contexto.

  Como *no tengo paraguas, me voy antes de que empiece a llover.*

➤➤**Porque** (ver entrada 588): Es la expresión de causa más general. Suele ir en el centro de la frase.

  Comí un bocadillo **porque** *no tenía tiempo.*

➤➤**Puesto que** (ver entrada 595) y **Ya que** (ver entrada 796): La situación previa es presentada como una aceptación de lo dicho por el interlocutor o no propia del hablante.

  - *Me voy al mercado.*

  • *Oye,* **ya que** *vas, tráeme un litro de leche, por favor.*

64

AL CABO DE = Expresa la distancia temporal entre dos acontecimientos pasados.

▸ *Se instaló en la ciudad y al cabo de dos años pidió el traslado y se fue al campo.*

▸ *Se conocieron en octubre y al cabo de seis meses se casaron.*

| Gramática ▸ Locución preposicional de tiempo.
| Estructura ▸ Se utiliza con una expresión de tiempo.

▶▶

▶▶**A + el / La... siguiente** (ver entrada 15): Sitúa temporalmente un acontecimiento con relación a otro mencionado anteriormente.

*El 15 de agosto me dijo que se iba **al** día **siguiente**.*

▶▶**A los / A las** + *tiempo* (ver entrada 24): Significa lo mismo.

***A los** tres días de estar aquí ya se sentía como en su casa.*

▶▶**Después** (ver entrada 267): Indica un tiempo posterior sin especificar cuánto tiempo transcurre.

*Yo he viajado mucho. En 1996 estuve en Guatemala, **después** en Perú.*

▶▶**Siguiente** (ver entrada 696): Indica una unidad de tiempo justo después de otra, pero no relaciona acontecimientos.

*La fiesta fue fantástica, pero el día **siguiente** fue horrible, hubo que recogerlo todo.*

65

AL LADO DE = Indica la proximidad y continuidad de algo o alguien con otro.

▶ - *¿Quién es Antonio?*
  • *El que está al lado de Juan, el de pelo largo.*
▶ - *¿Dónde está la guía de teléfonos?*
  • *Al lado del periódico, en la mesa de la entrada.*

▌Gramática ▶ Locución preposicional de lugar.

▶▶**Cerca de** + *lugar* (ver entrada 130) y **Junto a** (ver entrada 416): Indican la proximidad de algo o alguien, pero no que están unidos.

- *¿Quién es María?*
• *Es la chica que se sienta **junto a** la ventana.*
- *¿Hay una oficina de Correos por aquí?*
• *La oficina de Correos más próxima está **cerca de** la estación de trenes, a unas dos cuadras más allá.*

66

AL MENOS = Presenta una cantidad como la más baja que se puede decir.

▶ *En la conferencia habría al menos doscientas personas, tal vez más.*
▶ *Voy al gimnasio al menos dos veces por semana.*

▌Gramática   ▶ Locución preposicional de cantidad.
Estructura ▶ Se utiliza seguido de una expresión de cantidad.
Uso   ▶ La cantidad que se presenta es una valoración subjetiva del hablante y además al hablante le gustaría que esa cantidad fuera más alta.

▶▶

▶▶ CONTRASTE CON **OTRAS EXPRESIONES DE CANTIDAD**:

▶▶Por lo menos (ver entrada 576): Significa lo mismo.
- ¿Cuántos años tiene María?
• Tiene **por lo menos / al menos** veinte años.

▶▶Algo más de (ver entrada 73) y **Un poco más de** (ver entrada 756): Presentan una cantidad indicando que es un poco menor a la realidad. Con **Por lo menos / Al menos** se indica, además, que al hablante le gustaría que la cantidad fuera más alta.

Tiene **algo más de** dos maletas y una bolsa. Por eso creo que cabrá todo en el maletero.

- Me he comprado este coche por **un poco más** de 900 euros.
• ¡Qué bien, qué barato!

▶▶Siquiera (ver entrada 701): Indica que la cantidad mencionada es evidente, obvia. No tiene una connotación negativa como **Al menos.**

Llevas todo el día en casa estudiando. Date un paseo, **siquiera** una hora, y descansa.

67

AL MENOS + verbo = Sugiere hacer algo como lo mínimo que se puede hacer en una situación.

▶ - No quiero volver a saber nada de él, es un pesado.
• Si no quieres verlo, al menos, escríbele.
▶ - No te entiendo. Al menos, podrías llamarla por teléfono y pedirle perdón, ¿no?
• Es que no tengo ganas de hablar con ella.

Gramática ▶ Locución conjuntiva concesiva.
Estructura ▶ Se utiliza seguido de un verbo en Condicional o en Imperativo.

OTRA EXPRESIÓN SIMILAR:

▶▶Por lo menos (ver entrada 576): Significa lo mismo.

68

AL PARECER = Presenta una información como incierta.

▶ - Al parecer, van a cortar estos árboles.
• ¡Qué pena! ¿Estás seguro?
▶ Me sorprende mucho, pero al parecer no se encuentra bien y está en cama.

Gramática ▶ Expresión de hipótesis.
Estructura ▶ Se utiliza seguido de un verbo en Indicativo.
Uso ▶ También se utiliza dicen que, parece ser que, según dicen, según parece.

OTRAS EXPRESIONES SIMILARES:

▶▶Por lo visto (ver entrada 579) y **Según** + algo (ver entrada 642): Significan lo mismo.

69

ALEGRARSE = Expresa satisfacción por algo que le sucede a otra persona.

▶ - *Me voy a casar.*
  • *¡Me alegro!, ¡Me alegro **mucho por vosotros!***
▶ - *A Iñaqui y a mí nos van a subir el sueldo.*
  • *Me alegro **mucho por ti, te lo mereces.***

Gramática ▶ Verbo reflexivo.
Estructura ▶ Se puede utilizar seguido de la preposición *por* y un pronombre personal o nombre propio de persona.

> CONTRASTE CON **ALEGRARSE DE / QUÉ BIEN**:

> ▶▶**Alegrarse de** (ver entrada 70): Indica satisfacción por lo que hace uno mismo o por lo que hace otra persona especificando qué produce alegría.
> - *¿Sabes? Me voy a casar y me voy a ir a vivir a La Granja.*
> • ***Me alegro mucho de** que te vayas a casar.*
> ▶▶**Qué bien** (ver entrada 609): Expresa satisfacción o alegría por lo que le sucede a uno o a mismo o a otro.
> - *Te invito a cenar.*
> • ***¡Qué bien!** Me apetece mucho.*

70

ALEGRARSE DE = Indica satisfacción por lo que hace uno mismo o por lo que hace otra persona especificando qué produce alegría.

▶ - *Bueno, ya estoy aquí. Me alegro de **haber podido llegar a tu fiesta.***
  • *Yo también me alegro de **que al final hayas podido venir.***
▶ - *¿Sabes? He encontrado un buen trabajo.*
  • *Me alegro de **que por fin puedas trabajar en lo tuyo.***

Gramática ▶ Verbo preposicional.
Estructura ▶ Se utiliza con:
  ▶ Infinitivo cuando alguien se alegra por algo que él mismo ha hecho o le afecta.
    ■ Se utiliza el infinitivo en la forma simple cuando se refiere a una información general o futura.
      *Me alegro de **ir mañana a tu casa**, hace mucho que no te veo.*
    ■ Se utiliza el infinitivo en la forma perfecta (*haber* + participio) cuando se refiere a algo ya realizado.
      *Me alegro de **haber venido**, es una fiesta muy divertida.*
  ▶ *Que* + Subjuntivo cuando la persona se alegra por algo que otra persona hace o ha hecho.
    ■ Se utiliza el Presente de Subjuntivo para referirse a situaciones generales o futuras.
      *Me alegro de **que vengas mañana a verme**.*
    ■ Se utiliza el Perfecto para referirse a acontecimientos que ya han ocurrido.
      *Bueno, adiós y gracias por venir. Me alegro de **que hayas venido**.*

⯮ CONTRASTE CON **ALEGRARSE / QUÉ BIEN**:

⯮**Alegrarse** (ver entrada 69): Expresa satisfacción por algo que le sucede a otra persona.

- Me voy a casar.
- • *¡Me alegro!* ¡*Me alegro* mucho por vosotros!

⯮**Qué bien** (ver entrada 609): Expresa satisfacción o alegría por lo que le sucede a uno mismo o a otro.

- Te invito a cenar.
- • *¡Qué bien!* Me apetece mucho.

Algo < *alǐquod* (lat.)
Uso del pronombre y la locución. Entradas 71 a 73.

71

ALGO = Se refiere a una cosa sin mencionarla.

▸ - *¿Te han dado* algo *para mí?*
• *Sí, esto. Toma.*
▸ - *Tengo hambre. ¿Tienes* algo *de comer?*
• *¿Quieres un bocadillo?*
▸ - *Tengo* algo *que te va a gustar. ¿Quieres verlo?*
• *Sí, claro. ¿Qué es?*

Gramática ▸ Pronombre indefinido neutro.
Estructura ▸ Se utiliza seguido de la preposición *para* y un pronombre personal, de la preposición *de* y un verbo en infinitivo o del pronombre relativo *que* y un verbo en Indicativo o Subjuntivo.

◼ El verbo va en Indicativo en frases afirmativas cuando nos referimos a una cosa que conocemos, de la que tenemos experiencia.
He comprado algo *que te va a gustar.*

◼ El verbo va en Subjuntivo si se utiliza en una frase interrogativa o si nos referimos a una cosa que no conocemos.
¿Tiene algo *que sirva para el resfriado?*

CONTRASTE CON **OTROS INDEFINIDOS**:

⯮**Alguien** (ver entrada 74): Se refiere a una persona sin mencionarla.
¡Hola! ¿Hay **alguien** *en casa?*

⯮**Alguno/a/os/as** (ver entrada 76): Se refiere a cosas, animales o personas de un grupo concreto.
Algunos *compañeros de trabajo han decidido ir esta noche a cenar juntos.*

⯮**Nada** (ver entrada 481): Es la forma negativa. **Algo** es afirmativo.
- *No sé* **nada** *de este tema. ¿Tú sabes* **algo***?*
• *Sí,* **algo** *sé, pero no mucho.*

72

ALGO + adjetivo = Describe una cosa o persona de forma negativa.

▸ - *Antonio está algo gordo, ¿no?*
  • *Sí, un poco.*
▸ - *La película que me recomendaste era algo aburrida, ¿no te parece?*
  • *Pues a mí me gustó.*

Gramática ▸ Adverbio de cantidad.
Estructura ▸ Se utiliza precedido del verbo *ser*, *estar* o *parecer* y seguido de un adjetivo calificativo.
Uso ▸ Se suele utilizar para hacer una valoración negativa pero evitando herir los sentimientos del oyente o siendo prudentes con él.

CONTRASTE CON OTRAS EXPRESIONES DE VALORACIÓN:

▸▸**Bastante** + *adjetivo* (ver entrada 111): Se utiliza para valorar positivamente una cualidad sin expresar entusiasmo.
  *La fiesta fue **bastante** divertida, pero, si lo sé, no voy.*
▸▸**Demasiado** (ver entrada 255) y **Harto** (ver entrada 397): Expresan una valoración negativa de algo porque supera los límites tolerables.
  *El abrigo rojo es **demasiado** caro. Vamos a otra tienda.*
  *Su propuesta es **harto** complicada para debatirla hoy.*
▸▸**Ligeramente** (ver entrada 426): Describe una cosa o persona de forma un poco negativa.
  *Esta sopa está **ligeramente** salada.*
▸▸**Más bien** (ver entrada 452): Se utiliza para expresar que el objeto valorado tiene una tendencia hacia esa cualidad, se acerca a eso.
  *Es una chica **más bien** rubia, castaña clara, muy clara.*
▸▸**Nada** + *adjetivo* (ver entrada 482): Se utiliza para expresar la ausencia de la cualidad señalada.
  *No me gusta, no es **nada** atractivo, la verdad.*
▸▸**Un poco** (ver entrada 755) y **Un tanto** (ver entrada 759): Dan un matiz negativo al adjetivo al que acompañan.
  *Este jersey es bonito, pero **un tanto** llamativo para mi forma de ser, ¿no te parece?*

73

ALGO MÁS DE = Presenta una cantidad como inferior a la realidad.

▸ - *Me he comprado este coche por algo más de 9.000 euros.*
  • *Pero, ¿por cuánto?*
  - *Por 9.030.*
▸ *Me he comido algo más de la mitad de la tarta. No puedo más.*
▸ - *¿Os veis mucho Juan y tú?*
  • *Nos vemos algo más de tres veces al mes.*

Gramática ▸ Locución adverbial de cantidad.
Estructura ▸ Se utiliza seguido de una expresión de cantidad.

A

CONTRASTE CON **OTRAS EXPRESIONES DE CANTIDAD**:

▶▶**Al menos** (ver entrada 66) y **Por lo menos** (ver entrada 576): Indican una cifra inferior a la real, pero que además al hablante le gustaría que fuera superior.

*Hijo, tienes que hacer **al menos** dos ejercicios más.*

▶▶**Siquiera** (ver entrada 701): Indica que la cantidad mencionada es evidente, obvia.

*Llevas todo el día en casa estudiando. Date un paseo, **siquiera** una hora, y descansa.*

▶▶**Un poco más de** (ver entrada 756): Significa lo mismo.

*El piso mide **un poco más de** 50 metros. O sea, que no es muy grande.*

74

ALGUIEN = Se refiere a una persona sin mencionarla.

▶ *- Necesito una secretaria bilingüe. ¿Conoces a alguien?*
  • *Pues, sí. Conozco a alguien que puede serte útil.*
▶ *- ¿Vas solo?*
  • *No, alguien vendrá conmigo.*

Gramática ▶ Pronombre indefinido.
Origen ▶ **Alguien** < *alĭquem* (lat.)
Estructura ▶ Puede utilizarse seguido del pronombre relativo *que* y un verbo en Indicativo o Subjuntivo.

■ El verbo va en Indicativo en frases afirmativas cuando nos referimos a una persona que conocemos.

Conozco a alguien que sabe hablar cinco idiomas.

■ El verbo va en Subjuntivo si se utiliza en una frase interrogativa o nos referimos a una persona que no conocemos.

¿Hay alguien que sepa la respuesta?

Para este puesto quiero alguien que tenga más experiencia que yo.

CONTRASTE CON **OTROS INDEFINIDOS**:

▶▶**Algo** (ver entrada 71): Se refiere a una cosa sin mencionarla.

*Tengo **algo** para ti. Es una sorpresa que te va a gustar.*

▶▶**Alguno/a/os/as** (ver entrada 76): Se refiere a cosas, animales y personas de un grupo concreto.

***Algunos** compañeros de trabajo han decidido ir esta noche a cenar juntos.*

▶▶**Nadie** (ver entrada 484): Es la forma negativa. **Alguien** es afirmativo.

*Conozco a **alguien** que habla cuatro idiomas, es Antonio; pero no conozco a **nadie** que hable más idiomas.*

75

ALGÚN = Se refiere a una o varias personas o cosas de un grupo concreto.

▶ - *¿Tienes algún libro de Picasso en casa?*
 • *Sí, tengo uno muy bueno.*
▶ - *¿Por qué se fue?*
 • *Tuvo algún disgusto en aquel país y, por eso, decidió volver.*

Gramática ▶ Adjetivo indefinido masculino singular.
Estructura ▶ Es la forma apocopada de *alguno*. Se utiliza antepuesto a un sustantivo singular.

CONTRASTE CON ALGUNO:

» **Alguno/a/os/as** (ver entrada 76): Se utiliza la forma masculina singular **Alguno** cuando no se especifica el sustantivo (porque ya se sabe o se supone conocido).
*Hay **alguno** (de mis estudiantes) que sacará muy buenas notas este semestre.*

76

ALGUNO / ALGUNA / ALGUNOS / ALGUNAS = Se refiere a una o varias personas o cosas de un grupo concreto.

▶ - *Toma, más hojas.*
 • *Todavía me quedan algunas, no hace falta que me des más.*
▶ *Algunos chicos de mi clase se van de excursión este fin de semana. Los demás irán la próxima semana.*

Gramática ▶ Adjetivo y pronombre indefinido.
Estructura ▶ Se utiliza con:
 ■ Indicativo en frases afirmativas cuando nos referimos a una persona o cosa que conocemos.
 En mi equipo de fútbol hay algunos jugadores que no son muy buenos, pero en general están muy bien preparados.
 ■ Subjuntivo en frases interrogativas o cuando nos referimos a una persona o cosa que no conocemos.
 De todos los candidatos, ¿conoces a alguno que sea bueno para este trabajo?
 ¡Esta computadora no está en red! Necesito alguna que esté conectada a la red.

CONTRASTE CON OTROS INDEFINIDOS:

» **Algo** (ver entrada 71): Se refiere a una cosa sin mencionarla en concreto.
*Tengo **algo** para ti. Es una sorpresa que te va a gustar.*

» **Alguien** (ver entrada 74): Se refiere a una persona sin mencionarla en concreto.
*Conozco a **alguien** que habla cuatro idiomas, es Antonio.*

» **Ninguno/a/os/as** (ver entrada 492): Es la forma negativa. **Alguno** es afirmativo.
***Algunos** compañeros de trabajo han decidido ir esta noche a cenar juntos, pero **ninguno** quiere ir a ese restaurante de la esquina.*

77

ALLÍ / ALLÁ = Señala un lugar lejano de quien habla y de quien escucha.

▸ *Mira, allí a lo lejos se ve un coche. Hazle una señal, a ver si nos ve.*
▸ *Allá donde vive Alfredo hay una heladería muy buena. Si me llevas en coche, te invito.*

Gramática ▸ Adverbio de lugar.
Origen ▸ **Allí** < *illic* (lat.); **Allá** < *illac* (lat.), por allí.

CONTRASTE CON **OTRAS EXPRESIONES DE LUGAR:**

▸▸**Acá** (ver entrada 38) y **Aquí** (ver entrada 95): Indican una posición más próxima a quien habla.
*Me gusta más esta camisa de **aquí**, que esa que tienes tú **allí**.*

▸▸**Ahí** (ver entrada 57): Indica una posición alejada de quien habla, pero próxima a quien escucha.
*No, no mires por **ahí**, que ya he buscado yo. Mira mejor por **allá**, detrás del sofá.*

Alrededor de, usos de la locución. Entradas 78 a 80.

78

ALREDEDOR DE + cantidad = Presenta una cantidad como aproximada.

▸ *Se comió alrededor de veinte pasteles.*
▸ *Se presentaron al concurso alrededor de quince personas y sólo seleccionaron a tres.*

Gramática ▸ Locución adverbial de cantidad.
Estructura ▸ Se utiliza seguido de un numero cardinal.
Uso ▸ Equivale a *aproximadamente*.

CONTRASTE CON **OTRAS EXPRESIONES DE CANTIDAD:**

▸▸**A lo sumo** (ver entrada 23), **Como mucho** (ver entrada 138) y **Todo lo más** (ver entrada 742): Presentan una cantidad como lo máximo que se puede decir.
*Vinieron a la fiesta alrededor de veinte personas, **a lo sumo** veinticinco.*

▸▸**Al menos** (ver entrada 66) y **Por lo menos** (ver entrada 576): Mencionan la cantidad mínima que se puede decir.
*Necesito alrededor de 500 euros para poder empezar. Préstame **al menos** 400.*

▸▸**Casi** + *cantidad* (ver entrada 127): Presenta una cantidad a la que no se llega y que se entiende como una etapa.
*En un día se estudió **casi** cinco temas. Al día siguiente estudió otros tantos.*

▸▸**Cerca de** + *cantidad* (ver entrada 129): Presenta una cantidad a la que no se llega.
*Habría **cerca de** cien personas en la conferencia. Bueno, en concreto noventa y siete.*

▸▸**Un poco más de** (ver entrada 756): Menciona la cantidad mínima que se puede decir.
*Se convocó a **un poco más de** cincuenta personas, cincuenta y tres para ser exactos.*

79

ALREDEDOR DE + lugar = Equivale a *en círculo, en torno a algo*.

▸ *Me encantaría dar la vuelta* alrededor del *mundo*.
▸ *- Montse vive en un lugar idílico. Alrededor de su casa sólo hay árboles y naturaleza.*
  • *¡Qué suerte! Alrededor de la mía sólo hay edificios.*

Gramática ▸ Locución preposicional de lugar.
Estructura ▸ Se utiliza seguido de un determinante y un sustantivo referido a un lugar o una persona o de un pronombre.

80

ALREDEDOR DE + tiempo = Sitúa un acontecimiento en una hora y fecha aproximada.

▸ *- ¿A qué hora llegó?*
  • *Pues el avión aterrizó* alrededor de *las seis, con unos treinta minutos de retraso.*
▸ *Volverá* alrededor del *25 de agosto, calculo yo.*

Gramática ▸ Locución preposicional de tiempo.
Uso ▸ Al tratarse de acontecimientos, cuando son pasados, el verbo suele ir en Indefinido.

CONTRASTE CON **OTRAS EXPRESIONES DE TIEMPO:**

▸▸**A eso de la(s)** (ver entrada 16): Indica una hora aproximada.
*Vendrán después de comer, **a eso de las** tres.*

▸▸**Ahí por / Allá por** (ver entrada 58): Sitúa un acontecimiento en una fecha aproximada.
*Iré a veros **allá por** Navidad.*

▸▸**Hacia la(s)** + *hora* (ver entrada 396): Indica una hora o un día de la semana aproximado.
*Estará terminado **hacia las** cinco. Pero llame antes de venir, por si acaso.*

▸▸**Por** + *fecha* (ver entrada 556): Indica el tiempo aproximado en que se produce un acontecimiento.
*Me compré el coche **por** marzo o abril.*

▸▸**Por** + *parte del día* (ver entrada 561): Sitúa un acontecimiento en una parte aproximada del día.
*Te llamo **por** la mañana y hablamos.*

▸▸**Sobre** + *tiempo* (ver entrada 706): Indica una hora aproximada o la duración (cantidad de tiempo) aproximada.
*Ahora tengo que trabajar. **Sobre** las tres habré terminado. Ven a verme entonces.*

81

AMBOS / AMBAS = Remite a dos elementos presentados antes.

▸ *He leído dos artículos muy interesantes. Ambos te van a gustar, pero este es mejor.*
▸ *¿Habéis sido vosotros? Pues ambos vais a ir a hablar con el director.*

Gramática ▸ Adjetivo o pronombre plural.
Origen ▸ **Ambos** < *ambo* (lat.)

▶▶

CONTRASTE CON **EL UNO Y/CON EL OTRO / LOS / TODO:**

> ▶▶**El uno y/con el otro / La una y/con la otra** (ver entrada 290): Se utiliza para referirse a dos personas de forma recíproca.
>
> *Son muy cariñosos **el uno con el otro**.*
>
> ▶▶**Los / Las** + *número* (ver entrada 442): Se refiere a un grupo completo de algo del que se sabe el número de miembros exactos.
>
> *En mi familia somos cinco: mi mujer, los tres niños y yo. **Los** cinco vivimos en el pueblo.*
>
> ▶▶**Todo/a/os/as** (ver entrada 739): Se utiliza para referirse a todos los elementos de un grupo, cuyo número es superior a dos y ya ha sido dicho antes o se presupone.
>
> *En esta clase sois quince alumnos y **todos** tenéis que presentaros mañana en la secretaría.*

Andar, usos del verbo. Entradas 82 y 83.

82

ANDAR + gerundio = Presenta una acción como una costumbre.

> ▸ *Estoy cansadísimo. En las últimas semanas ando durmiendo menos de seis horas.*
> ▸ *Vamos a comprar esta moneda a Arturo, que anda coleccionándolas desde hace unos años.*

▐ Gramática ▸ Perífrasis verbal reiterativa.

CONTRASTE CON **VENIR:**

> ▶▶**Venir** + *gerundio* (ver entrada 771): Expresa que un acontecimiento se produce de forma progresiva. **Andar** + *gerundio* indica una costumbre, una acción repetida.
>
> *Desde ayer **vengo** notando una molestia en el pie que cada día es más fuerte.*

83

ANDAR + participio = Indica que una situación o un estado es largo, dura mucho tiempo.

> ▸ *Desde que nació su hija, anda muy ocupado, pero más contento que nunca.*
> ▸ *Anda preocupado por la crisis económica, creo que va a cerrar la tienda.*

▐ Gramática ▸ Perífrasis verbal durativa.

84

ANTAÑO = Se refiere a una época lejana e indeterminada del pasado.

> ▸ *Antaño había pocas comodidades y la vida era muy dura.*
> ▸ *Antaño mis antepasados salieron de Galicia para instalarse en Caracas.*

▐ Gramática ▸ Adverbio de tiempo.
▐ Origen ▸ **Antaño** < *ante annum* (lat.), en el año anterior.

▶▶

CONTRASTE CON **OTRAS EXPRESIONES DE TIEMPO**:

▶▶**En aquella época** (ver entrada 302): Se utiliza para referirse a una época pasada, pero determinada no tan lejana como la expresada con **Antaño**.

*El siglo XIX es el siglo de la revolución industrial. **En aquella época** se produjeron enormes movimientos de población del campo a la ciudad.*

▶▶**Entonces** + *tiempo pasado* (ver entrada 328): Se utiliza para referirse a un momento pasado que se ha determinado anteriormente.

*En 1998 terminé la carrera. **Entonces** yo aún vivía con mis padres.*

85

ANTE = Señala un espacio anterior figuradamente.

▶ - *Ese lugar era muy romántico, ¿verdad?*
   • *Sí, ante él se veía un imponente atardecer.*
▶ - *No supo cómo reaccionar ante tantas personas contrarias a ella.*
   • *¿Por eso estaba tan violenta, por la gente que había en la sala?*

Gramática ▶ Preposición para indicar lugar.
Uso ▶ Se utiliza en contextos figurados.

CONTRASTE CON **OTRAS EXPRESIONES DE LUGAR**:

▶▶**Adelante** (ver entrada 48): Indica un espacio anterior sin relación a otro elemento.

- *¿Y cómo voy?*
• *Sigue **adelante** hasta el puente, luego gira a la derecha.*

▶▶**Delante de** (ver entrada 254): Indica la posición física de algo con relación a otro elemento.

- *El chico que está **delante de** ti es Eugenio, el novio de Marisa.*
• *¿Quién, este?*

Antes, usos del adverbio y la locución.
Entradas 86 a 90.

86

ANTES = Se refiere al pasado sin especificar el momento exacto.

▶ - *Ya no vas tanto al gimnasio, ¿no?*
   • *No, antes iba todos los días, pero ahora sólo voy una vez a la semana.*
▶ - *Antes no había tanto tráfico ni tanto ruido en esta ciudad.*
   • *Sí, es verdad. Ahora es un caos.*

Gramática ▶ Adverbio de tiempo.
Estructura ▶ Se utiliza seguido de un verbo en Imperfecto de Indicativo.

▶▶

▶▶

CONTRASTE CON **OTRAS EXPRESIONES DE TIEMPO**:

▶▶**Aún** (ver entrada 105) y **Todavía** (ver entrada 738): Se presupone que se terminará aquello de lo que se está hablando.

Aún no ha venido Juan, pero no creo que tarde en llegar.

▶▶**Hasta ahora** (ver entrada 401): Se refiere a momentos anteriores al instante en que se está hablando.

Hasta ahora no he conseguido ver esa película.

▶▶**Ya** + *pasado* (ver entrada 792): Se refiere a un tiempo anterior al que se habla.

- *¿**Ya** has hablado con él?*
• *No, no he tenido tiempo.*

87

ANTES BIEN = Corrige una información errónea.

▶ - *Vamos a dejar este tema y vamos a discutir algo más interesante.*
• *No se trata de algo superfluo, antes bien, algo de suma importancia para nuestra empresa.*
▶ - *Deberías haberle ayudado, estaba solo.*
• *No estaba solo, antes bien, contaba con una gran ayuda.*

Gramática ▶ Locución conjuntiva adversativa.
Uso ▶ Se utiliza en registros literarios y cultos.

OTRA EXPRESIÓN SIMILAR:

▶▶**Sino** (ver entrada 700): Se utiliza en más contextos.

88

ANTES DE + **fecha** = Marca una referencia temporal pasada.

▶ *Me casé antes de 2001.*
▶ *Me instalé definitivamente en esta ciudad antes de las navidades de 2001.*

Gramática ▶ Locución adverbial de tiempo.
Uso ▶ Se suele utilizar con verbos en Indefinido.

89

ANTES DE + **hora / fecha** = Marca el plazo para que se produzca un acontecimiento.

▶ - *Vuelve antes de las cinco.*
• *Muy bien, mamá, lo haré.*
▶ - *Te lo traeré antes del jueves, seguro.*
• *Bueno, pero no te retrases.*

Gramática ▶ Locución adverbial de tiempo.
Uso ▶ Se suele utilizar con verbos en Imperativo o en Futuro.

CONTRASTE CON **OTRAS EXPRESIONES DE TIEMPO**:

▶▶ **De aquí a** (ver entrada 220): Marca el plazo para que se produzca un acontecimiento insistiendo en el desarrollo de un periodo.
- *Todavía me faltan cinco meses, pero* **de aquí a** *que acabe, iré solucionando todas las cosas pendientes.*
- • *Sí, como tienes tiempo, ve haciéndolo poco a poco.*

▶▶ **Dentro de** + *tiempo* (ver entrada 257): Indica el tiempo que tiene que transcurrir para que ocurra un acontecimiento.
- *Nos vemos* **dentro de** *una semana. Hasta entonces no nos volveremos a ver.*
- • *Bueno, pues hasta entonces.*

▶▶ **Para** + *fecha* (ver entrada 525): Marca un plazo concreto. Se utiliza siempre con fechas.
- *Te llamaré* **para** *el 6 de marzo.*
- • *Para entonces ya tendré toda la información.*

90

ANTES DE + acontecimiento = Presenta un acontecimiento como anterior a otro.

▶ - *¿A qué hora has llegado hoy a la oficina?*
  • *Antes de que viniera el jefe.*
▶ - *¿Cuándo se lo dijiste?*
  • *Justo antes de irme para que no hubiera ningún problema.*

Gramática ▶ Locución preposicional y conjuntiva de tiempo.
Estructura ▶ Se utiliza seguido de:
  ■ Sustantivos que se refieren a fechas, cantidades de tiempo o acontecimientos de algún tipo (bodas, cumpleaños, despedidas, etc.).
    A mi mujer la conocí seis meses antes de nuestra boda. Nos la presentó un amigo común en una fiesta y me enamoré de ella al instante.

  ■ Infinitivo cuando el sujeto de los dos acontecimientos es el mismo.
    Antes de acostarme, (yo) dejé la ropa preparada para el día siguiente.

  ■ *Que* + Subjuntivo cuando presentamos un acontecimiento realizado por alguien, anterior a otro realizado por otra persona.
    - *¿No viste a Isabel?*
    • *Yo me fui antes de que llegara.*

    • Se usa el Presente de Subjuntivo cuando nos referimos a acontecimientos habituales o a acontecimientos futuros.
      Normalmente antes de que mi mujer se levante, me levanto yo primero, preparo el desayuno y la despierto.

    • Se utiliza el Subjuntivo pasado para referirnos a acontecimientos pasados.
      - *Antes de que llegaras al trabajo, recibí una llamada misteriosa.*
      • *¿Quién sería?*

A   Diccionario práctico de gramática ◀

Apenas, usos del adverbio y la conjunción.
Entradas 91 y 92.

91

APENAS = Expresa la escasa frecuencia con la que se hace una actividad.

▸ *- Tú vas mucho al cine, ¿no?*
  ● *Qué va, apenas voy, en cambio antes iba todas las semanas.*
▸ *Últimamente apenas me queda tiempo para nada.*

Gramática ▸ Adverbio de negación.
Estructura ▸ Se utiliza el adverbio negativo *no* delante del verbo cuando *apenas* va detrás.
      No he visto a Eduardo apenas esta semana.
Uso ▸ Es propio de un lenguaje cuidado.

CONTRASTE CON OTRAS EXPRESIONES DE ESCASA FRECUENCIA:

▸▸**Casi nunca** (ver entrada 128): Expresa la escasa frecuencia con la que se hace una actividad.
    *Él y yo **casi nunca** estamos de acuerdo, somos muy diferentes.*

▸▸**Raramente** (ver entrada 628): Expresa las pocas ocasiones en las que se realiza una actividad.
    *Aurora casi nunca ve el fútbol y muy **raramente** viene conmigo al estadio.*

92

APENAS + acontecimiento = Presenta un acontecimiento como inmediatamente posterior a otro.

▸ *- ¿Cuándo te enteraste?*
  ● *Apenas sonó el teléfono, supe que había pasado algo.*
▸ *- Bueno, me voy. Ya te llamaré.*
  ● *Por favor, apenas llegues al hotel, llámame para saber que todo ha ido bien.*

Gramática ▸ Conjunción de tiempo.
Estructura ▸ Se utiliza seguido de:
  ■ Indefinido cuando nos referimos a acontecimientos pasados.
    Apenas sonó la campana, los niños salieron al patio.

  ■ Imperfecto y el otro verbo también en Imperfecto cuando nos referimos a acontecimientos habituales del pasado.
    Cuando era pequeño, apenas llegaba a casa del colegio, me ponía a jugar.

  ■ Subjuntivo y el otro verbo en Presente, Futuro o Imperativo o con una perífrasis de futuro cuando nos referimos a acontecimientos futuros.
    Apenas llegue a casa, voy a buscarlo.

OTRAS EXPRESIONES SIMILARES:

▸▸**Así que** (ver entrada 100), **En cuanto** (ver entrada 307) y **Tan pronto como** (ver entrada 725): Son de uso más generalizado.
▸▸**No bien** (ver entrada 495): Se utiliza en contextos más cultos.

93

AQUEL / AQUELLA / AQUELLOS / AQUELLAS = Se refiere a una persona o cosa alejada de quien habla y de quien escucha.

- ▶ *¿Recuerdas aquel restaurante en el que cenamos en tu cumpleaños?*
- ▶ *De todos, el que más me gusta es aquel, el rojo.*

Gramática ▶ Adjetivo o pronombre demostrativo.
Origen ▶ **Aquel** < *eccum* (lat.), he aquí. También de *ille, illa, illud*.
Estructura ▶ Concuerda en género y número con el sustantivo al que acompaña o al que sustituye.
▶ Puede ser adjetivo (va del delante del sustantivo) o pronombre (sin sustantivo).
Aquella cartera es la mía.
Aquella es mi cartera.
▶ El adjetivo demostrativo suele ir delante del sustantivo. En caso de utilizarlo después indica un cierto rechazo o desprecio.
No me gustó nada el comentario aquel tan absurdo que hiciste.

CONTRASTE CON OTROS DEMOSTRATIVOS:

▶▶**Ese/a/os/as** (ver entrada 335): Se utiliza para referirse a personas o cosas próximas a quien escucha.
Ese que está detrás de ti es mi hermano.
▶▶**Este/a/os/as** (ver entrada 358): Se utiliza para referirse a personas o cosas próximas a la persona que habla.
*Mira, **este** es mi hermano Antonio.*

94

AQUELLO = Se refiere a una cosa que no queremos o no podemos nombrar y está alejado espacial o temporalmente de quien habla y de quien escucha.

- ▶ *Mira, Juan, no quiero volver a hablar de aquello. Fue muy desagradable.*
- ▶ *¿Qué fue de aquello que me contaste el otro día?*

Gramática ▶ Pronombre demostrativo neutro.

CONTRASTE CON ESO / ESTO / LO QUE:

▶▶**Eso** (ver entrada 336): Se refiere a una cosa que no queremos o no podemos nombrar y está próxima a quien escucha.
*¿Qué es **eso** que tienes ahí?*
▶▶**Esto** (ver entrada 359): Se refiere a una cosa que no queremos o no podemos nombrar y está próximo a la persona que habla.
Esto que te voy a contar es un secreto, ¿de acuerdo?
▶▶**Lo que** (ver entradas 438): Se refiere a algo dicho o presente en la conversación.
Lo que no entiendo es por qué no me llamaste.

95

AQUÍ = Señala el lugar en el que se está.

> ▸ *Ya lo he encontrado. Mira, está aquí.*
> ▸ *¡Eh, estoy aquí!*

Gramática ▸ Adverbio de lugar.
Origen ▸ **Aquí** < *eccum hic* (lat.), en este lugar.
Uso ▸ En algunos países de América Latina se utiliza con más frecuencia *acá* que *aquí*, especialmente en situaciones poco formales o familiares.

CONTRASTE CON **OTRAS EXPRESIONES DE LUGAR:**

▸▸**Ahí** (ver entrada 57): Señala una posición alejada de quien habla, pero próxima a quien escucha.
*No, no mires por **ahí**, que ya he buscado yo. Mira mejor por **allá**, por detrás de todo eso.*

▸▸**Allí / Allá** (ver entrada 77): Señalan una posición alejada de quien habla y de quien escucha.
*No, no mires por ahí que ya he buscado yo. Mira mejor por **allá**, por detrás de todo eso.*

OTRA EXPRESIÓN SIMILAR:

▸▸**Acá** (ver entrada 38): Significa lo mismo.

96

ARRIBA = Señala un espacio superior sin compararlo o relacionarlo con nada.

> ▸ *- ¿Dónde están las botas, arriba o abajo?*
>   • *Arriba.*
> ▸ *Mi vecina vive en el piso de arriba.*

Gramática ▸ Adverbio de lugar.
Origen ▸ **Arriba** < *ad ripam* (lat.), a la orilla.

CONTRASTE CON **OTRAS EXPRESIONES DE LUGAR:**

▸▸**Encima de** (ver entrada 322): Indica la posición superior de algo con relación a otro elemento, sin que sea necesario contacto físico.
*Las cajas con la ropa vieja están **encima del** armario.*

▸▸**Sobre** (ver entrada 703): Indica la posición superior de algo con relación a otro elemento. Sí es necesario contacto físico.
*La lámpara de cristales de la abuela la he puesto **sobre** la mesa del salón, colgada del techo.*

Así < *sīc* (lat.)
Uso del adverbio. Entradas 97 a 101.

97

ASÍ = Indica el modo de hacer las cosas.

▸ *Esto no se hace así.*
▸ *No lo hagas así, que te quedará mal. Hazlo con esta máquina.*

▌Gramática ▸ Adverbio de modo.

CONTRASTE CON OTRAS EXPRESIONES EN LAS QUE NO SE PUEDE UTILIZAR ASÍ:

▸▸**Eso** (ver entrada 336): Reprocha a alguien un comportamiento.
*No hagas **eso**. Estás molestando a tu hermano.*

▸▸**Tan** (ver entrada 723): Se refiere a una cualidad mencionada o presupuesta.
*La película me ha gustado mucho. No pensé que fuera **tan** divertida.*

OTRAS EXPRESIONES SIMILARES:

▸▸**De esta manera / De este modo** (ver entrada 225): Significan lo mismo.

98

ASÍ + deseo = Expresa un deseo negativo o una maldición.

▸ *Se ha ido y no me ha dicho "adiós". Así le parta un rayo.*
▸ *Le han dado el trabajo a Arturo en vez de a mí. Así le salga mal.*

▌Gramática ▸ Adverbio de modo.
Estructura ▸ Se utiliza seguido de un verbo en Subjuntivo.
Uso ▸ En algunos casos muy raros puede utilizarse para expresar buenos deseos. Son fórmulas fijas y un tanto arcaicas: *así sea*, etc.

CONTRASTE CON OTRAS EXPRESIONES DE DESEO:

▸▸**Esperar** (ver entrada 340): Es la expresión de esperanza más general y se utiliza tanto para expresar los deseos de quien habla como de cualquier otra persona. Las otras formas sólo son expresiones de quien las dice.
*María nos **espera** para comer, así que vámonos.*

▸▸**Ojalá** (ver entrada 520): Es la expresión más utilizada para expresar deseos.
***Ojalá** me toque la lotería.*

▸▸**Que** + *deseo* (ver entrada 600): Se utiliza para expresar deseos en situaciones establecidas culturalmente.
***Que** aproveche. (Cuando alguien está comiendo.)*
***Que** descanses, **que** duermas bien. (Cuando alguien se va a dormir.)*

▸▸**¡Quién!** (ver entrada 623): Más que una esperanza expresa una amargura por algo que no se tiene o no se es.
*¿Que te ha tocado la lotería? **¡Quién** fuera tú!*

99

ASÍ (ES) QUE = Expresa la consecuencia de algo.

> ▸ *No tengo dinero. Así (es) que me voy a casa.*
> ▸ *Todavía no lo he visto, así (es) que no le he podido dar tu mensaje.*

Gramática	▸ Locución conjuntiva de consecuencia.
Estructura	▸ Se utiliza seguido de un verbo en Indicativo.
Uso	▸ Se puede utilizar en cualquier contexto.

CONTRASTE CON **OTRAS EXPRESIONES DE CONSECUENCIA:**

▸▸**Conque** (ver entrada 169): Expresa las consecuencias negativas de algo.
***Conque** no quieres recoger el cuarto: ¡Pues estás castigado!*

▸▸**Entonces** + *consecuencia* (ver entrada 327): Se utiliza para expresar una consecuencia que se considera como una información nueva, no implícita.
*No vino a la reunión, **entonces** tuve que llamarle y explicárselo todo.*

▸▸**Luego** + *frase* (ver entrada 446): Presenta una deducción lógica.
*Pienso, **luego** existo.*

▸▸**O sea, que** (ver entrada 518): Se utiliza para expresar una consecuencia que se supone implícita, que se puede deducir de lo ya dicho.
*Estoy cansadísimo, **o sea que** me voy a dormir.*

▸▸**Por eso** (ver entrada 572) y **Por (lo) tanto** (ver entrada 578): Se utilizan para hacer énfasis en la relación causa-efecto.
*Han descendido los tipos de interés y, **por lo tanto**, las hipotecas han bajado.*

100

ASÍ QUE = Presenta un acontecimiento como inmediatamente posterior a otro.

> ▸ *Vuelve a casa así que salgas del trabajo.*
> ▸ *Todos los días, desde que está en Lima, me llama así que llega a la oficina.*

Gramática	▸ Locución conjuntiva de tiempo.
Estructura	▸ Se utiliza seguido de:

▪ Indicativo cuando nos referimos a acciones habituales o cotidianas.
Pues yo, normalmente, así que entro en casa, me quito los zapatos.

▪ Subjuntivo cuando nos referimos a acciones o momentos futuros.
Así que cumpla los cuarenta, haré una fiesta por todo lo alto.

CONTRASTE CON **CUANDO:**

▸▸**Cuando** (ver entrada 186): Se utiliza para describir un momento sin prestar especial atención al tiempo que transcurre entre una acción y otra.
*Te llamaré **cuando** llegue al hotel.*

▸▸**Apenas** + *acontecimiento* (ver entrada 92) y **No bien** (ver entrada 495): Se utilizan en contextos más cultos.

▸▸**En cuanto** (ver entrada 307) y **Tan pronto como** (ver entrada 725): Significan lo mismo.

---

1 01

ASÍ Y TODO = Presenta una nueva información que contrasta con una idea dicha antes.

▸ *Si se lo digo, se enfadará. Así y todo, voy a decírselo. Creo que es mejor.*
▸ *No había estudiado, no se lo sabía y estaba muy nervioso. Así y todo, aprobó.*

Gramática ▸ Locución conjuntiva adversativa.
Estructura ▸ Se utiliza seguida de un verbo en Indicativo.

CONTRASTE CON OTRAS EXPRESIONES ADVERSATIVAS:

▸▸**Aun así** (ver entrada 106): Añade una información que podría ser contradictoria a otra nueva.
*Parece una persona muy fácil. **Aun así**, cuando se enfada, es insoportable.*

▸▸**Eso sí** (ver entrada 338): Añade un aspecto nuevo a algo dicho anteriormente que de alguna forma contrasta.
*Trabaja poco. **Eso sí**, es muy eficaz.*

▸▸**Pero** (ver entrada 539): Es la expresión adversativa más usual.
*Ya es la hora de salir, **pero** voy a quedarme un poco más en la oficina, a ver si termino esto.*

---

1 02

ASIMISMO = Introduce una información nueva sobre una persona o cosa ya presentados.

▸ *No tiene ni dinero ni ocupación y, asimismo, carece de vivienda.*
▸ *Juan es una persona muy abierta y sociable. Asimismo, tiene don de gentes y mucho encanto.*

Gramática ▸ Adverbio de modo.
Uso ▸ Se utiliza sólo en registros cultos y literarios.
▸ También se puede escribir *así mismo*.

CONTRASTE CON IGUALMENTE / TAMBIÉN:

▸▸**Igualmente** (ver entrada 408): Sirve para presentar un elemento parecido a otro presentado anteriormente.
*Para la reunión habrá que traer el contrato. **Igualmente** habrá que preparar un informe minucioso sobre la crisis.*

▸▸**También** (ver entrada 719): Se utiliza en todos los contextos.
*A mí me gusta el cine. A María **también**.*

103

ATRÁS = Señala un espacio posterior, sin compararlo o relacionarlo con nada.

▸ *¡Atrás! - gritó ante la presencia de su enemigo.*
▸ *Dad un paso hacia atrás.*

Gramática ▸ Adverbio de lugar.
Origen ▸ **Atrás** < *ad trans* (lat.), al otro lado, más allá.

CONTRASTE CON **OTRAS EXPRESIONES DE LUGAR**:

▸▸**Detrás de** (ver entrada 271): Localiza algo o a alguien en un lugar posterior a otro.
*El chico que está **detrás de** ti es Eugenio, el novio de Nuria.*

▸▸**Tras** (ver entrada 746): Expresa posterioridad en el espacio o en el tiempo físico o figurado.
***Tras** aquellos incidentes se escondía una organización delictiva.*

104

AUN = Expresa una objeción a la realización de algo, pero no lo impide.

▸ *Aun sabiendo que no corre peligro, estoy asustado.*
▸ *Eugenio me dijo que, aun siendo muy tarde, podíamos llamarle. Así que venga, marca.*

Gramática ▸ Adverbio de modo.
Origen ▸ **Aun** < *adhuc* (lat.)
Estructura ▸ Se utiliza seguido de gerundio.
Uso ▸ Se emplea en contextos cultos.

CONTRASTE CON **OTRAS EXPRESIONES CONCESIVAS**:

▸▸**Aunque** (ver entrada 107): Es la expresión de la concesión más general.
***Aunque** no tenía dinero, se compró ese coche.*

▸▸**Con** + *infinitivo* (ver entrada 153): Sirve para hacer una previsión de que es inútil hacer algo para conseguir un fin.
***Con** estudiar las reglas, no aprenderás bien la gramática. Tienes que practicarlas.*

▸▸**Por más que / Por mucho que** (ver entrada 580) y **Por muy... que** (ver entrada 581): Indican que no importa la intensidad con la que se hace algo, porque no se conseguirá lo que se pretende.
***Por mucho que** insistas, no me vas a convencer. Déjalo ya.*

OTRAS EXPRESIONES SIMILARES:

▸▸**A pesar de** (ver entrada 33), **Si bien es cierto que** (ver entrada 685), **Y eso que** (ver entrada 786) y **Y mira que** (ver entrada 787): Tienen usos similares.

105

AÚN = Se refiere a momentos anteriores al instante en que se está hablando.

▸ *Aún no ha llegado Pedro, ¡qué raro!*
▸ *¿Aún conservas aquellas cartas que te escribí?*

Gramática ▸ Adverbio de tiempo.
Origen ▸ **Aún** < *adhuc* (lat.)
Uso ▸ Significa lo mismo que *todavía* (ver entrada 738).

CONTRASTE CON **OTRAS EXPRESIONES DE TIEMPO:**

▸▸**Antes** (ver entrada 86): Se refiere sólo a los momentos anteriores al acto de habla, mientras que con **Aún** o **Todavía**, además se tiene en cuenta el momento actual.
*Antes no sabía conducir. Bueno, y **aún** sigo sin saber. No sé si algún día me sacaré el carné de conducir.*
▸▸**Hasta ahora** (ver entrada 401): No hay ninguna presuposición. En cambio con **Aún** y con **Todavía** se presupone que se terminará aquello de lo que se está hablando.
Hasta ahora no hemos hecho nada malo y no creo que lo hagamos jamás.
▸▸**Ya** + *pasado* (ver entrada 792): Expresa que algo que se presuponía ha ocurrido, pero con **Aún** y **Todavía** ese acontecimiento no ha ocurrido.
- ¿**Ya** has hablado con él?
• No, **aún** no. No he tenido tiempo.

106

AUN ASÍ = Añade una información que podría ser contradictoria a otra previamente dada.

▸ - No creo que venga.
• *Aun así esperaremos hasta la hora.*
▸ *Parece una persona muy fácil. Aun así cuando se enfada es insoportable.*

Gramática ▸ Locución conjuntiva adversativa.
Estructura ▸ Se utiliza seguido de una oración en Indicativo.

CONTRASTE CON **OTRAS EXPRESIONES ADVERSATIVAS:**

▸▸**Así y todo** (ver entrada 101): Significa lo mismo, aunque se utiliza menos.
*Parece una persona muy fácil. **Así y todo**, cuando se enfada, es insoportable.*
▸▸**Eso sí** (ver entrada 338): Añade un aspecto nuevo a algo dicho anteriormente, que de alguna forma contrasta.
*Trabaja poco. **Eso sí**, es muy eficaz.*
▸▸**Pero** (ver entrada 539): Es la expresión adversativa más usual.
*Ya es la hora de salir, **pero** voy a quedarme un poco más en la oficina, a ver si termino esto.*

A

107

AUNQUE = Expresa una objeción a la realización de algo, pero no lo impide.

▸ - *Aunque hace calor, me voy a poner un jersey. No quiero resfriarme.*
  • *No hace tanto calor, haces bien en ponértelo.*
▸ - *Se lo dije muchas veces y, aunque se lo dijera doscientas, no me haría caso.*
  • *Es verdad, es muy testarudo.*

Gramática ▸ Conjunción concesiva.
Origen   ▸ **Aunque** < *aun que*.
Estructura ▸ Se utiliza seguido de:
  ▪ Indicativo cuando se introduce una información que se presenta como nueva.
    Me voy a la cama, aunque no estoy muy cansado. Es que mañana me levanto muy pronto.

  ▪ Subjuntivo cuando es una información que ya se ha presentado antes o es conocida por quienes están hablando.
    - *Mamá, no tengo sueño.*
    • *Pues aunque no tengas sueño, tienes que irte a la cama, que mañana hay colegio.*

Uso ▸ *Aunque* es la construcción más utilizada y general para expresar las oraciones concesivas.

CONTRASTE CON OTRAS EXPRESIONES CONCESIVAS:

▸▸**A pesar de** (ver entrada 33): Se hace énfasis en la oposición de las dos ideas.
  *Aunque no tenía dinero se compró ese coche, **a pesar de** que no podía pagarlo.*

▸▸**Aun** (ver entrada 104): Se utiliza solo en un registro culto.
  Aun sabiendo que no corro peligro, estoy asustado.

▸▸**Con** + *infinitivo* (ver entrada 151): Sirve para hacer una previsión de que es inútil hacer algo para conseguir un fin.
  Con estudiar las reglas, no aprenderás bien la gramática. Tienes que practicarlas.

▸▸**Por más que / Por mucho que** (ver entrada 580) y **Por muy... que** (ver entrada 581): Indican que no importa la intensidad con la que se hace algo porque no se conseguirá lo que se pretende.
  Por mucho que insistas, no me vas a convencer. Déjalo ya.

▸▸**Si bien es cierto que** (ver entrada 685): Confirma la certeza de la información, pero indica que no se opone a la idea principal. Se utiliza solo en la lengua culta y escrita.
  Si bien es cierto que sus ideas están bien fundadas, decidimos no seguir sus consejos.

▸▸**Y eso que** (ver entrada 786): El elemento opuesto hace más grave la situación planteada.
  *Hacía muy mal tiempo y salió de casa. **Y eso que** estaba lloviendo.*

▸▸**Y mira que** (ver entrada 787): Sirve para recordar los argumentos por los cuales no se acepta algo.
  *Le había pedido que no fuera y fue. **Y mira que** se lo había dicho.*

108

BAJO = Sitúa un elemento en una posición inferior física o figuradamente.

▸ *Juan está durmiendo la siesta bajo esos árboles.*
▸ *¿Has visto la película "Bailando bajo la lluvia"? A mí me gusta mucho.*

❚Gramática ▸ Preposición.

CONTRASTE CON **OTRAS EXPRESIONES DE LUGAR:**

▸▸**Abajo** (ver entrada 37): Señala un espacio inferior, sin compararlo o relacionarlo con nada.
   *La cocina y el salón están **abajo**; los dormitorios, arriba.*

▸▸**Debajo de** (ver entrada 242): Sitúa algo en una posición inferior respecto a otro elemento.
   ***Debajo de** mi casa hay una tienda de frutas y verduras.*

Bastante < Participio activo del verbo *bastar*.
Usos del adverbio y adjetivo. Entradas 109 a 111.

109

BASTANTE = Matiza positivamente una acción sin expresar excesivo énfasis.

▸ *Me gusta bastante.*
▸ *Corre bastante, unos 15 kilómetros al día.*

❚Gramática ▸ Adverbio de cantidad.

CONTRASTE CON **OTRAS EXPRESIONES DE VALORACIÓN:**

▸▸**Demasiado** (ver entrada 255): Indica un exceso en la acción.
   *Trabajas **demasiado**, tienes que tomarte unas vacaciones.*

▸▸**Mucho** (ver entrada 476): Matiza muy positivamente la acción del verbo.
   *A mí me gusta **mucho** esta película. ¿Y a ti?*

▸▸**Nada** (ver entrada 481): Indica la ausencia de la acción indicada por el verbo.
   *Mi hijo ya tiene dos años y no habla **nada**.*

110

BASTANTE / BASTANTES = Expresa una cantidad grande sin especificarla.

▸ *Había bastante gente en el estreno de la obra.*
▸ *Para hacer este pastel necesito bastantes limones.*

❚Gramática ▸ Adjetivo indefinido.

CONTRASTE CON MUCHO:

▶▶**Mucho/a/os/as** (ver entrada 477): En una gradación de cantidad, es más que **Bastante**.
- *¿Vino mucha gente a tu fiesta?*
• *Hombre, **mucha** no, pero sí **bastante**.*

111

BASTANTE + adjetivo = Sirve para valorar positivamente una cualidad sin expresar entusiasmo.

▶ *Es bastante bonito, aunque prefiero otro más moderno.*
▶ *No está bastante preparado para este puesto.*

❚Gramática ▶ Adverbio de cantidad.

CONTRASTE CON OTRAS EXPRESIONES DE VALORACIÓN:

▶▶**Algo** + *adjetivo* (ver entrada 72), **Demasiado** (ver entrada 255), **Un poco** (ver entrada 755) y **Un tanto** (ver entrada 759): Dan un matiz negativo al adjetivo al que acompañan.
*Este jersey es bonito, pero **algo** llamativo para mi forma de ser, ¿no te parece?*
▶▶**Más bien** (ver entrada 452): Sirve para expresar que el objeto valorado tiene una tendencia hacia esa cualidad.
*Es una chica **más bien** rubia, castaña clara, muy clara.*
▶▶**Nada** + *adjetivo* (ver entrada 482): Sirve para expresar la ausencia de la cualidad señalada.
*No me gusta, no es **nada** atractivo, la verdad.*

112

BASTAR = Presenta algo como necesario o suficiente para alcanzar lo que se expresa.

▶ *A mí me basta con dormir seis horas para estar perfectamente.*
▶ *Me bastaron tres horas para saber quién había robado las joyas.*

Gramática ▶ Verbo intransitivo.
Estructura ▶ Se utiliza seguido de la preposición *con* y un sustantivo o un infinitivo, en tercera persona del singular con infinitivos y sustantivos singulares, y en tercera persona del plural sólo con sustantivos plurales. Cuando es una expresión impersonal, no lleva pronombre.

Bien < *bene* (lat.)
Usos del adverbio. Entradas 113 a 115.

113

BIEN = Valora positivamente una acción.

▶ *Esto lo has hecho muy bien. Me gusta.*
▶ *Este autor escribe bien, pero sus historias son aburridas.*

▸▸ ▌Gramática ▸ Adverbio de modo.

CONTRASTE CON **BUENO**:

▸▸ **Bueno/a/os/as** (ver entrada 116): Valora positivamente a una persona o una cosa.
*Es una **buena** cocinera.*

114

BIEN / MAL = Expresa el estado de salud o el aspecto saludable de una persona.

▸ *He pasado una gripe muy fuerte, pero ya estoy bien.*
▸ *¡Qué bien estás, si parece que tienes menos años!*

▌Gramática ▸ Adverbio de modo.
▌Uso ▸ Se utilizan con el verbo *estar*.

115

BIEN MIRADO = Presenta una deducción como resultado del análisis que cambia una primera opinión.

▸ *Ayer estuve pensando en tu oferta y, bien mirado, creo que vamos a aceptarla.*
▸ *Tienes razón, estaba confundido. Bien mirado, se nota claramente que no es suyo.*

▌Gramática ▸ Locución ilativa.
▌Estructura ▸ Se utiliza con un verbo en Indicativo.

OTRAS EXPRESIONES SIMILARES:

▸▸ **Mirándolo bien** (ver entrada 474) y **Si se mira bien** (ver entrada 690): Significan lo mismo.

Bueno < *bonus* (lat.)
Usos del adjetivo. Entradas 116 a 120.

116

BUENO / BUENA / BUENOS / BUENAS = Valora positivamente a una persona o una cosa.

▸ *Manuel es muy buena persona. Tiene muy buen carácter.*
▸ *Este es un buen libro, te lo recomiendo.*

▌Gramática ▸ Adjetivo calificativo.
▌Estructura ▸ *Buen* es la forma de *bueno*, cuando el adjetivo va delante de un sustantivo singular masculino.
▌Uso ▸ Se utiliza con el verbo *ser*.

CONTRASTE CON **BIEN**:

▸▸ **Bien** (ver entrada 113): Valora positivamente una acción.
*Hablas **bien**, pero tienes que cuidar tu gramática.*

117

BUENO = Responde afirmativamente a una petición sin mucho énfasis.

> ▸ *- Mamá, ¿puedo ir a jugar al parque?*
>   • *Bueno, pero no vuelvas tarde.*
> ▸ *- ¿Puedo ir con vosotros?*
>   • *Bueno.*

Gramática ▸ Adjetivo calificativo en forma masculina singular.
Uso ▸ Se utiliza en un registro coloquial.

OTRAS EXPRESIONES DE AFIRMACIÓN:

↪**Claro** (ver entrada 132) y **Desde luego** (ver entrada 263): La respuesta es una confirmación de lo que ha dicho la otra persona.

↪**Cómo no** (ver entrada 144): Indica una respuesta afirmativa.

↪**Evidentemente** (ver entrada 362): Indica una respuesta afirmativa a una pregunta, mostrando que es la única respuesta posible.

↪**Sí** (ver entrada 674): Es la afirmación más neutra, se utiliza en cualquier contexto.

118

BUENO, BUENO = Sirve para interrumpir a alguien cuando ya hemos aceptado lo que ha empezado a contar.

> ▸ *- Mañana tienes que venir antes, porque vamos a ver si podemos terminar este trabajo, que urge mucho y necesito que...*
>   • *Bueno, bueno. No te preocupes, mañana estaré aquí prontito.*
> ▸ *- Papá, necesito 2 euros para comprarme...*
>   • *Bueno, bueno. Toma, aquí tienes.*

Gramática ▸ Expresión de afirmación.
Uso ▸ Se utiliza en un registro coloquial.

OTRA EXPRESIÓN SIMILAR:

↪**Vale** (ver entrada 766): Significa lo mismo.

119

BUENO, BUENO, BUENO = Reprueba implícitamente lo que otra persona dice o hace.

> ▸ *- Me voy un momentito, que tengo que hacer un recado.*
>   • *Bueno, bueno, bueno. ¿No sales demasiado?*
> ▸ *Bueno, bueno, bueno. Así que tú eres el que ha roto el jarrón de la abuela.*

Gramática ▸ Expresión de reproche.
Uso ▸ Se utiliza en un registro coloquial.

OTRA EXPRESIÓN SIMILAR:

↪**Pero bueno** (ver entrada 540): Significa lo mismo. Es más utilizada.

120

BUENO, SÍ = Expresa una respuesta afirmativa a una propuesta mostrando una cierta duda.

▶ - *Ven a mi fiesta, anda.*
  • *Es que no puedo.*
  - *Inténtalo, que lo pasaremos muy bien.*
  • *Bueno, sí.*

Gramática ▶ Expresión de afirmación.
Uso ▶ Se utiliza en un registro coloquial.

OTRAS EXPRESIONES SIMILARES:

▸▸**Claro** (ver entrada 132) y **Desde luego** (ver entrada 263): La respuesta es una confirmación de lo que ha dicho la otra persona.

▸▸**Sí** (ver entrada 674): Es la afirmación más neutra, se utiliza en cualquier contexto.

Cada < *cata* (lat.), según, conforme a.
Usos del adjetivo. Entradas 121 a 125.

121

CADA = Indica la periodicidad con la que se realiza algo.

▸ *Cada dos días tengo clase de informática.*
▸ *Repartió una fotocopia a cada dos personas.*

Gramática ▸ Adjetivo invariable.
Estructura ▸ Se utiliza seguido de un número cardinal y un sustantivo.

122

CADA CUAL = Se refiere a los individuos de un grupo de forma impersonal.

▸ *Cada cual es dueño de hacer lo que quiera.*
▸ *Es evidente que cada cual tiene su opinión y hay que respetarla.*

Gramática ▸ Locución pronominal.

123

CADA DÍA MÁS / CADA VEZ MÁS / CADA VEZ MENOS = Indica una progresión en la intensidad de una acción.

▸ *Trabaja cada día más. Tiene que descansar.*
▸ *Cada vez hay menos parados.*

Gramática ▸ Locución adverbial de tiempo.

124

CADA UNO DE / CADA UNA DE = Se refiere a los individuos de un grupo de uno en uno.

▸ *Cada uno de nosotros tiene derecho a un cuadernillo de exámenes.*
▸ *El profesor habló con cada una de sus alumnas para comentar los trabajos.*

Gramática ▸ Locución pronominal.
Estructura ▸ Se utiliza seguido de un sustantivo o de un pronombre.

125

CADA VEZ QUE = Indica que un acontecimiento se produce siempre que se produce otro.

▸ *Cada vez que hay un problema desaparece de la oficina.*
▸ *Ven a verme cada vez que quieras.*

Gramática ▸ Locución conjuntiva de tiempo.
Estructura ▸ Se utiliza con:

■ Presente de Indicativo para expresar acontecimientos habituales.
Cada vez que suena el despertador, pienso en tirarlo por la ventana.

■ Imperfecto de Indicativo para referirse a una costumbre pasada.
De pequeño, cada vez que veías un hombre con barba, te ponías a llorar.

■ Presente de Subjuntivo para referirse a acontecimientos futuros.
A partir de ahora, cada vez que quieras hablar conmigo, llámame.

OTRAS EXPRESIONES SIMILARES:

▶▶**Siempre que** (ver entrada 694) y **Todas las veces que** (ver entrada 737): Significan lo mismo.

Casi < *quasi* (lat.)
Usos del adverbio. Entradas 126 a 128.

126

CASI = Indica que un acontecimiento finalmente no ocurre.

> ▶ *Había tal cantidad de agua en el suelo, que casi me caigo.*
> ▶ *¡Qué cambiado estás! Casi no te reconozco.*

Gramática ▶ Adverbio de cantidad.
Estructura ▶ Se utiliza seguido de un verbo, generalmente en Presente de Indicativo.

CONTRASTE CON **ESTAR A PUNTO DE / FALTAR POCO / POR POCO**:

▶▶**Estar a punto de** (ver entrada 350) y **Faltar poco** (ver entrada 365): Indican que una acción va a ocurrir o que una acción casi ocurre.
> *Pisé un plátano y **faltó poco** para caerme.*

▶▶**Por poco** (ver entrada 582): Se señala que no se realizó algo y se hace hincapié en los aspectos negativos que se podían haber producido.
> ***Casi** me compro un coche, pero me di cuenta de que no tenía suficiente dinero.*
> ***Por poco** me compro un coche que era bastante malo.*

127

CASI + cantidad = Presenta una cantidad como superior a la realidad.

> ▶ *Vinieron casi trescientas personas a la boda.*
> ▶ *En las pasadas elecciones votó casi el 85% de los ciudadanos.*

Gramática ▶ Adverbio de cantidad.
Estructura ▶ Se utiliza seguido de un número cardinal.

CONTRASTE CON **OTRAS EXPRESIONES DE CANTIDAD**:

▶▶**Como mucho** (ver entrada 138), **Todo lo más** (ver entrada 742) y **A lo sumo** (ver entrada 23): Presentan una cantidad como lo máximo que se puede decir.
> *La verdad es que fuimos muy pocos a la conferencia. **Como mucho** doce.*

▶▶**Cerca de** + *cantidad* (ver entrada 129): Presenta una cantidad como valoración subjetiva de un número menor al dicho. Con **Casi** se presenta la cantidad como objetiva, muy próxima a la realidad.
> *No sé cuántos estuvimos. Seríamos **cerca de** veinte personas, yo creo.*
> *En la reunión estuvimos **casi** veinte personas. En realidad diecinueve, para ser exactos.*

▶▶**Poco menos de** (ver entrada 547): Se presenta una cantidad muy aproximada, aunque algo mayor a la realidad.
> *A mi boda vinieron **poco menos de** trescientas personas. Quería que estuvieran todos.*

1 28

CASI NUNCA = Indica la escasa frecuencia con la que se hace una actividad.

▸ *Casi nunca voy a los estadios de fútbol, prefiero ver los partidos en la tele.*
▸ *Él y yo casi nunca estamos de acuerdo, somos muy diferentes.*

▐Gramática ▸ Locución adverbial de negación.

CONTRASTE CON **OTRAS EXPRESIONES DE ESCASA FRECUENCIA:**

▸▸**Apenas** (ver entrada 91): Es de uso menos frecuente y más propio de un lenguaje cuidado.
   Apenas voy al cine. En cambio, antes iba todas las semanas.

▸▸**Raramente** (ver entrada 628): Expresa las pocas ocasiones en las que se realiza una actividad.
   Aurora casi nunca ve el fútbol y muy raramente viene conmigo al estadio.

Cerca < *circa* (lat.)
Usos de la locución. Entradas 129 y 130.

1 29

CERCA DE + cantidad = Presenta de forma subjetiva una cantidad como superior a la realidad.

▸ *En la manifestación hubo cerca de dos mil personas.*
▸ *Estuvo viviendo en aquella ciudad cerca de tres años.*

▐Gramática ▸ Locución preposicional de cantidad.

CONTRASTE CON **OTRAS EXPRESIONES DE CANTIDAD:**

▸▸**A lo sumo** (ver entrada 23), **Como mucho** (ver entrada 138) y **Todo lo más** (ver entrada 742): Presentan una cantidad como lo máximo que se puede decir.
   Vinieron a la fiesta alrededor de veinte personas, a lo sumo veinticinco.

▸▸**Al menos** (ver entrada 66) y **Por lo menos** (ver entrada 576): Mencionan la cantidad mínima que se puede decir.
   Necesito alrededor de 500 euros para poder empezar a hacer esto. Préstame al menos 400.

▸▸**Alrededor de** + *cantidad* (ver entrada 78): Presenta una cantidad aproximada que puede ser mayor o menor de lo dicho.
   Habría alrededor de cien personas en la conferencia.

▸▸**Casi** + *cantidad* (ver entrada 127): Indica que una cantidad es inferior a la real, pero se presenta como muy próxima a la realidad.
   En un día se estudió casi cinco temas. Al día siguiente estudió otros tantos.

▸▸**Un poco más de** (ver entrada 756): Menciona la cantidad mínima que se puede decir.
   Se convocó a un poco más de cincuenta personas, cincuenta y tres para ser exactos.

130

CERCA DE + lugar = Sitúa algo o alguien con relación a otro próximo.

▶ *La estación de trenes está cerca del centro de la ciudad.*
▶ *Vamos a sentarnos cerca de la puerta, por si tenemos que salir pronto.*

Gramática ▶ Locución preposicional de lugar.
Uso ▶ Se opone a *lejos de* (ver entrada 425).

CONTRASTE CON OTRAS EXPRESIONES DE LUGAR:

▸▸**Al lado de** (ver entrada 65): Se hace referencia a que los dos elementos están contiguos.
Al lado de mi casa hay un supermercado y una biblioteca.
▸▸**Junto a** (ver entrada 416): Indica una mayor proximidad que **Cerca de**.
Aquella mujer que está junto a la puerta es mi tía.

131

CIERTO / CIERTA = Habla de alguien o algo con un matiz de indeterminación.

▶ *Ha preguntado por ti un cierto Juan. Ha dicho que luego viene.*
▶ *He oído que tienen ustedes cierta máquina que limpia las manchas de tinta, ¿no?*

Gramática ▶ Adjetivo.
Origen ▶ **Cierto** < *certus* (lat.)
Estructura ▶ Se utiliza seguido de un sustantivo o nombre de persona.
Uso ▶ Puede ir precedido de un artículo indeterminado.

CONTRASTE CON UN TAL:

▸▸**Un tal / Una tal** (ver entrada 758): Se refiere a una persona que es poco conocida de quien habla.
Te ha venido a ver un tal Sánchez.

132

CLARO = Responde afirmativamente a una pregunta.

▶ *- ¿Vas a venir mañana?*
• *Claro.*
▶ *- ¿Puedo tomar algo de beber? Tengo mucha sed.*
• *Claro, en la nevera hay.*

Gramática ▶ Interjección.
Origen ▶ **Claro** < *clarus* (lat.)
Uso ▶ También se utiliza *claro que sí* para presentar como evidente la respuesta.

OTRAS EXPRESIONES DE AFIRMACIÓN:

▸▸**Bueno** (ver entrada 117): Expresa una afirmación, pero con una cierta duda.
▸▸**Cómo no** (ver entrada 144): Indica una respuesta afirmativa.
▸▸**Desde luego** (ver entrada 263): La respuesta es una confirmación de lo que ha dicho la otra persona.
▸▸**Evidentemente** (ver entrada 362): Indica una respuesta afirmativa a una pregunta, mostrando que es la única respuesta posible.
▸▸**Sí** (ver entrada 674): Es la afirmación más neutra, se utiliza en cualquier contexto.

133

CLARO QUE NO = Responde negativamente a una pregunta.

▸ *- Ya no sales con Evaristo, ¿no?*
  • *Claro que no. Era muy aburrido.*
▸ *- ¿Te gusta?*
  • *Claro que no. Es feísimo.*

Gramática ▸ Locución adverbial de negación.

OTRAS EXPRESIONES DE NEGACIÓN:

▸▸ **Desde luego que no** (ver entrada 265): Significa lo mismo.
▸▸ **Ni hablar** (ver entrada 487): Se utiliza para rechazar una solicitud o petición de algo.
▸▸ **No** (ver entrada 493): Es la negación más neutra, se utiliza en cualquier contexto.
▸▸ **¡Qué va!** (ver entrada 614): Es una forma enérgica y coloquial de decir que no.

Como < *quomŏdo* (lat.)
Usos del adverbio y la conjunción. Entradas 134 a 139.

134

COMO = Indica igualdad entre dos cosas, personas o animales.

▸ *Este coche es tan caro como ese, pero me gusta más.*
▸ *Este no corre tanto como el otro.*

Gramática ▸ Adverbio de modo.
Estructura ▸ Introduce el segundo término de la comparación en las oraciones comparativas de igualdad: *tan... como* y *tanto como* (ver entradas 724 y 727).

135

COMO + causa = Expresa la causa como la situación previa a un acontecimiento.

▸ *Como no tenía mucho dinero, comí sólo un bocadillo.*
▸ *Como no tengo paraguas, me voy antes de que empiece a llover.*

Gramática ▸ Conjunción causal.
Estructura ▸ Se utiliza seguido de un verbo en Indicativo.
Uso ▸ Siempre va al inicio de la frase.

CONTRASTE CON OTRAS EXPRESIONES DE CAUSA:

▸▸ **Al** + *infinitivo* (ver entrada 63): Indica la causa conocida por el interlocutor. Con **Como** se presenta una causa como una información nueva.
  - *Sé que han operado a Alberto. ¿Qué tal está?*
  • *Al ser una operación tan simple, ya está trabajando.*

▸▸ **En vista de** (ver entrada 319): Significa lo mismo. Se usa en contextos formales y literarios.
  En vista de que no llegaba el autobús, opté por coger un taxi.

Porque (ver entrada 588): Es la expresión más general para expresar la causa. Suele ir en el centro de la frase.

*Comí un bocadillo **porque** no tenía tiempo.*

Puesto que (ver entrada 595) y **Ya que** (ver entrada 796): Expresan que lo dicho por quien escucha es la causa de algo.

- Me voy al mercado.
*• Oye, **ya que** vas, tráeme un litro de leche, por favor.*

136

COMO + condición = Expresa una condición como una advertencia o amenaza.

▸ *- Mamá, no quiero más.*
• Como no te comas todo lo que tienes en el plato, te castigo.
▸ *- Andad, dejadme ir con vosotros de excursión.*
• Bueno, puedes venir con nosotros mañana. Pero, como te retrases, nos vamos sin ti. ¿De acuerdo?

Gramática ▸ Conjunción condicional.
Estructura ▸ Se utiliza seguido de un verbo en Subjuntivo.

CONTRASTE CON **OTRAS EXPRESIONES CONDICIONALES:**

A menos que (ver entrada 29), **A no ser que** (ver entrada 31), **Excepto que** (ver entrada 364) y **Salvo que** (ver entrada 637): Expresan lo único que podría ocurrir para que no se produzca algo.

*No te preocupes, llegaremos puntuales a la cita **a no ser que** haya mucho tráfico en el centro de la ciudad.*

Con que (ver entrada 158), **Con sólo** (ver entrada 161), **Con tal de que** (ver entrada 162), **Siempre que** + *condición* (ver entrada 695), **Sólo con** (ver entrada 710) y **Sólo si** (ver entrada 711): Expresan una condición que se considera mínima, imprescindible.

*Te dejo el dinero **con tal de que** me prometas devolvérmelo pronto.*

En caso de que (ver entrada 304): Presenta una eventualidad, una posibilidad remota de que algo ocurra.

*Deja un recado **en caso de que** no esté en la oficina, pero suele estar.*

OTRA EXPRESIÓN SIMILAR:

Si + *condición* (ver entrada 681): Es la expresión de la condición más general.

137

COMO + modo = Expresa la manera de realizarse algo.

▸ *Lo hizo como pudo.*
▸ *Díselo como mejor sepas.*

Gramática ▶ Adverbio relativo de modo.
Estructura ▶ Se utiliza con:

■ Indicativo para referirnos a la forma de hacer algo que conocemos.
¿Por qué no haces ese pescado como lo prepara tu madre?

■ Subjuntivo para referirnos a la forma de hacer algo que no conocemos.
- ¿Cómo lo hago?
• Hazlo como quieras, pero hazlo.

Uso ▶ Siempre va después de la oración principal.

OTRAS EXPRESIONES SIMILARES:

▸▸**Conforme** + *modo* (ver entrada 166) y **Según** + *modo* (ver entrada 644): Significan lo mismo.

▸▸**De esta manera / De este modo** (ver entrada 225) y **La manera en que** (ver entrada 419): Se utilizan en contextos más cultos.

138

COMO MUCHO = Presenta una cantidad alta como lo máximo que se puede decir.

▸ *Esto te puede costar como mucho 7 euros.*
▸ *Ese chico de allí como mucho tiene veinte años.*

Gramática ▶ Locución adverbial de cantidad.
Estructura ▶ Se utiliza seguido de un número cardinal.

OTRAS EXPRESIONES SIMILARES:

▸▸**A lo sumo** (ver entrada 23): Se emplea sólo en registros cultos.

▸▸**Todo lo más** (ver entrada 742): Significa lo mismo.

139

COMO SI = Describe una sensación comparándola con algo similar.

▸ *Me duele como si me apretaran.*
▸ *Lo pasó tan mal que se sentía como si se estuviera mareando.*

Gramática ▶ Locución conjuntiva de comparación.
Estructura ▶ Se utiliza con:

■ Imperfecto de Subjuntivo cuando realizamos una comparación con algo presente.
Me duele el estómago como si tuviera fuego en él.

■ Pluscuamperfecto de Subjuntivo cuando realizamos una comparación con una acción ya ocurrida.
Me duele el estómago como si me hubieran dado un golpe.

CONTRASTE CON NI QUE:

▸▸**Ni que** (ver entrada 489): Se utiliza para comparar algo con una situación extrema.
Se queja mucho. **Ni que** *le estuvieran matando.*

¿Cómo? < *quomŏdo* (lat.)
Usos del adverbio interrogativo y exclamativo.
Entradas 140 a 145.

► **Diccionario práctico de gramática**   **C**

140

¿CÓMO? = Pregunta por el modo de hacer algo.

► - *¿Cómo has venido?*
  • *En autobús.*
► *¿Cómo se hace la tortilla de patatas?*

▌Gramática ▸ Adverbio interrogativo.

OTROS INTERROGATIVOS:

▸▸Para preguntar por una cantidad utilizamos **Cuánto** (ver entrada 193); por un lugar, **Adónde** (ver entrada 53) y **Dónde** (ver entrada 279); por un momento, **Cuándo** (ver entrada 88); por un motivo, **Por qué** (ver entrada 583); por una persona, **Quién/enes** (ver entrada 624) o **Cuál/es** (ver entrada 180) y por algo, **Qué** (ver entrada 605) o **Cuál/es.**

141

¡CÓMO + acción! = Resalta el modo de hacer algo.

► *¡Cómo habla español! Parece un nativo.*
► *Chico, ¡cómo cantas, es horrible!*

▌Gramática ▸ Adverbio exclamativo.
▌Estructura ▸ Se utiliza seguido de un verbo en Indicativo.

142

¡CÓMO + repetición! = Rechaza una propuesta presentada por otro.

► - *Es tardísimo, ¡vámonos!*
  • *¡Cómo nos vamos a ir, si no es la hora!*
► - *¿Le compramos esto a Elena?*
  • *¡Cómo se lo vamos a comprar, si no tenemos dinero!*

▌Gramática ▸ Adverbio exclamativo.
▌Estructura ▸ Se utiliza seguido de un verbo en Indicativo.

143

¿CÓMO ES QUE? = Pregunta por la causa de algo.

► - *¿Cómo es que hablas tan bien español, si eres ruso?*
  • *Bueno, en realidad soy español, pero llevo muchos años viviendo en Moscú.*
► - *¿Cómo es que no viniste a mi fiesta de cumpleaños?*
  • *Es que tenía otra cita.*

▌Gramática ▸ Expresión interrogativa de causa.
▌Estructura ▸ Se utiliza seguido de un verbo en Indicativo.
▌Uso ▸ Se utiliza para intentar ser más amable, siempre en preguntas.
      ▸ También se usa como pregunta motivada por una sorpresa.

> **Contraste con ¿por qué?:**
>
> ▸▸**¿Por qué?** (ver entrada 583): Es la locución interrogativa más utilizada para propo-
> ner una actividad, hacer una sugerencia, una pregunta, etc. **Cómo es que** sólo se
> utiliza para preguntar por una causa de forma cortés.
>
> *¿**Por qué** no vamos al cine esta noche?*

144

CÓMO NO = Indica una respuesta afirmativa.

▸ *- ¿Me dejas 12 euros? Mañana te los devuelvo.*
  • *Cómo no.*
▸ *- ¿Puedo pasar?*
  • *Cómo no.*

Gramática ▸ Expresión de afirmación.

Otras expresiones de afirmación:

▸▸**Bueno, sí** (ver entrada 120): Expresa una afirmación, pero con una cierta duda.
▸▸**Claro** (ver entrada 132) y **Desde luego** (ver entrada 263): La respuesta es una confirmación
de lo que ha dicho la otra persona.
▸▸**Sí** (ver entrada 674): Es la afirmación más neutra, se utiliza en cualquier contexto.

145

¡CÓMO QUE! = Expresa desacuerdo sobre lo que otro ha dicho.

▸ *- Este político no sabe nada de la situación actual.*
  • *¡Cómo que no sabe nada! Si es uno de los más informados.*
▸ *- Nos vamos ya.*
  • *¡Cómo que os vais ya, si todavía no es la hora!*

Gramática ▸ Expresión de desacuerdo.
Estructura ▸ Se utiliza seguido de un verbo en Indicativo.

Otra expresión similar:

▸▸**¿(Tú) crees? / ¿(Usted) cree?** (ver entrada 179): Expresa una duda ante lo dicho por otra
persona.

146

COMOQUIERA QUE = Describe un modo en el futuro.

▸ *Quiero saber de ti comoquiera que sea. Así que, escríbeme, llámame o haz lo que quieras.*
▸ *Lo hará, no te preocupes. Comoquiera que sea, pero lo hará.*

Gramática ▸ Adverbio de modo.
Estructura ▸ Se utiliza seguido de un verbo en Subjuntivo.
Uso ▸ Es más frecuente escuchar la forma simple: *como* + Subjuntivo.

▶▶

OTRAS EXPRESIONES SIMILARES:

▶▶Para definir a alguien, **Cualquiera que** (ver entrada 184) o **Quienquiera que / Quienesquiera que** (ver entrada 626); para definir un momento, **Cuandoquiera que** (ver entrada 190) y un lugar, **Dondequiera que** (ver entrada 281).

Con < *cum* (lat.)
Usos de la preposición. Entradas 147 a 163.

147

CON + alguien / algo = Expresa la compañía.

- ▶ *Adela viene con nosotros.*
- ▶ *Este viaje lo voy a hacer con mi mochila, que no quiero ir muy cargado.*

Gramática ▶ Preposición para indicar compañía.
Estructura ▶ Se utiliza con un verbo de estado o movimiento.

148

CON + alguien / algo = Expresa un sentimiento o sensación que se tiene en relación a algo o alguien.

- ▶ *Me he enfadado con Cristina. Sinceramente, es insoportable.*
- ▶ *Se alegró con el resultado del partido. Esperaba algo más, pero fue suficiente.*

Gramática ▶ Preposición para indicar un sentimiento.
Estructura ▶ Se utiliza con un verbo de sentimiento.

CONTRASTE CON OTRAS PREPOSICIONES DE USOS SIMILARES:

▶▶**Hacia** + *persona* (ver entrada 395): Expresa el destinatario de un sentimiento.
*Siento un gran respeto **hacia** ella.*

▶▶**Por** + *algo / alguien* (ver entrada 554): Indica el causante de un sentimiento, una actitud o un estado mental.
*Estoy muy preocupado **por** Juan y **por** sus exámenes.*

149

CON + característica = Describe algo o a alguien.

- ▶ *Este año se llevan los jerseys con cuello alto y las camisas con rayas.*
- ▶ *Aquel hombre con bigote es el hermano de Francisco.*

Gramática ▶ Preposición para indicar una característica.
Estructura ▶ Se utiliza seguido de un sustantivo referido a un rasgo o característica.

CONTRASTE CON DE:

▶▶**De** + *característica* (ver entrada 207): Tiene el mismo valor. Es de uso más frecuente.
*Este año se llevan los jerseys **de** cuello alto y las camisas **de** rayas.*

150

CON + contenido = Indica el contenido de algo.

▸ *Ahí hay una caja de madera con unos libros viejos. ¿Qué hago con ella?*
▸ *Tengo una olla con unas pocas albóndigas para que cenes.*

Gramática ▸ Preposición para indicar un contenido.
Estructura ▸ Se utiliza seguido de un sustantivo.

CONTRASTE CON DE:

▸▸**De** + *algo* (ver entrada 204): Indica el contenido de algo. Mediante **Con** se hace énfasis en el contenedor.
Compra una botella de leche y un paquete de arroz.

151

CON + infinitivo = Predice que no se va a producir un acontecimiento futuro por hacer algo.

▸ *Con llorar no arreglarás nada. Anda, ven y cuéntame qué te pasa.*
▸ *Con estudiar dos horas al día no aprobarás el examen.*

Gramática ▸ Expresión concesiva.
Estructura ▸ La frase principal va en forma negativa.
Uso ▸ Esta construcción equivale a un gerundio y se utiliza en un registro coloquial.

CONTRASTE CON OTRAS EXPRESIONES CONCESIVAS:

▸▸**A pesar de** (ver entrada 33) y **Aunque** (ver entrada 107): Son las expresiones más generales.
***Aunque** no tenía dinero se compró ese coche, **a pesar de** que no podía pagarlo.*
▸▸**Por más que / Por mucho que** (ver entrada 580) y **Por muy... que** (ver entrada 581): Indican que no importa la intensidad con la que se realice algo, porque la información principal se producirá.
***Por mucho que** insistas, no me vas a convencer. Déjalo ya.*

152

CON + ingrediente = Expresa la composición de algo.

▸ *A mí la ensalada me gusta con mucho vinagre.*
▸ *- ¿Cómo tiene que ser la casa?*
  • Necesito una casa con dos habitaciones y con un baño grande.

Gramática ▸ Preposición para indicar la composición.
Uso ▸ Indica los componentes de un todo sin definir las partes.

CONTRASTE CON DE:

▸▸**De** + *característica* (ver entrada 207): Indica una característica de algo o alguien que lo distingue del resto.
- Y al final, ¿qué casa habías comprado?
*• Hemos comprado la casa **de** tres pisos y jardín, no la **de** dos pisos.*

153

CON + instrumento = Expresa el instrumento, el medio o el modo de hacer algo.

> ▶ *Córtalo con las tijeras y no con el cuchillo, es más fácil.*
> ▶ *Se pinchó con una aguja en el dedo.*

Gramática ▶ Preposición para indicar instrumento, medio o modo.
Estructura ▶ Se utiliza con un verbo de actividad y un sustantivo referido a un instrumento.

CONTRASTE CON **CONTRA** / **MEDIANTE**:

▶▶**Contra** + *algo* (ver entrada 173): Expresa el encuentro de un objeto con otro.
Se chocó **contra** *un camión y el coche quedó destrozado.*

▶▶**Mediante** (ver entrada 457): Indica el modo o el medio de conseguir algo. Se usa en registros cultos.
Se van a recaudar fondos **mediante** *una cuestación popular.*

154

CON EL OBJETO DE = Expresa la finalidad de una acción.

> ▶ *No subirán los impuestos con el objeto de frenar la inflación.*
> ▶ *Con el objeto de que nadie se diera cuenta de su presencia, entró descalzo en la casa.*

Gramática ▶ Locución preposicional y conjuntiva de finalidad.
Estructura ▶ Se utiliza con:
■ Infinitivo cuando el sujeto de los dos verbos es el mismo.
Me llamó con el objeto de saber cómo había ido la reunión a la que no pudo ir.

■ *Que* + Subjuntivo cuando los sujetos de los dos verbos son diferentes.
Me llamó con el objeto de que yo me informara de cómo fue la reunión.

Uso ▶ Se utiliza en registros formales.

OTRAS EXPRESIONES SIMILARES:

▶▶**A fin de** (ver entrada 17) y **Con vistas a** (ver entrada 163): Significan lo mismo.
▶▶**Para** + *finalidad* (ver entrada 526): Es la expresión más habitual para expresar finalidad.

155

CON FRECUENCIA = Expresa la amplia frecuencia con la que se realiza una actividad.

> ▶ *¿Al cine? Pues sí, voy con (bastante) frecuencia, una o dos veces a la semana.*
> ▶ *Para estar en forma hay que hacer deporte con frecuencia, tres días a la semana.*

Gramática ▶ Locución adverbial de frecuencia.
Estructura ▶ Se utiliza seguida de un verbo en Indicativo.
Uso ▶ Se utiliza en contextos formales.

▶▶

⏩

CONTRASTE CON **OTRAS EXPRESIONES DE FRECUENCIA**:

> ⏩**A menudo / A veces** (ver entrada 30): Se utiliza en todos los contextos.
>   *Yo voy **a menudo** al gimnasio, una o dos veces por semana.*

> ⏩**Frecuentemente** (ver entrada 368): Tiene un uso similar.
>   *Es bueno beber agua **frecuentemente**.*

156

CON LA DE... QUE = Recuerda una cantidad grande de algo.

> ▸ *¡No puede ser! Con la de veces que has venido a mi casa y ahora no sabes la dirección.*
> ▸ *Con la de gente que fue a la inauguración y no se llenó el salón de actos.*

Gramática ▸ Expresión ponderativa.
Estructura ▸ Se utiliza con un sustantivo y seguido de un verbo en Indicativo.
Uso ▸ Se utiliza en un registro coloquial.

CONTRASTE CON **CON LO... QUE**:

> ⏩**Con lo... que** (ver entrada 157): Recuerda una cualidad de algo.
>   ***Con lo** simpático **que** es, no entiendo cómo no tiene más amigos.*

157

CON LO... QUE = Recuerda una cualidad de algo.

> ▸ *Con lo trabajador que es me alegro que le hayan ascendido.*
> ▸ *Con lo bien que hizo el examen no me extraña que haya aprobado.*

Gramática ▸ Expresión ponderativa.
Estructura ▸ Se utiliza con un adjetivo o adverbio y seguido de un verbo en Indicativo.
Uso ▸ Se utiliza en un registro coloquial.

CONTRASTE CON **CON LA DE... QUE / MIRA QUE**:

> ⏩**Con la de... que** (ver entrada 156): Se refiere a una cantidad grande de algo.
>   *No entiendo cómo en este texto hay tantas faltas, **con la de** veces **que** lo he leído.*

> ⏩**Y mira que** (ver entrada 787): Se refiere a una información que puede ser nueva.
>   *Suspendió por no estudiar. **Y mira que** se lo dije muchas veces.*

158

CON QUE = Expresa una condición que se considera mínima.

> ▸ *No hace falta que vengas. Con que me llames, es suficiente.*
> ▸ *La reunión se celebrará con que venga la mitad de los vecinos.*

Gramática ▸ Locución conjuntiva condicional.
Estructura ▸ Se utiliza seguida de un verbo en Subjuntivo.
Uso ▸ Se usa en un registro coloquial.

▶▶ CONTRASTE CON **OTRAS EXPRESIONES CONDICIONALES:**

▶▶**A menos que** (ver entrada 29), **A no ser que** (ver entrada 31), **Excepto que** (ver entrada 364) y **Salvo que** (ver entrada 637): Expresan lo único que podría ocurrir para que no se produzca algo.
   *No te preocupes, llegaremos puntuales a la cita **a no ser que** haya mucho tráfico.*

▶▶**Como** + *condición* (ver entrada 136): Expresa una advertencia.
   ***Como** sigas sin ir a clase, vas a suspender.*

▶▶**Con sólo** (ver entrada 161), **Con tal de que** (ver entrada 162), **Siempre que** + *condición* (ver entrada 695), **Sólo con** (ver entrada 710) y **Sólo si** (ver entrada 711): Significan lo mismo.
   *Te dejo el dinero **con tal de que** me prometas devolvérmelo pronto.*

▶▶**En caso de que** (ver entrada 304): Presenta una eventualidad, una posibilidad remota de que algo ocurra.
   *Deja un recado **en caso de que** no esté en la oficina, pero suele estar.*

▶▶**Si** + *condición* (ver entrada 681): Es la conjunción más utilizada para expresar oraciones condicionales.
   ***Si** llego a tiempo, vamos al cine.*

159

CON RAZÓN = Informa de algo hecho por otro valorándolo positivamente.

▶ *- Es muy trabajador.*
   • *Con razón le han subido el sueldo a Ramón, es muy responsable.*
▶ *- ¿Qué tal Amelia y Ernesto?*
   • *Han roto, y con razón. Amelia es muy posesiva.*

Gramática ▶ Expresión de valoración.
Estructura ▶ Se utiliza seguido de un verbo en Indicativo.

160

CON RESPECTO A = Presenta un tema que se ha mencionado antes.

▶ *Con respecto a tu pregunta anterior, yo sólo puedo decir que no estoy de acuerdo.*
▶ *Con respecto a lo que acabas de decir, sí, es cierto.*

Gramática ▶ Locución preposicional y conjuntiva ilativa.
Estructura ▶ Se utiliza seguido de un sustantivo, de un pronombre o de una frase relativa.

OTRAS EXPRESIONES SIMILARES:

▶▶**Hablando de** (ver entrada 384): Presenta una información que se había olvidado dar antes.
▶▶**Por cierto** (ver entrada 569): Se refiere a algo que se ha mencionado de pasada y que nos interesa tratar para profundizar más.
▶▶**Por lo que respecta a** (ver entrada 577): Presenta un tema que se había presentado antes.

1 61

CON SÓLO = Expresa una condición única y suficiente.

- ▶ *Con sólo preguntar, habrías sabido la respuesta.*
- ▶ *Con sólo apretar este botón, la máquina funciona.*

Gramática ▶ Locución conjuntiva condicional.
Estructura ▶ Se utiliza seguido de un infinitivo.

CONTRASTE CON **OTRAS EXPRESIONES CONDICIONALES:**

▶▶ **A menos que** (ver entrada 29), **A no ser que** (ver entrada 31), **Excepto que** (ver entrada 364) y **Salvo que** (ver entrada 637): Expresan lo único que podría ocurrir para que no se produzca algo.
*No te preocupes, llegaremos puntuales a la cita **a no ser que** haya mucho tráfico.*

▶▶ **Como** + *condición* (ver entrada 136): Expresa una advertencia.
***Como** sigas sin ir a clase, vas a suspender.*

▶▶ **Con que** (ver entrada 158), **Con tal de que** (ver entrada 162), **Siempre que** + *condición* (ver entrada 695), **Sólo con** (ver entrada 710) y **Sólo si** (ver entrada 711): Significan lo mismo.
*Te dejo el dinero **con tal de que** me prometas devolvérmelo pronto.*

▶▶ **En caso de que** (ver entrada 304): Presenta una eventualidad, una posibilidad remota de que algo ocurra.
*Deja un recado **en caso de que** no esté en la oficina, pero suele estar.*

▶▶ **Si** + *condición* (ver entrada 681): Es la conjunción más utilizada para expresar oraciones condicionales.
***Si** llego a tiempo, vamos al cine.*

1 62

CON TAL DE QUE = Expresa una condición que se considera mínima.

- ▶ *Iremos al campo con tal de que no llueva.*
- ▶ *Te dejo el libro con tal de que me prometas devolvérmelo.*

Gramática ▶ Locución conjuntiva condicional.
Estructura ▶ Se utiliza con:

■ Presente de Subjuntivo si la condición se considera probable.
Te dejo el coche con tal de que me prometas tratarlo bien.

■ Imperfecto de Subjuntivo si la condición se considera poco probable o irreal.
Mira, te dejaría el coche con tal de que condujeras medianamente bien, pero con lo loco que eres, no.

■ Pluscuamperfecto de Subjuntivo cuando la condición es irreal porque no se ha producido en el pasado.
Te lo habría dejado con tal de que me lo hubieras pedido. ¿Por qué no lo hiciste?

Uso ▶ Es muy frecuente el uso de esta expresión condicional como respuesta a una petición.

CONTRASTE CON OTRAS EXPRESIONES CONDICIONALES:

▶▶**A menos que** (ver entrada 29), **A no ser que** (ver entrada 31), **Excepto que** (ver entrada 364) y **Salvo que** (ver entrada 637): Expresan lo único que podría ocurrir para que no se produzca algo.

*No te preocupes, llegaremos puntuales a la cita **a no ser que** haya mucho tráfico.*

▶▶**Con que** (ver entrada 158), **Con sólo** (ver entrada 161), **Siempre que** + *condición* (ver entrada 695), **Sólo con** (ver entrada 710) y **Sólo si** (ver entrada 711): Significan lo mismo.

*Te dejo el dinero **con tal de que** me prometas devolvérmelo pronto.*

▶▶**Como** + *condición* (ver entrada 136): Expresa una advertencia.

***Como** sigas sin ir a clase, vas a suspender.*

▶▶**En caso de que** (ver entrada 304): Presenta una eventualidad, una posibilidad remota de que algo ocurra.

*Deja un recado **en caso de que** no esté en la oficina, pero suele estar.*

▶▶**Si** + *condición* (ver entrada 681): Es la conjunción más utilizada para expresar oraciones condicionales.

***Si** llego a tiempo, vamos al cine.*

163

CON VISTAS A = Expresa la finalidad de una acción.

▶ *- ¿De dónde sacó el dinero para el viaje?*
  • *Con vistas al viaje ahorró todo lo que pudo.*
▶ *- ¿Cuándo aprendió inglés?*
  • *Seis meses antes se puso a estudiar inglés con vistas a trasladarse a Nueva York.*

Gramática ▶ Locución preposicional y conjuntiva de finalidad.
Estructura ▶ Se utiliza seguido de:
  ■ Un sustantivo.
    Se puso a régimen con vistas a la boda. Como era el novio, quería estar muy guapo.

  ■ Infinitivo cuando el sujeto de los dos verbos es el mismo.
    (Yo) Me voy a comprar ese vestido con vistas a (yo) ponérmelo el día de mi graduación.

  ■ *Que* + Subjuntivo cuando los sujetos son diferentes.
    (Yo) le voy a comprar ese vestido a mi hija con vistas a que (ella) se lo ponga el día de su graduación.

Uso ▶ Se utiliza en registros formales.

OTRAS EXPRESIONES SIMILARES:

▶▶**A fin de** (ver entrada 17) y **Con el objeto de** (ver entrada 154): Significan lo mismo.
▶▶**Para** + *finalidad* (ver entrada 526): Es la expresión más habitual para expresar finalidad.

Conforme < *conformis* (lat.)
Usos del adjetivo, conjunción y adverbio.
Entradas 164 a 166.

164

CONFORME = Expresa acuerdo ante una propuesta.

▸ *- ¿Vamos a ver esa película que ponen en los Renoir?*
   • *Conforme.*
▸ *- Papá, ¿me dejas ir de excursión? Te prometo que ordeno la habitación.*
   • *Conforme.*

Gramática ▸ Adjetivo.
Uso ▸ Se utiliza en contextos formales.

OTRAS EXPRESIONES AFIRMATIVAS:

⇢**De acuerdo** (ver entrada 219) y **Vale** (ver entrada 766): Se utilizan en contextos informales.
⇢**Estar de acuerdo** (ver entrada 353) y **Tener razón** (ver entrada 733): Se utilizan en contextos más generales.
⇢**Sí, quizás sí** (ver entrada 678): Se muestran reservas o dudas aunque se está de acuerdo.

165

CONFORME + acción = Presenta dos acontecimientos como progresivos y paralelos.

▸ *Conforme la medicina le hizo efecto, fue sintiéndose mejor.*
▸ *Me sentiré mejor en esta ciudad nueva conforme pase el tiempo.*

Gramática ▸ Conjunción de tiempo.
Estructura ▸ Se utiliza con:
   ■ Indicativo cuando nos referimos a acontecimientos habituales o pasados.
      Con este medicamento uno se siente mejor conforme baja la fiebre.
   ■ Subjuntivo cuando nos referimos a acontecimientos futuros.
      Se sentirá mejor conforme le baje la fiebre.

OTRAS EXPRESIONES SIMILARES:

⇢**A medida que** (ver entrada 27): Significa lo mismo.
⇢**Según** + *verbo* (ver entrada 646): Tiene un uso más coloquial.

166

CONFORME + modo = Expresa la manera de realizarse algo.

▸ *Hizo todo conforme indicaba el prospecto.*
▸ *Pórtate conforme te he enseñado.*

Gramática ▸ Adverbio de modo.
Estructura ▸ Se utiliza con verbos en Indicativo. Siempre va después de la oración principal.
Uso ▸ Se utiliza en un registro formal.

OTRAS EXPRESIONES SIMILARES:

⇢**Como** + *modo* (ver entrada 137): Significa lo mismo pero es de uso más general.
⇢**De esta manera / De este modo** (ver entrada 225), **La manera en que** (ver entrada 419) y **Según** + *modo* (ver entrada 644): Se utilizan en contextos más cultos.

167

CONMIGO / CONTIGO / CONSIGO = Formas contractas. Ver cuadro de pronombres personales.

168

CONOCER = Expresa que se tiene experiencia o contacto con alguien o algo.

> ▶ *Yo conozco mucho a María, es una antigua compañera de clase.*
> ▶ *Nosotros ya conocemos Cuzco. Estuvimos allí en 1995.*

Gramática ▶ Verbo transitivo.
Origen ▶ **Conocer** < *cognoscĕre* (lat.)
Uso ▶ Se utiliza seguido de la preposición *a* sólo cuando se habla de personas.

> **CONTRASTE CON SABER:**

>> **Saber** (ver entrada 633): Expresa que se tiene una información, aunque no necesariamente por experiencia directa.
> **Sé** *de un restaurante muy bueno por aquí. Juana ya ha estado y me ha dicho que se come muy bien.*

169

CONQUE = Expresa que se realiza una acción como consecuencia de algo negativo expresado justo antes.

> ▶ *Ayer discutí con Antonio y nos dijimos de todo. Conque se acabó, me voy.*
> ▶ *La acústica era malísima. Conque nos fuimos.*

Gramática ▶ Conjunción ilativa.
Estructura ▶ Se utiliza seguido de un verbo en Indicativo.
Uso ▶ Se emplea en un contexto familiar o coloquial y sólo para presentar una acción como consecuencia de algo negativo.

> **OTRA EXPRESIÓN SIMILAR:**

>> **Así (es) que** (ver entrada 99): Es la expresión consecutiva más utilizada y general.

170

CONSIDERANDO QUE = Presenta una situación previa como explicación de una argumentación.

> ▶ *Considerando que no conseguimos disminuir la cifra del desempleo, tendremos que hacer una política más social.*
> ▶ *Considerando que no quiere firmar, buscaremos otro proveedor.*

Gramática ▶ Locución conjuntiva de causa.
Estructura ▶ Se utiliza seguido de un verbo en Indicativo.

C

OTRAS EXPRESIONES SIMILARES:

▸▸**En cuanto que** (ver entrada 309), **En la medida en que** (ver entrada 311) y **Teniendo en cuenta que** (ver entrada 734): Significan lo mismo.

171

CONSIGO = Forma contracta del pronombre en función reflexiva. Ver cuadro de pronombres personales.

  ▸ *Se quedó hablando consigo mismo.*
  ▸ *Se llevó a sus hijas consigo.*

Gramática	▸ Pronombre reflexivo de 3ª persona.
Origen	▸ **Consigo** < *Cum*, con y *Secum*, consigo, (lat.)
Uso	▸ Tiene sólo valor reflexivo.

172

CONTINUAR + gerundio = Expresa la continuidad de una acción.

  ▸ *- ¿Ya no tocas la guitarra?*
    • *Sí, sí. Continúo tocando y cada día me gusta más.*
  ▸ *A pesar de que ya no es estudiante, Manuel, continúa participando en las actividades de la universidad.*

Gramática ▸ Perífrasis verbal durativa.

OTRA EXPRESIÓN SIMILAR:

▸▸**Seguir** + *gerundio* (ver entrada 641): Significa lo mismo.

> Contra < *contra* (lat.)
> Usos de la preposición. Entradas 173 y 174.

173

CONTRA + algo = Expresa el encuentro de un objeto con otro.

  ▸ *Me di contra el borde de la puerta y mira qué herida tengo.*
  ▸ *Se chocó contra un camión y el coche quedó destrozado.*

Gramática ▸ Preposición.

CONTRASTE CON CON:

> ▸▸**Con** + *instrumento* (ver entrada 153): Con verbos que expresan accidentes indica un obstáculo. Con la preposición **Contra** se insiste en la violencia.
> *Se dio **con** un coche. Se dio **contra** un coche.*

---

174 **CONTRA + algo / alguien =** Expresa la oposición a una opinión o a una persona.

▸ *Tú estás contra mí, ¿no?*
▸ *Luchó contra la discriminación de cualquier tipo.*

▎Gramática ▸ Preposición.

OTRA EXPRESIÓN SIMILAR:

▸▸**En contra de** (ver entrada 305): Significa lo mismo.

---

175 **CONTRARIAMENTE A LO =** Presenta una información como opuesta a algo.

▸ *Contrariamente a lo que se pensaba, la inflación creció un 2,4%.*
▸ *Contrariamente a lo expuesto en la reunión, la delegación cumplió sus plazos.*

▎Gramática ▸ Locución conjuntiva concesiva.
▎Estructura ▸ Se utiliza seguido de un participio o una oración en Indicativo.
▎Uso ▸ Se utiliza en contextos formales.

OTRAS EXPRESIONES SIMILARES:

▸▸**En contra de lo que** (ver entrada 306): Se utiliza también en contextos menos formales.
▸▸**Por el contrario** (ver entrada 571): Se utiliza cuando no se nombra el elemento opuesto.

---

176 **CONVERTIRSE EN =** Expresa cambios radicales experimentados en una persona o cosa.

▸ *Juan Gil se convirtió en cantante de la noche a la mañana.*
▸ *Ese convento lo han convertido en una discoteca de moda.*

▎Gramática ▸ Verbo preposicional.
▎Estructura ▸ Se utiliza seguido de un sustantivo o adjetivo.

CONTRASTE CON OTROS VERBOS DE CAMBIO:

▸▸**Hacerse** (ver entrada 392): Se refiere a cambios pensados o programados o producto de una evolución natural.
*¡Cómo ha cambiado tu hija! El año pasado era una niña y ya **se ha hecho** una mujer.*

▸▸**Llegar a y Llegar a ser** (ver entradas 427 y 428): Se refieren a cambios progresivos logrados por el esfuerzo.
*Con mucho esfuerzo mi padre **llegó a ser** el subdirector de su empresa.*

▸▸**Ponerse** (ver entrada 552): Se refiere a un cambio rápido e instantáneo y de poca duración.
*Me **he puesto** muy nervioso, pero ya se me ha pasado.*

⏩

> ⏩ **Quedarse** + *cambio* (ver entrada 619): Se refiere a cambios como resultado de una situación o acción anterior.
> *Voy a ponerme un jersey. **Me he quedado** frío de estar cenando en el jardín.*
>
> ⏩ **Volverse** (ver entrada 776): Se refiere a transformaciones rápidas pero definitivas.
> *Jerónimo **se ha vuelto** muy callado. Con lo charlatán que era antes. ¿Qué le habrá pasado?*

OTRA EXPRESIÓN SIMILAR:

⏩ **Transformarse en** (ver entrada 745): Significa lo mismo.

Creer, usos del verbo. Entradas 177 a 179.

177

CREER = Expresa la opinión mostrando una cierta duda.

▷ - *Creo que este año vamos a tener buenos resultados económicos.*
• *Sí, yo también lo creo.*
▷ - *Tendremos más problemas y más delincuencia si admitimos a ese grupo.*
• *No creo que tengamos más delincuencia por eso, la verdad.*

Gramática ▷ Verbo transitivo.
Estructura ▷ Se utiliza seguido de:
   ■ *Que* + Indicativo, cuando el verbo está en forma afirmativa.
      Creo que hace calor.
   ■ *Que* + Subjuntivo, cuando el verbo está negado.
      No creo que haga calor.

OTRAS EXPRESIONES SIMILARES:

⏩ **Parecerle** (ver entrada 534) y **Pensar que** + *verbo* (ver entrada 537): Tienen los mismos usos.

178

CREER QUE SÍ / CREER QUE NO = Responde a una pregunta señalando cierta insegu-
ridad o duda.

▷ - *¿Vas a terminar a tiempo?*
• *Creo que sí.*
▷ - *¿Ernesto tiene ya cincuenta años?*
• *Creo que no, que tiene cuarenta y cinco. ¿Por qué?*

Gramática ▷ Expresión de opinión.
Estructura ▷ Se utiliza seguido de la conjunción *que* y del adverbio afirmativo *sí* o negativo *no*.

179

¿(TÚ) CREES? / ¿(USTED) CREE? = Expresa una duda ante lo dicho por otra persona.

▶ *- Va a llover.*
   • *¿Usted cree? Si hace un día muy bueno.*
▶ *- Mario y Berta ya no salen juntos.*
   • *¿Tú crees? Si los vi ayer de la mano.*

Gramática ▶ Expresión de duda.
Estructura ▶ Se usa el verbo *creer* en Presente de Indicativo.

CONTRASTE CON **¡CÓMO QUE!** / **PERO:**

➡ **¡Cómo que!** (ver entrada 145): Expresa un desacuerdo de forma más enérgica.
   - Va a llover.
   • *¡Cómo que va a llover! ¿No ves que hace un día muy bueno?*

➡ **Pero si** (ver entrada 541): Expresa una objeción.
   ***Pero** si hace sol.*

180

¿CUÁL? / ¿CUÁLES? = Pregunta por algo o alguien de un grupo.

▶ *¿Cuál prefieres, este o aquel?*
▶ *De estos dos abrigos, ¿cuál te gusta más?*

Gramática ▶ Pronombres interrogativos.
Estructura ▶ Se utiliza seguido de un verbo en Indicativo y nunca de un sustantivo.

CONTRASTE CON **QUIÉN** / **QUÉ:**

➡ **Quién/es** (ver entrada 624): Se utilizan para preguntar por alguien sin referirse a un grupo determinado.
   *¿**Quién** es Pepe?*

➡ **Qué** (ver entrada 605): Se utiliza para pedir algo, sin referirnos a un grupo determinado. Con **Cuál** el grupo al que nos referimos está determinado.
   *- ¿**Qué** quieres?*
   • *Un libro.*
   *- ¿**Cuál**?*
   • *El último de Vargas Llosa.*

OTROS INTERROGATIVOS:

➡ Para preguntar por una cantidad utilizamos **Cuánto** (ver entrada 193); por un momento, **Cuándo** (ver entrada 188); por un lugar **Adónde** (ver entrada 53) y **Dónde** (ver entrada 279); por un modo, **Cómo** (ver entrada 140) y por un motivo, **Por qué** (ver entrada 583).

181

CUALQUIER = Expresa la indeterminación de una o varias cosas dentro de un grupo.

▸ *Cualquier alumno puede hacer este ejercicio.*
▸ *Según el detective, cualquier sospechoso puede ser el culpable.*

❚Gramática ▸ Adjetivo indefinido invariable.

CONTRASTE CON **CUALQUIERA / TODO:**

▸▸**Cualquiera** (ver entrada 183): Es un pronombre, nunca va con sustantivo.
*Esto lo hace **cualquiera**.*

▸▸**Todo/a** + *sustantivo* (ver entrada 740): Aplica una característica esencial a cada uno de los miembros de un grupo.
***Todo** trabajador de una empresa deberá hacerse un reconocimiento médico.*

182

CUALQUIER DÍA = Se refiere a un momento indeterminado del futuro.

▸ *Iñaqui me dijo que volvía pronto, así que llegará cualquier día de estos.*
▸ *Cualquier día me decido, dejo el trabajo y me voy a vivir lejos, muy lejos.*

❚Gramática ▸ Expresión de tiempo.
❚Estructura ▸ Se utiliza seguido de un verbo en Indicativo.

OTRAS EXPRESIONES SIMILARES:

▸▸**De un momento a otro** (ver entrada 237): Se refiere a un futuro muy próximo.
▸▸**Un día de estos** (ver entrada 754): Se utiliza igual aunque **Cualquier día** da una cierta idea de más lejanía.

Cualquiera < *cual* y *quiera*, tercera persona del singular del Presente de Subjuntivo de *querer*.
Usos del pronombre. Entradas 183 y 184.

183

CUALQUIERA = Expresa la indeterminación de una o varias cosas dentro de un grupo.

▸ *Cualquiera de nosotros sabe la respuesta. ¡Pregúntanos!*
▸ *Esto lo hace cualquiera.*

❚Gramática ▸ Pronombre indefinido invariable.

CONTRASTE CON **CUALQUIER / TODO:**

▸▸**Cualquier** (ver entrada 181): Es un adjetivo. Se utiliza seguido de un sustantivo.
***Cualquier** persona puede hacer este trabajo, sólo hace falta buena voluntad.*
▸▸**Todo/a** + *sustantivo* (ver entrada 740): Aplica una característica esencial a cada uno de los miembros de un grupo.
***Todo** trabajador de una empresa deberá hacerse un reconocimiento médico.*

184

CUALQUIERA QUE= Define a una persona indeterminada.

> ▶ *Cualquiera que te vea vestido así dirá que eres un pordiosero. Anda, cámbiate.*
> ▶ *No sé qué pensarás tú, pero cualquiera que lea tu informe, lo aprobará.*

Gramática ▶ Pronombre indefinido.
Estructura ▶ Se utiliza seguido de un verbo en Subjuntivo.

OTRAS EXPRESIONES SIMILARES:

▶▶ Para definir un modo, **Comoquiera que** (ver entrada 146); para definir un momento, **Cuandoquiera que** (ver entrada 190); para definir un lugar, **Dondequiera que** (ver entrada 281) y para definir a alguien también se utiliza **Quienquiera que / Quienesquiera que** (ver entrada 626).

185

CUÁN = Resalta una cualidad.

> ▶ *¡Cuán rápido se deshielan las montañas!*
> ▶ *Jesús ya se ha recuperado de la operación y no te puedes imaginar cuán bien está.*

Gramática ▶ Adverbio de cantidad.
Origen ▶ **Cuan** < *quam* (lat.)
Estructura ▶ Se utiliza seguido de un adjetivo o adverbio.
Uso ▶ Es una estructura muy arcaica y culta. Se suele utilizar *¡qué + algo!* (ver entrada 606). Sólo es usual encontrarla en la poesía.

Cuando y Cuándo < *quando* (lat.)
Usos de la conjunción y el adverbio.
Entradas 186 a 189.

186

CUANDO = Sitúa un acontecimiento como contemporáneo a otro.

> ▶ *Cuando tenga un rato libre, voy a verte.*
> ▶ *Me casé cuando tenía veintiocho años.*

Gramática ▶ Conjunción de tiempo.
Estructura ▶ Se utiliza con:
  ■ Presente de Indicativo cuando hablamos de acciones habituales.
  Cuando tengo tiempo, me gusta pasear.
  ■ Indefinido cuando definimos un acontecimiento pasado.
  Cuando vine a esta ciudad, no sabía que me quedaría a vivir para siempre.
  ■ Imperfecto de Indicativo cuando nos referimos a un periodo pasado, una acción habitual pasada o marcamos un acontecimiento paralelo a otro.
  Cuando era niño, vivía en un pueblo pequeño.
  Cuando iba a la universidad, conocí a mi actual esposa.
  Cuando salía de casa, me encontré con Antonio.
  ■ Presente de Subjuntivo cuando nos referimos a momentos futuros.
  Te lo prometo, cuando tenga tiempo, iré a visitarte.
Uso ▶ Es la expresión temporal más general y puede utilizarse en cualquier contexto.

C

⏵⏵ CONTRASTE CON **OTRAS EXPRESIONES DE TIEMPO:**

⏵⏵**A medida que** (ver entrada 27), **Conforme** + *acción* (ver entrada 165) y **Según** + *verbo* (ver entrada 646): Indican que las dos acciones son progresivas.

    *A **medida que** pase el tiempo, se irá acostumbrando a vivir aquí.*

⏵⏵**Al** + *infinitivo* (ver entrada 62), **Apenas** + *acontecimiento* (ver entrada 92), **Así que** (ver entrada 100), **En cuanto** (ver entrada 307), **No bien** (ver entrada 495) y **Tan pronto como** (ver entrada 725): Indican que una acción ocurre inmediatamente después de un acontecimiento.

    ***Tan pronto como** llegues, llámame, no esperes ni un segundo.*

⏵⏵**Antes de** + *acontecimiento* (ver entrada 90): Indica que una acción es anterior a otra.

    ***Antes de** venir, llamó para saber si estábamos en casa.*

⏵⏵**Cada vez que** (ver entrada 125), **Siempre que** (ver entrada 694) y **Todas las veces que** (ver entrada 737): Indican que dos acciones son contemporáneas.

    ***Siempre que** hace calor, voy a nadar un rato a la piscina.*

⏵⏵**Desde que** (ver entrada 266): Indica que un acontecimiento es el origen de una acción.

    *Me enamoré de ella **desde que** la vi.*

⏵⏵**Después de** + *acontecimiento* (ver entrada 268): Indica que una acción es posterior a otra.

    ***Después de** cenar, solemos dar un paseo.*

⏵⏵**Hasta que** (ver entrada 403): Indica que un acontecimiento es el límite de otra acción.

    *Pensaba que no me ibas a escribir **hasta que** recibí tu primera postal.*

187

CUANDO = Introduce una información adicional sobre un tiempo mencionado en la frase.

⏵ *Fue ayer, cuando vimos a Leticia, no anteayer.*
⏵ *En 1992, cuando estuve en EE.UU, conocí a Marvin.*

Gramática ⏵ Adverbio relativo de tiempo.
Estructura ⏵ Se utiliza seguido de:
    ■ Indicativo cuando el tiempo referido es conocido por el hablante.
      En aquella época, cuando vivía en Sevilla, hice muchos amigos.
    ■ Subjuntivo cuando nos referimos a un tiempo del que no tenemos experiencia (futuro).
      Dentro de unos años, cuando viva en Sevilla, haré muchos amigos.

188

¿CUÁNDO? = Pregunta por un momento.

⏵ *¿Cuándo empezaste a estudiar español?*
⏵ *Y tú, ¿cuándo conociste a Isabel?*

Gramática ▶ Adverbio interrogativo.
Estructura ▶ Se utiliza seguido de un verbo en Indicativo.

OTROS INTERROGATIVOS:

▶▶ Para preguntar por un modo utilizamos **Cómo** (ver entrada 140); por una cantidad, **Cuánto** (ver entrada 193); por un lugar, **Adónde** (ver entrada 53) y **Dónde** (ver entrada 279); por un motivo, **Por qué** (ver entrada 583); por una persona, **Quién/es** (ver entrada 624) o **Cuál/es** (ver entrada 180) y por una cosa, **Qué** (ver entrada 605) o **Cuál/es**.

189

¡CUÁNDO IR A! = Rechaza una idea expresada por otra persona por falta de tiempo.

▶ - *¿No has hecho todavía los deberes?*
  • *¡Y cuándo iba a hacerlos si he estado todo el día fuera de casa!*
▶ - *Tienes que ir a recoger a los niños al colegio.*
  • *¡Cuándo voy a ir! Tengo una reunión muy larga esta tarde. Anda, ve tú.*

Gramática ▶ Expresión de rechazo.
Estructura ▶ Es muy frecuente introducir estas expresiones con *y* o con *pero*. Con *y* indicamos que está relacionado con lo que la otra persona ha dicho. Con *pero*, además, remarcamos que esta reacción se opone a lo dicho por la otra persona.
  ▶ Se utiliza seguido de un infinitivo.
Uso ▶ Se utiliza para rechazar una petición, consejo, orden, etc. En muchas ocasiones es frecuente explicar el motivo del rechazo y para ello se utiliza la expresión *si (es que)* (ver entrada 687).
    - *¿Vienes a mi casa a comer un día?*
    • *¡Cuándo voy a ir!* **Si** *no tengo tiempo para nada.*

190

CUANDOQUIERA QUE = Define un momento del futuro.

▶ *Haz esto que te pido, cuandoquiera que sea, pero hazlo.*
▶ *Mira, no sé cuándo vendrá, pero cuandoquiera que sea me va a oír.*

Gramática ▶ Adverbio de tiempo.
Estructura ▶ Se utiliza seguido de Subjuntivo.
Uso ▶ Es más frecuente utilizar la forma simple: *cuando* + Subjuntivo.

OTRAS EXPRESIONES SIMILARES:

▶▶ Para definir a alguien, **Cualquiera qué** (ver entrada 184) o **Quienquiera que / Quienesquiera que** (ver entrada 626); para definir un modo, **Comoquiera que** (ver entrada 146) y un lugar, **Dondequiera que** (ver entrada 281).

Cuanto y Cuánto < *quantus* (lat.)
Uso del adjetivo. Entradas 191 a 194.

191

CUANTO = Se refiere a la totalidad de algo implícito en una frase.

▸ *Haz cuanto puedas y lo que no, lo haremos mañana.*
▸ *Comió cuanto le pusieron en el plato.*

Gramática ▸ Pronombre relativo.
Estructura ▸ Se utiliza con:
■ Indicativo cuando nos referimos a algo conocido y experimentado.
Se gastó cuanto tenía.
■ Subjuntivo cuando nos referimos a la totalidad de algo que no conocemos.
No le des dinero. Es muy derrochador y es capaz de gastarse cuanto le des.
Uso ▸ Se usa en contextos formales. Es una forma arcaica.

CONTRASTE CON **CUANTO**:

▸▸**Cuanto/a/os/as** (ver entrada 192): Se utiliza cuando se especifica el objeto o grupo de objetos a los que se refiere. Es también de uso arcaico.
*Se gastó **cuanto** dinero tenía en el banco.*

192

CUANTO / CUANTA / CUANTOS / CUANTAS = Introduce una información de la totalidad de elementos de un conjunto.

▸ *Es necesario tomar cuantas precauciones sean necesarias.*
▸ *Sacó del banco cuanto dinero pudo y se marchó.*

Gramática ▸ Pronombre relativo.
Estructura ▸ Concuerda en género y número con el sustantivo al que acompaña.
▸ Se utiliza seguido de:
■ Indicativo cuando nos referimos a un conjunto de elementos conocidos y experimentados.
Le gustaba tanto ese grupo de músicos que se compró cuantos discos sacaron.
■ Subjuntivo cuando describimos un conjunto de elementos que no conocemos.
Pienso comprarme cuantos discos saquen en el futuro.
Uso ▸ Se usa en contextos formales. Es una forma arcaica.

CONTRASTE CON **CUANTO**:

▸▸**Cuanto** (ver entrada 191): Se utiliza cuando no se especifica el objeto o grupo de objetos a los que se refiere. Es también de uso arcaico.
*Se gastó **cuanto** tenía en el banco.*

193

¿CUÁNTO? = Pregunta por una cantidad.

▸ - *¿Cuánto cuesta?*
   • *Sólo 3 euros.*
▸ - *Oye, pero ¿cuántos discos tienes?*
   • *Tengo muchos. Me encanta la música.*

Gramática ▸ Pronombre interrogativo.
Estructura ▸ Se utiliza seguido de un verbo en Indicativo.

▸▸Para preguntar por un modo utilizamos **Cómo** (ver entrada 140); por un momento, **Cuándo** (ver entrada 188); por un lugar, **Dónde** (ver entrada 279); por un motivo, **Por qué** (ver entrada 583); por una cosa, **Qué** (ver entrada 605) o **Cuál/es** (ver entrada 180) y por una persona, **Quién/es** (ver entrada 624) o **Cuál/es**.

194

CUANTO ANTES = Indica que algo tiene que ocurrir en el menor tiempo posible.

▸ *- Hoy no voy a poder tenerlo.*
  • Bueno, pero hazlo cuanto antes.
▸ *Mira, cuanto antes lo terminemos, mejor para todos. Vamos a darnos prisa.*

Gramática ▸ Locución adverbial de tiempo.
Estructura ▸ Cuando antecede al verbo éste va en Subjuntivo.

OTRA EXPRESIÓN SIMILAR:

▸▸**A más tardar** (ver entrada 26): Es similar, pero indica expresamente la fecha del plazo.

195

CUYO / CUYA / CUYOS / CUYAS = Introduce una información adicional indicando la propiedad sobre alguien o algo mencionado en la frase.

▸ *He encontrado una cartera cuyo propietario vive cerca de casa.*
▸ *Los estudiantes, cuyos profesores están en huelga harán los exámenes con otros profesores.*

Gramática ▸ Pronombre relativo posesivo.
Origen ▸ **Cuyo** < *cuius* (lat.)
Estructura ▸ Concuerda en género y número con el sustantivo al que acompaña, no con el antecedente.
Uso ▸ Se utiliza sólo en registros cultos. Son más usuales las expresiones *del... que, de la... que*.

CONTRASTE CON **OTROS PRONOMBRES RELATIVOS**:

▸▸**El / La cual, Los / Las cuales** (ver entrada 287): Introducen una información adicional sobre alguien o algo mencionado en la frase.
  *He visto un libro de gramática **el cual** te puede servir para tu clase.*
▸▸**El / La que, Los / Las que** (ver entrada 288): Se refieren a una persona o cosa que no especificamos antes porque ya está claro en el contexto o no interesa.
  ***Los que** no tengan todavía los libros, aquí tienen una fotocopia.*
▸▸**Que** (ver entrada 596): Es el relativo más general y se utiliza cuando especificamos antes la persona o cosa a la que nos referimos.
  *Tengo un amigo **que** te puede ayudar.*
▸▸**Quien/es** (ver entrada 625): Sólo se refiere a personas.
  ***Quien** bien te quiere te hará llorar.*

196

DALE QUE DALE = Indica una acción en la que se insiste y que molesta.

▸ *Raúl, tu padre está intentado dormir y tú, dale que dale. Deja de jugar con la pelota.*
▸ *¡Otra vez con el ordenador! Te estoy esperando y tú dale que dale con esa máquina.*

Gramática ▸ Expresión coloquial de insistencia.
Estructura ▸ Se utiliza también con otros verbos:

  *Ayer te llamé no sé cuántas veces por teléfono y tú **habla que te habla**.*

197

¿DAR + algo? = Expresa una petición de algo a otra persona.

▸ *¿Me das una aspirina, por favor? Me duele la cabeza.*
▸ *Por favor, ¿me daría un vaso de agua?*

Gramática ▸ Verbo transitivo.
Estructura ▸ Se utiliza en Presente de Indicativo o Condicional y antepuesto a un sustantivo.
Uso ▸ Se usa cuando se piden cosas que no se pueden devolver (*una aspirina*, *un vaso de agua*...) o que no pensamos devolver.

CONTRASTE CON OTRAS EXPRESIONES DE PETICIÓN:

▸▸**¿Dejar** + *algo*? (ver entrada 249): Se utiliza cuando se pide algo que pensamos devolver.
  *¿**Me dejas** un jersey? Es que tengo frío.*
▸▸**¿Poner** + *algo*? (ver entrada 551): Se utiliza en un bar o en un restaurante.
  *¿**Me pone** un café, por favor?*

198

DAR + sentimiento = Expresa una reacción ante algo.

▸ *- ¿Por qué no te pones este vestido para la fiesta?*
  • Porque me da mucho calor. Es de lana.
▸ *- ¿Y si se lo decimos?*
  • Es que me da vergüenza.

Gramática ▸ Verbo transitivo.
Estructura ▸ Se utiliza con un pronombre complemento indirecto y el verbo *dar* en tercera persona del singular o del plural y con un sustantivo de expresión de sentimientos (*miedo, ganas, asco, frío, calor*...)
▸ Se utiliza seguido de:
■ Infinitivo cuando el sujeto de las dos oraciones es el mismo.
  Me da mucha pereza salir (yo) con esta lluvia.

■ *Que* + Subjuntivo cuando el sujeto de las oraciones es diferente.
  *Me da **rabia** que siempre estés diciéndome lo que tengo que hacer.*

199

DAR IGUAL = Expresa indiferencia ante una elección.

▶ - *¿Cuál te gusta más?*
  • *Me da igual. Elige tú el que prefieras.*
▶ - *¿Cuándo vamos a cenar?*
  • *Mira, a nosotros nos da igual el día en que nos veamos. Pon tú la fecha.*

Gramática ▶ Expresión de indiferencia.
Estructura ▶ Se utiliza seguido de:
  ■ Sustantivo. El verbo *dar*, concuerda en número con el sustantivo al que se refiere.
    - *¿Qué deportes te gustan?*
    • *A mí me gustan todos los deportes. Me dan igual los de grupo que los individuales.*

  ■ Infinitivo cuando la persona del pronombre y el sujeto de la acción son los mismos.
    - *¿Dónde quieres cenar el día de tu cumpleaños?*
    • *Pues, si te soy sincero, me da igual cenar (yo) en casa o fuera. Lo que quiero es estar contigo.*

  ■ *Que* + Subjuntivo cuando la persona del pronombre personal y el sujeto de la acción son diferentes.
    Pues a mí no me da igual que vengáis Arturo y tú solos. Prefiero que haya más gente en la fiesta.

CONTRASTE CON **OTRAS EXPRESIONES DE INDIFERENCIA:**

▶▶ **¡Qué más da!** (ver entrada 612): Expresa indiferencia cuando nos informan de algo que no era lo que esperábamos.
  - *Mañana tienes que ir bien vestido a la reunión.*
  • *No es mañana, es pasado mañana.*
  - *Bueno, **qué más da**. Pero vete guapo, que se vea que no eres un cualquiera.*

▶▶ **Total** (ver entrada 743): Expresa indiferencia ante una situación que, además, si se hiciera otra cosa, supondría un esfuerzo mayor.
  - *¿Por qué no vas al médico?*
  • ***Total**, ya sé lo que me va a decir, que me tome unos antibióticos y a la cama.*

200

DAR POR = Expresa que algo se acepta como es, aunque no sea exactamente así.

▶ - *Mira, no sé si estáis de acuerdo o no, pero yo no puedo más. Doy por buena la oferta.*
  • *Está bien, cerramos la operación esta tarde.*
▶ - *Daré por terminada la reunión si admitís esta cláusula.*
  • *En ese caso, vamos a firmar el convenio.*

Gramática ▶ Perífrasis verbal perfectiva.
Estructura ▶ Se utiliza seguido de un participio o adjetivo.
Uso ▶ Esta perífrasis puede ir en cualquier tiempo verbal.

201

DARLE A UNO LA GANA = Expresa la voluntad caprichosa o arrogante de hacer algo.

> ▸ *Le dije que viniera y no le dio la gana. Estoy harto de él.*
> ▸ *Pues, ¿sabes lo que te digo?, que, si me da la gana, me voy. Yo hago lo que quiero.*

▌Gramática ▸ Expresión coloquial de deseo.

        Contraste con **TENER GANAS DE:**

> ▸▸**Tener ganas de** (ver entrada 731): Se utiliza para expresar la voluntad de hacer algo,
> sin otro matiz negativo como con **Dar la gana.**
>   *Tengo ganas de salir al campo. ¿Nos vamos este fin de semana de excursión?*

202

DARLE A UNO POR = Expresa el inicio de una acción que se considera caprichosa o sin sentido.

> ▸ *A mi padre ahora le ha dado por la cocina y prepara unos pasteles horribles.*
> ▸ *Como no sabe a quién echar la culpa, le ha dado por decir que todos le odiamos.*

▌Gramática ▸ Expresión incoativa.
▌Estructura ▸ Se utiliza seguida de un infinitivo o un sustantivo.

203

DARSE CUENTA DE = Indica que se ha entendido algo.

> ▸ *Cuando vi todo aquello, me di cuenta del error que había cometido.*
> ▸ *Mira, Eugenio, tienes que darte cuenta de que así no se resuelven las cosas.*

▌Gramática ▸ Expresión de entendimiento.
▌Estructura ▸ Se utiliza seguido de:
    ■ Un sustantivo.
      Ahora me doy cuenta de mis errores.

    ■ *Que* + Indicativo.
      Ahora me doy cuenta de que he cometido muchos errores.

▌Uso ▸ A diferencia de *saber, creer* y *pensar,* con *darse cuenta de* se expresa que ese conocimiento es el resultado reciente de algo, que acabamos de descubrir eso.

De < *de* (lat.)
Usos de la preposición. Entradas 204 a 241.

204

DE + algo = Indica lo contenido en algo.

> ▸ *Compra una botella de leche y un paquete de arroz.*
> ▸ *¿Me das un vaso de agua, por favor?*

Gramática ▸ Preposición para indicar un contenido.
Estructura ▸ Se utiliza seguida de un sustantivo.

CONTRASTE CON **CON**:

> ▸▸**Con** + *contenido* (ver entrada 150): Indica el contenido de algo y se hace énfasis en el contenedor.
>
> *Ahí hay una caja de madera **con** unos libros viejos. ¿Qué hago con ella?*

205

DE + alguien = Indica la posesión o pertenencia de algo.

▸ *He leído un libro muy bueno de García Márquez, se llama "Cien años de Soledad".*
▸ *Este libro es de Paco. Tengo que devolvérselo.*

Gramática ▸ Preposición para indicar la propiedad.

206

DE + año / mes = Indica el mes o año de una fecha.

▸ *En julio de 1936 empieza la Guerra Civil española.*
▸ *Mi cumpleaños es el 15 de septiembre.*

Gramática ▸ Preposición para indicar tiempo.
Estructura ▸ Se utiliza seguida de un número que indica un año o el nombre de un mes.

207

DE + característica = Señala la especificidad de algo o alguien.

▸ *Busco una casa de tres dormitorios y dos baños.*
▸ *He conocido a una chica de dieciocho años muy simpática.*

Gramática ▸ Preposición para indicar característica.
Estructura ▸ Se utiliza seguida de un sustantivo.

CONTRASTE CON **CON**:

> ▸▸**Con** + *característica* (ver entrada 149): Tiene el mismo valor, pero es de uso menos frecuente.
>
> *Busco una casa **con** tres dormitorios.*
>
> ▸▸**Con** + *ingrediente* (ver entrada 152): Se utiliza para describir algo o alguien. Con **De**, además, identificamos, marcamos la característica particular que lo distingue de los otros.
>
> *Es fácil reconocer a mi padre porque es un hombre mayor **con** bigote.*
>
> *Mira, mi padre es ese **de** bigote, el **de** la camisa verde.*

208

DE + causa = Indica la causa o el origen de algo.

> ▸ *Mi abuelo murió de un infarto.*
> ▸ *No, no lloro de pena, lloro de alegría.*

Gramática ▸ Preposición para indicar causa.
Estructura ▸ Se utiliza seguida de un sustantivo.

CONTRASTE CON **OTRAS PREPOSICIONES**:

▸▸**A** + *modo* (ver entrada 8): Indica la forma mecánica, física, de hacer las cosas. **De** expresa la causa de hacer algo de una manera.
> *Lo dijo en voz alta, **a** gritos.*

▸▸**En** + *modo* (ver entrada 298): Indica la manera de hacer algo.
> *Dijo **en** voz baja que no estaba de acuerdo.*

▸▸**Por** + *causa* (ver entrada 555): Se indica la causa de algo, mientras que con **De** + *causa* más que una causa, se define el tipo de acción que es.
> *No estoy llorando **de** pena. Lloro **de** alegría **por** el aprobado de mi hijo.*
> *Tiritó **de** puro nervio **por** el examen.*

209

DE + etapa de la vida = Sitúa un acontecimiento con relación a un periodo.

> ▸ *De pequeño vivía en un pueblo en la montaña.*
> ▸ *Soy más activo ahora de mayor que antes, de joven.*

Gramática ▸ Preposición para indicar tiempo.
Estructura ▸ Se utiliza seguido de un sustantivo o adjetivo que define una etapa de la vida
▸ Esta construcción equivale a *cuando* seguido de Imperfecto (ver entrada 186).
> ***Cuando** era pequeño...*

210

DE + grupo = Indica el grupo al que pertenecen unos individuos.

> ▸ *Me fui de vacaciones con dos compañeros de mi clase de francés.*
> ▸ *Dame tres de estos, por favor.*

Gramática ▸ Preposición para indicar parte.

211

DE + infinitivo = Indica una condición irreal.

> ▸ *De haberlo sabido, no hubiera venido.*
> ▸ *De estar con alguien, Manuel estará con Rosa.*

Gramática ▶ Preposición para indicar condición.
Estructura ▶ Se utiliza seguido de:
- Infinitivo simple cuando se expresa una condición del futuro o una condición irreal en presente.

    Pues yo, de tener otra profesión, sería carpintero. Me encanta trabajar con las manos.
- Infinitivo compuesto cuando se expresa una condición pasada.

    De haber estudiado, habría hecho magisterio. Me encanta la enseñanza.

▶ Equivale a una oración condicional de *si* seguido de Imperfecto de Subjuntivo (ver entrada 681).

212

DE + infinitivo = Concreta a qué se refiere una característica.

▶ *Es difícil de comprender.*
▶ *Es cómodo de usar.*

Gramática ▶ Preposición para indicar característica.
Estructura ▶ Se utiliza seguida de un infinitivo.

213

DE + lugar = Indica el punto de origen de un movimiento.

▶ *Esta mañana he salido de casa a las seis y media.*
▶ *El tren a Zaragoza sale de la estación de Chamartín.*

Gramática ▶ Preposición para indicar origen.
Estructura ▶ Se utiliza con un verbo de movimiento y seguido de un sustantivo referido a un lugar o un pronombre demostrativo.

CONTRASTE CON **DESDE**:

▶▶**Desde** + *lugar de origen* (ver entrada 260): También indica el origen de un movimiento, pero hace más énfasis en que es el inicio de ese movimiento.
El tren a Murcia no sale de esta estación, sino desde la estación Sur.

214

DE + material = Indica el material del que está hecho algo.

▶ *Yo colecciono relojes de arena.*
▶ *Mi marido me ha regalado este vestido de seda. ¿Te gusta?*

Gramática ▶ Preposición para indicar material.
Estructura ▶ Se utiliza seguido de un sustantivo.

215

DE + país o ciudad = Indica el origen, la nacionalidad o la procedencia de alguien.

▶ *Yo soy de Sevilla.*
▶ *Ellos son de Nigeria, pero ahora viven en Barcelona.*

Gramática ▶ Preposición para indicar origen.
Estructura ▶ Se utiliza con el verbo *ser* y un sustantivo.

216

DE + parte del día = Sitúa una hora con respecto a una parte del día.

> - *¿Qué hora es?*
>   • *Son las cinco de la tarde. Me voy.*
> *Ayer volvimos a casa a la una de la noche y hoy tengo mucho sueño.*

Gramática ▸ Preposición para indicar tiempo.
Estructura ▸ Se utiliza con un artículo determinado y un sustantivo referido a la parte del día (*mañana, tarde, noche*, etc.)

CONTRASTE CON **POR**:

▸▸**Por** + *parte del día* (ver entrada 561): Sitúa un acontecimiento en una parte aproximada del día, sin hacer referencia a la hora.
- *¿Cuándo ocurrió, **por** la mañana o **por** la tarde?*
• *A las once **de** la mañana.*

217

DE + unidad = Indica la unidad de la que algo forma parte.

> *Esto es muy fácil. Se hace en un cuarto de hora.*
> - *Buenas tardes, ¿qué le pongo?*
>   • *Quería tres cuartos de kilo de carne.*

Gramática ▸ Preposición para indicar cantidad.
Estructura ▸ Se utiliza seguido de un sustantivo.

218

DE + uso = Indica el uso o la utilidad de algo.

> *Necesito una máquina de coser para trabajar en casa.*
> *¿Tienes una bolsa de deportes? Es que me tengo que llevar todo esto al gimnasio y la mía está rota.*

Gramática ▸ Preposición para indicar uso.
Estructura ▸ Se utiliza seguido de un infinitivo o un sustantivo.

219

DE ACUERDO = Expresa acuerdo ante una propuesta.

> - *¿Y si le compramos estas flores a Marisa?*
>   • *De acuerdo.*
> - *Venga, vente en mi coche, que no quiero ir solo.*
>   • *De acuerdo, pero si no conduces muy rápido.*

Gramática ▸ Locución adverbial de afirmación.
Origen ▸ **Acuerdo** < *acordar*

▶▶ **OTRAS EXPRESIONES AFIRMATIVAS:**

▶▶**Conforme** (ver entrada 164): Se utiliza en contextos formales.

▶▶**Estar de acuerdo** (ver entrada 353) y **Sí** (ver entrada 673): Se utilizan en contextos más generales.

▶▶**Sí, quizás sí** (ver entrada 678): Se muestran reservas o dudas aunque se está de acuerdo.

▶▶**Vale** (ver entrada 766): Se utiliza en contextos informales.

220

DE AQUÍ A = Indica un plazo para que se produzca un acontecimiento.

> ▶ *De aquí a 2020 se van a realizar toda una serie de mejoras en las carreteras.*
> ▶ *De aquí a que me case tengo que tener arreglado el piso.*

Gramática ▶ Locución preposicional y conjuntiva de tiempo.
Estructura ▶ Se utiliza seguido de:
    ■ Una fecha y un verbo en Indicativo.
      De aquí a noviembre tenemos que terminar todo esto.

    ■ *Que* y un verbo en Subjuntivo.
      De aquí a que nos vayamos falta un rato. Puedes quitarte el abrigo.
Uso ▶ Se insiste en el desarrollo de un periodo de tiempo.

CONTRASTE CON OTRAS EXPRESIONES DE TIEMPO:

▶▶**Antes de** + *hora / fecha* (ver entrada 89): Marca un límite de tiempo. Con **De aquí a** se insiste en el desarrollo del periodo.

*Juan vendrá **antes de** las tres.*

▶▶**Dentro de** + *tiempo* (ver entrada 257): Indica el tiempo que tiene que transcurrir para que ocurra un acontecimiento.

*Nos vemos **dentro de** una semana. Hasta entonces no te volveré a ver.*

▶▶**Para** + *fecha* (ver entrada 525): Se marca un límite de tiempo pero haciendo hincapié en que el acontecimiento puede realizarse antes.

*Lo necesito **para** el próximo viernes, pero, si lo tienes antes, me lo dices.*

221

DE AHÍ = Presenta una información como explicación de otra.

> ▶ *La situación social es muy precaria, de ahí que se haya convocado una huelga.*
> ▶ *De pequeño vivió en una granja, de ahí su amor a los animales.*

Gramática ▶ Locución preposicional y conjuntiva de consecuencia.
Estructura ▶ Se utiliza seguido de:
    ■ Determinante y sustantivo.
      Sí, tienes razón, está muy cansado. Ayer se acostó muy tarde. De ahí el sueño que tiene.

    ■ *Que* + Subjuntivo.
      ¿Que por qué tienen problemas económicos? Se han comprado una casa. De ahí que vayan mal de dinero.
Uso ▶ La consecuencia presentada es conocida tanto para la persona que habla como para su interlocutor. ▶▶

Contraste con OTRAS EXPRESIONES DE CONSECUENCIA:

▸▸**Así (es) que** (ver entrada 99): Expresa cualquier consecuencia.

*Todavía no lo he visto, **así que** no le he podido dar tu mensaje.*

▸▸**Entonces** + *consecuencia* (ver entrada 327): Se utiliza para expresar una consecuencia que se considera como una información nueva, no implícita.

*No vino a la reunión, **entonces** tuve que llamarle y explicárselo todo.*

▸▸**O sea, que** (ver entrada 518): Se utiliza para expresar una consecuencia que se supone implícita, que se puede deducir de lo ya dicho.

*Estoy cansadísimo, **o sea, que** me voy a la cama.*

▸▸**Por eso** (ver entrada 572) y **Por (lo) tanto** (ver entrada 578): Se utilizan para hacer énfasis en la relación de causa-efecto.

*Le dijeron que lo necesitaban urgentemente en la delegación de Tegucigalpa y, **por lo tanto**, se fue inmediatamente.*

222

DE CUANDO EN CUANDO = Expresa la frecuencia con la que se hace una actividad.

▸ *Pues yo no voy mucho al cine, de cuando en cuando, si tengo tiempo.*
▸ *A mí, de cuando en cuando, me apetece viajar, me compro un billete y me voy donde sea.*

Gramática ▸ Locución adverbial de frecuencia.
Estructura ▸ Se utiliza con un verbo en Indicativo.

OTRAS EXPRESIONES SIMILARES:

▸▸**A menudo / A veces** (ver entrada 30), **Con frecuencia** (ver entrada 155) y **Frecuentemente** (ver entrada 368): Indican una frecuencia mayor.
▸▸**De vez en cuando** (ver entrada 241): Es más coloquial y usual.

223

DE DÍA / DE NOCHE = Indica si hay luz o no en un momento del día.

▸ *Todavía era de noche cuando salí de casa para ir a trabajar.*
▸ *De día se duerme mucho peor, aunque se bajen las persianas.*

Gramática ▸ Expresión de tiempo.

224

DE ESO NI HABLAR = Rechaza una propuesta, un plan o una petición.

▸ *- Oye, ¿puedo poner un rato la tele?*
  • *De eso ni hablar. ¿No ves que estoy estudiando?*
▸ *- Ya sé que te debo 300. Pero, ¿podrías prestarme 150? Es que...*
  • *De eso ni hablar.*

Gramática ▸ Expresión coloquial de negación.
Uso ▸ Se suele utilizar más la expresión corta *ni hablar* (ver entrada 487).
▸ Se utiliza en un registro coloquial.

225 **DE ESTA MANERA / DE ESTE MODO** = Indica el modo de hacer algo.

> ▸ *Mira, no lo hagas así, hazlo de este modo, que es más fácil.*
> ▸ *Hablas demasiado rápido. De esta manera no te entenderá nadie.*

Gramática ▸ Locución adverbial de modo.

OTRAS EXPRESIONES SIMILARES:

⇢**Así** (ver entrada 97), **Conforme** + *modo* (ver entrada 166), **Según** + *modo* (ver entrada 644) y **La manera en que** (ver entrada 419): Significan lo mismo.

⇢**Como** + *modo* (ver entrada 137): Es de uso más general.

---

226 **DE LO MÁS** = Expresa una valoración subjetiva superlativa.

> ▸ *La película fue de lo más aburrida. No me gustó nada.*
> ▸ *Ayer estuve con Adela. No sabes cómo ha cambiado. Está de lo más guapa.*

Gramática ▸ Locución adverbial de cantidad.
Estructura ▸ Se utiliza seguido de un adjetivo o adverbio.
Uso ▸ Se utiliza en un registro coloquial.

CONTRASTE CON **DE UN / MUY**:

⇢**De un** (ver entrada 236): Presenta una cualidad de forma intensificada pero sin llegar a ser el máximo de esa cualidad.
*La película es **de un** divertido que no te la puedes perder.*

⇢**Muy** (ver entrada 478): Presenta un grado superlativo, pero de forma objetiva.
*Sí, sí, la película es **muy** divertida.*

---

227 **DE MODO QUE** = Expresa las consecuencias finales de un razonamiento.

> ▸ *No se sentía nada bien en aquella empresa y le pagaban fatal. De modo que se marchó de un día para otro y ahora, la verdad, está muy bien.*
> ▸ *No me cuido nada, ya estoy un poco mayor y mi salud no es muy buena. De modo que, a partir de mañana, empiezo el régimen.*

Gramática ▸ Locución conjuntiva de consecuencia.
Estructura ▸ Se utiliza seguido de un verbo en Indicativo.

CONTRASTE CON **TOTAL, QUE**:

⇢**Total, que** (ver entrada 744): Se utiliza para interrumpir una explicación que está pareciendo demasiado larga.
- *Me he levantado pronto para ir a clase, pero el tráfico estaba fatal, la ciudad era un caos y...*
• ***Total, que** no has ido a clase, ¿no?*

228

DE MOMENTO = Marca un momento temporal provisional.

> ▸ *De momento vamos a terminar con esto. Luego, ya veremos qué hacemos.*
> ▸ *Yo creo que de momento no le vamos a decir nada, a ver cómo evolucionan las cosas.*

▌Gramática ▸ Locución adverbial de tiempo.

OTRA EXPRESIÓN SIMILAR:

▸▸**Por ahora** (ver entrada 567): Significa lo mismo.

229

DE NUEVO = Expresa la repetición de una acción.

> ▸ *Rompió con Marta y a los tres días ya estaba de nuevo con ella.*
> ▸ *Me contrataron en esa empresa en 1987 y me ofrecieron otro trabajo de nuevo en 2001.*

▌Gramática ▸ Locución adverbial de reiteración.
▌Estructura ▸ Normalmente se utiliza con un verbo en Indefinido.

OTRAS EXPRESIONES SIMILARES:

▸▸**Otra vez** (ver entrada 522): Significa lo mismo.
▸▸**Volver a** + *infinitivo* (ver entrada 775): Es muy usual en relatos. No es nada frecuente con el verbo *volver* en Imperfecto.

230

DE PRONTO / DE REPENTE / DE SÚBITO = Presenta un acontecimiento como algo inesperado.

> ▸ *Estaba en la ducha y, de pronto, sonó el teléfono.*
> ▸ *Se fue de repente la luz, y no pudimos ver el final de la película.*

▌Gramática ▸ Locución adverbial de tiempo.
▌Estructura ▸ Se utiliza seguido de un verbo en Indefinido.

OTRA EXPRESIÓN SIMILAR:

▸▸**Súbitamente** (ver entrada 713): Significa lo mismo. Es menos frecuente.

231

DE PURO = Presenta la causa de algo como consecuencia de una característica o actitud repetida.

> ▸ *Aprobó el examen de puro estudioso, porque era dificilísimo.*
> ▸ *Se llevaba bien con todo el mundo de puro simpático.*

| Gramática | ▶ Locución adverbial de causa. |

Gramática ▶ Locución adverbial de causa.
Estructura ▶ Se utiliza seguido de un adjetivo o adverbio.

CONTRASTE CON **OTRAS EXPRESIONES DE CAUSA:**

>> **A fuerza de** (ver entrada 18): Se presenta la causa como el resultado de una acción que implica esfuerzo, interés o intención.

A fuerza de estudiar, consiguió sacar la carrera en cinco años.

>> **De tanto** (ver entrada 233): Se presenta la causa como el resultado de la insistencia de una acción, pero no tiene ese matiz de voluntariedad.

De tanto llover se ha inundado el campo.

>> **De tanto/a/os/as** (ver entrada 234): Se presenta la causa como la cantidad de algo.

*Se quedó dormido **de tanto** esfuerzo que había hecho.*

232

¿DE QUIÉN / DE QUIÉNES + SER? = Señala una pregunta para saber la propiedad de algo.

▶ *¿De quiénes son **estas carteras**?*
▶ *¿De quién es **esto**?*

Gramática ▶ Expresión interrogativa de propiedad.
Estructura ▶ Se utiliza con el verbo *ser* en tercera persona del singular o plural dependiendo del objeto poseído.
▶ Se emplea *quién* o *quiénes* dependiendo de la persona poseedora.

233

DE TANTO = Presenta la causa de algo como el resultado de la insistencia de una acción.

▶ *De tanto **llover se inundaron los campos y se perdió la cosecha**.*
▶ *Se quedó **afónico** de tanto gritar.*

Gramática ▶ Locución adverbial de causa.
Estructura ▶ Se utiliza seguida de un infinitivo.

CONTRASTE CON **OTRAS EXPRESIONES DE CAUSA:**

>> **A fuerza de** (ver entrada 18): Se presenta la causa como el resultado de la insistencia de una acción que implica esfuerzo, interés o intención.

A fuerza de trabajar día y noche se hizo con unos ahorros con los que montó su empresa.

>> **De puro** (ver entrada 231): Se presenta la causa como consecuencia de una característica o actitud repetida.

*Se ganó la simpatía de sus futuros suegros, **de puro** simpático.*

>> **De tanto/a/os/as** (ver entrada 234): Se presenta la causa como la cantidad de algo.

De tanta gente como había, le entró el miedo escénico y decidió no salir.

234

DE TANTO / DE TANTA / DE TANTOS / DE TANTAS = Presenta una causa como la cantidad de algo.

▸ *De tanto **dinero** que tiene, no sabe qué hacer con él.*
▸ *De tantas **personas** que conoce, no tiene problemas para encontrar trabajo rápidamente.*

Gramática ▸ Locución adverbial de causa.
Estructura ▸ Se utiliza seguido de un sustantivo y de *que* y de un verbo en Indicativo.
Uso ▸ Se usa en un registro culto.

CONTRASTE CON **OTRAS EXPRESIONES DE CAUSA**:

▸▸**A fuerza de** (ver entrada 18): Se presenta la causa como el resultado de la insistencia de una acción que implica esfuerzo, interés o intención.
   ***A fuerza de** trabajar día y noche se hizo con unos ahorros con los que montó la empresa.*

▸▸**De puro** (ver entrada 231): Se presenta la causa como consecuencia de una característica o actitud repetida.
   ***De puro** bueno siempre le engañan.*

▸▸**De tanto** (ver entrada 233): Se presenta la causa como el resultado de la insistencia de una acción.
   ***De tanto** hablar se me ha quedado la garganta seca, ¿me das un vaso de agua?*

235

DE TODAS FORMAS / DE TODAS MANERAS = Expresa la necesidad de realizar algo a pesar de los impedimentos.

▸ *No creo que sepa la repuesta mañana. De todas formas, llámame para confirmarlo.*
▸ *No tenía que haberme regalado nada. De todas maneras, lo hizo.*

Gramática ▸ Expresión adversativa.
Estructura ▸ Se utiliza seguida de un verbo en Indicativo. Es usual también la expresión con el adjetivo indefinido *cualquier: de cualquier forma, de cualquier manera.*

CONTRASTE CON **SIN EMBARGO**:

▸▸**Sin embargo** (ver entrada 699): Expresa una oposición a una información expresada anteriormente.
   *Ana se parece mucho a su madre. **Sin embargo**, el carácter es de su padre.*

236

DE UN = Presenta una cualidad de forma intensificada, pero sin llegar a ser el máximo de esa cualidad.

▸ *Manuel es de un pesado que no te lo puedes ni imaginar.*
▸ *Me encanta Celia. Es de un simpático...*

Gramática ▸ Locución adverbial de cantidad.
Estructura ▸ Se utiliza seguido de un adjetivo en forma masculina y de *que* y un verbo en Indicativo.

CONTRASTE CON DE LO MÁS / MUY:

▸▸**De lo más** (ver entrada 226): Se utiliza para valorar algo de forma superlativa.
- *¿Qué tal la película que visteis ayer?*
• *La película es **de lo más** divertida. No te la puedes perder.*
▸▸**Muy** (ver entrada 478): Presenta un grado superlativo, pero de forma objetiva.
*Sí, sí, la película es **muy** divertida.*

237

DE UN MOMENTO A OTRO = Se refiere a un momento indeterminado y próximo del futuro.

▸ *- De un momento a otro llegará Arturo.*
• *En cuanto venga dile que vaya a la sala de reuniones.*
▸ *- Está casi terminado. De un momento a otro te lo entregamos y listo.*
• *Si no estoy en mi despacho dáselo a María.*

Gramática ▸ Locución adverbial de tiempo.
Estructura ▸ Se utiliza con un verbo en Indicativo, normalmente en Presente o en Futuro.

OTRAS EXPRESIONES SIMILARES:

▸▸**Cualquier día** (ver entrada 182) y **Un día de estos** (ver entrada 754): Se refieren a una fecha o a un momento indeterminado del futuro.

238

DE UNA VEZ POR TODAS = Presenta un acontecimiento como algo que puede ocurrir después de una situación de incertidumbre, impaciencia o repetición.

▸ *- A ver si de una vez por todas apruebas el examen de conducir.*
• *El miércoles me examino y esta vez apruebo.*
▸ *No paré de llamarle a su casa hasta que, de una vez por todas, pude hablar con él.*

Gramática ▸ Locución adverbial de tiempo.
Estructura ▸ Se utiliza seguido de un verbo en Indicativo.

CONTRASTE CON ¡POR FIN!:

▸▸**¡Por fin!** (ver entrada 574): Expresa que algo esperado se produce, pero no implica esa idea de incertidumbre o repetición previa.
*¡**Por fin** llegó la carta! Tres meses esperándola.*

239

¿DE VERAS? / ¿DE VERDAD? = Expresa sorpresa ante una información.

> ▸ - *Me han dado una beca para estudiar en México.*
> • *¿De veras? Me alegro mucho.*
> ▸ - *No voy a ir con vosotros.*
> • *¿De verdad? ¿Y eso por qué?*

Gramática ▸ Expresión de sorpresa.
Estructura ▸ Normalmente se pide una confirmación al interlocutor.

OTRAS EXPRESIONES SIMILARES:

▸▸**¡No me digas!** (ver entrada 501): Significa lo mismo.

▸▸**No puede ser** (ver entrada 504): Tiene un matiz de rechazo.

▸▸**¡Qué pena! / ¡Qué raro! / ¡Qué suerte!** (ver entrada 613): Sirven para expresar sorpresa por algo que, además, se considera inusual.

▸▸**¿Sí?** + *indeferencia* (ver entrada 676): Expresa sorpresa e indiferencia.

240

DE VERDAD = Confirma la veracidad y certeza de una información dada.

> ▸ *Se ha roto el cristal y, de verdad, yo no he tenido la culpa.*
> ▸ - *¿Quieres un poco más de ensalada?*
> • *No. De verdad, ya no puedo comer nada más.*

Gramática ▸ Locución adverbial de modo.

CONTRASTE CON **FRANCAMENTE / LA VERDAD**:

▸▸**Francamente** (ver entrada 367): Se utiliza para mostrar sinceridad sin tener en cuenta los sentimientos u opiniones del interlocutor.
*No me gusta nada este diseño, **francamente**.*

▸▸**La verdad** (ver entrada 424): Se utiliza para expresar que se es sincero al dar una opinión o información que tal vez puede molestar.
*¿Quieres saber lo que pienso? Pues **la verdad**, ese vestido no me gusta nada.*

241

DE VEZ EN CUANDO = Expresa la frecuencia con la que se hace una actividad.

> ▸ *Juan y yo nos vemos de vez en cuando, una vez al mes más o menos.*
> ▸ *Pues a mí de vez en cuando me gusta ir a esquiar.*

Gramática ▸ Locución adverbial de frecuencia.
Estructura ▸ Se utiliza seguido de un verbo en Indicativo.

OTRAS EXPRESIONES SIMILARES:

▸▸**A menudo / A veces** (ver entrada 30): Indican una frecuencia mayor que **De vez en cuando**.

▸▸**De cuando en cuando** (ver entrada 222): Se utiliza en contextos formales.

242

DEBAJO DE = Sitúa algo en una posición inferior respecto a otro elemento.

> ▸ *- ¿Dónde están las llaves?*
>   • *Debajo de la cartera.*
> ▸ *Debajo de mi casa vive un músico.*

Gramática ▸ Locución preposicional de lugar.
Origen ▸ **Debajo** < preposición *de* y preposición *bajo*.

CONTRASTE CON **OTRAS EXPRESIONES DE LUGAR**:

▸▸**Abajo** (ver entrada 37): Señala un espacio inferior, sin compararlo o relacionarlo con nada.

*La cocina y el salón están **abajo**; los dormitorios, arriba.*

▸▸**Bajo** (ver entrada 108): Sitúa algo en una posición inferior, física o figuradamente.

*Juan está durmiendo la siesta **bajo** esos árboles.*

Deber < *debēre* (lat.)
Usos del verbo. Entradas 243 a 245.

243

DEBER + infinitivo = Expresa la obligación o la necesidad de hacer algo.

> ▸ *Mira, debes tratar con más respeto a tu padre. Es mayor y...*
> ▸ *No creo que estés haciendo lo oportuno. Debes hablar con él y aclarar las cosas.*

Gramática ▸ Perífrasis verbal obligativa.

CONTRASTE CON **OTRAS PERÍFRASIS DE OBLIGACIÓN Y NECESITAR**:

▸▸**Haber que** + *infinitivo* (ver entrada 382): Indica una obligación y una necesidad, pero de forma impersonal.

*Para estar bien **hay que** dormir ocho horas al día.*

▸▸**Necesitar** (ver entrada 485): Indica una necesidad, no una obligación.

*Estoy cansadísimo y **necesito** dormir un poco. Así que me voy.*

▸▸**Tener que** + *infinitivo* (ver entrada 732): Expresa también una obligación, pero se da a entender que es una obligación motivada por la situación, mientras que con **Deber** se da a entender que la persona que la expresa es el origen de lo dicho.

*Mira, hijo, no tenemos mucho dinero y, por eso, **tienes que** ponerte a trabajar ya y traer un sueldo más a casa.*

244

DEBER DE + infinitivo = Expresa una hipótesis probable.

> ▸ *- ¿Qué hora es?*
>   • *No sé, no tengo reloj, pero deben de ser ya las tres.*
> ▸ *Es muy joven, debe de tener unos veinticinco años.*

Gramática ▸ Perífrasis verbal aproximativa o hipotética.

CONTRASTE CON **OTRAS EXPRESIONES DE HIPÓTESIS:**

➡➡**A lo mejor** (ver entrada 22): Expresa una hipótesis posible.

A lo mejor me voy de vacaciones a la playa este verano.

➡➡**Igual** (ver entrada 407): Expresa una hipótesis que se considera posible, pero de ser cierta, sería una sorpresa.

Igual me dan la plaza de subsecretario en la nueva delegación que van a abrir.

➡➡**Poder incluso que** (ver entrada 549): Presenta una eventualidad remota aunque posible.

Tal vez no tengamos suficiente dinero allá. Puede incluso que pasemos hambre. Pero eso no importa. Hemos decidido irnos y nos vamos.

➡➡**Poder ser que** (ver entrada 550): Expresa una hipótesis.

No ha venido Mariano, puede ser que esté enfermo.

➡➡**Posiblemente** (ver entrada 589), **Probablemente** (ver entrada 591) y **Seguro que / Seguramente** (ver entrada 647): Expresan lo que se considera muy próximo a la realidad, casi seguro.

Seguramente Celia llegará enseguida, es muy puntual.

➡➡**Quizá(s)** (ver entrada 627) y **Tal vez** (ver entrada 718) + *Indicativo*: Expresan lo que se considera posible, pero con una gran duda.

Mañana tengo una reunión y quizá llego tarde a casa. No sé cuánto va a durar.

➡➡**Quizá(s)** (ver entrada 627) y **Tal vez** (ver entrada 718) + *Subjuntivo*: Mencionan una posibilidad remota.

En la reunión de mañana tal vez elijan al próximo delegado.

245

DEBIDO A = Expresa la causa de algo.

▸ *Han rechazado mi solicitud debido a que no cumplía todos los requisitos.*
▸ *Debido a la falta de acuerdos, no se firmó el convenio.*

Gramática ▸ Locución preposicional y conjuntiva de causa.
Estructura ▸ Se utiliza seguido de un sustantivo o la conjunción *que* y un verbo en Indicativo.
Uso ▸ Se utiliza en registros formales y en la lengua escrita.

CONTRASTE CON **OTRAS EXPRESIONES DE CAUSA:**

➡➡**Es que** (ver entrada 334): Presenta la causa como un pretexto o una justificación.

Me voy. Es que me duele muchísimo la cabeza.

➡➡**Gracias a** + *causa* (ver entrada 376): Presenta la causa como algo bien aceptado.

Pudo solucionar ese problema gracias a tu ayuda.

➡➡**Lo que pasa es que** (ver entrada 439): Presenta la causa de un problema.

No le han dado el crédito que pedía. Lo que pasa es que no tiene aval.

➡➡**Por** + *causa* (ver entrada 555): Presenta la causa con una connotación negativa.

Ha perdido la cartera por despistado.

OTRA EXPRESIÓN SIMILAR:

➡➡**Porque** (ver entrada 588): Es la expresión de causa más general.

Decir < *dicĕre* (lat.)
Usos del verbo. Entradas 246 y 247.

246

DECIR QUE = Repite lo dicho por uno mismo o por otros.

▶ *- ¿Cómo?*
  • *He dicho que si puedes venir un momento.*
▶ *Me dijeron que habías estado enfermo. ¿Qué tal estás?*

Gramática ▶ Expresión para utilizar el Estilo Indirecto.
Estructura ▶ Se utiliza con:

■ Presente de Indicativo cuando se repiten informaciones presentes y actuales.
   Me ha dicho que está enfermo y que por eso no viene a trabajar.

■ Imperfecto de Indicativo cuando se repiten informaciones presentes pero ya no son actuales o queremos marcar una distancia y dejar claro que no son nuestras palabras.
   No, ayer no vino a trabajar. Me dijo que estaba enfermo.
   A mí me parece raro, pero me dijo que estaba muy enfermo y que por eso no venía a trabajar. Hoy está tan normal.

■ Cualquier tiempo del pasado cuando se repiten informaciones pasadas pero todavía actuales (ver usos de los tiempos del Indicativo).
   He visto a Eugenia y me ha dicho que se lo pasó muy bien en el viaje.

■ Pluscuamperfecto de Indicativo cuando se repiten informaciones pasadas y ya no son actuales o queremos marcar una distancia y dejar claro que no son nuestras palabras.
   Ella dice que se lo había pasado bien, pero a mí me extraña porque este año no quiere volver.

■ Presente de Indicativo, la perífrasis de futuro *Ir a* en Presente o el Futuro, dependiendo de la intención, cuando se repiten informaciones futuras actuales (ver usos de los tiempos del Indicativo).
   Juan dice que se va / va a ir / irá de vacaciones en mayo.

■ Imperfecto de Indicativo, la perífrasis *ir a* en Imperfecto o el Condicional, dependiendo de la intención (ver usos de los tiempos del Indicativo), cuando se repiten informaciones futuras pero ya no son actuales o queremos marcar una distancia y dejar claro que no son nuestras palabras.
   Juan dijo que se iba / iba a ir / iría de vacaciones en mayo, pero en el último momento se le fastidiaron los planes y se tuvo que quedar.
   Parece ser que Juan dijo que se iba / iba a ir / iría de vacaciones en mayo, pero sé que su mujer se las ha pedido en agosto. No sé, no sé.

■ Presente de Subjuntivo cuando se repiten intenciones de influir en alguien.
   El jefe dice que vayas a su despacho.

■ Imperfecto de Subjuntivo cuando se repiten intenciones de influir en alguien pero ya no son actuales o queremos marcar una distancia y dejar claro que no son nuestras palabras.
   El jefe dijo que fuéramos todos a su despacho, que nos tenía que decir algo. Al final no era nada importante.
   Oye, el jefe ha dicho que fueras a verle, pero no está de humor hoy. Si quieres, le digo que no te he visto.

247

DECIR QUE SÍ / DECIR QUE NO = Transmite una respuesta afirmativa o negativa.

▸ - *¿Se lo has preguntado?*
  • *Sí, y me ha dicho que no, que no viene con nosotros.*
▸ - *¿Qué te ha dicho?*
  • *(Ha dicho) que sí, que viene a la fiesta.*

❚Gramática ▸ Expresión de afirmación o negación.

Dejar, del antiguo *lejar* y este del latín *laxāre*, aflojar, influido por dar.
Usos del verbo. Entradas 248 a 252.

248

DEJAR + infinitivo = Expresa una petición de permiso para hacer algo.

▸ - *Mamá, ¿me dejas quedarme a dormir en casa de María?*
  • *Bueno, pero pórtate bien.*
▸ - *Anda, si tienes el disco de Camarón. ¿Me dejas ponerlo un momento?*
  • *Claro, ponlo, ponlo.*

❚Gramática ▸ Perífrasis verbal obligativa.
❚Estructura ▸ Normalmente el verbo *dejar* se usa en Presente o en Condicional y se utiliza precedido de un pronombre de complemento indirecto.

249

¿DEJAR + algo? = Expresa la petición de algo a otra persona.

▸ - *¿Me dejas el periódico un momento, por favor?*
  • *Sí, claro, toma.*
▸ - *¿Me dejas el coche para ir a casa de Nuria?*
  • *Imposible, tengo que ir al médico.*

❚Gramática ▸ Verbo transitivo.
❚Estructura ▸ Se utiliza seguido de un sustantivo.
❚Uso ▸ Se utiliza para pedir cosas que se van a devolver.

CONTRASTE CON **OTRAS EXPRESIONES DE PETICIÓN**:

▸▸**¿Dar** + *algo*? (ver entrada 197): Se utiliza para pedir cosas que no se pueden devolver (una aspirina, un vaso de agua, un caramelo...) o que no pensamos devolver, lo pedimos como regalo.
  *¿**Me das** un vaso de agua, por favor?*

▸▸**¿Poner** + *algo*? (ver entrada 551): Se utiliza en un bar o en un restaurante.
  *¿**Me pone** un café con leche, por favor?*

250 **DEJAR + algo + participio** = Indica que una situación es el resultado de una acción anterior.

> ▸ *Te has dejado las luces de la casa encendidas. Tienes que ser más cuidadoso, David.*
> ▸ *He dejado hecha la cena. Esta noche viene Luis a cenar.*

Gramática ▸ Perífrasis verbal perfectiva.
Estructura ▸ Normalmente se usa en Perfecto o Indefinido.

251 **DEJAR DE + infinitivo** = Expresa la interrupción de una acción.

> ▸ *Juan ha dejado de jugar al tenis. Parece ser que se ha hecho daño en una mano.*
> ▸ *He dejado de comerme las uñas.*

Gramática ▸ Perífrasis verbal perfectiva.

CONTRASTE CON **PARAR DE** / **YA NO**:

▸▸**Parar de** + *infinitivo* (ver entrada 533): Significa lo mismo. Se utiliza en un registro familiar e informal.
  Para de jugar con la pelota, que me estás dando dolor de cabeza.
▸▸**Ya no** (ver entrada 795): Hace más énfasis en la situación posterior a la interrupción que en la interrupción en sí.
  *El año pasado dejé de vivir con Teresa y por eso **ya no** la veo casi nada.*

252 **DEJARSE DE** = Indica una petición para que alguien no haga algo que molesta o irrita.

> ▸ *¡Ay, déjate de tonterías y vamos a ponernos a trabajar!*
> ▸ *Déjate de chismorrear sobre los demás y ocúpate de lo tuyo.*

Gramática ▸ Verbo preposicional.
Estructura ▸ Se utiliza en Imperativo y seguido de un sustantivo o un infinitivo.
Uso ▸ Se utiliza en contextos familiares o informales.

253 **DEL** = De + el.

> ▸ *¿Dónde están las llaves del armario?*
> ▸ *El dueño del coche es Joaquín.*

Gramática ▸ Contracción de la preposición *de* y el artículo masculino *el*.

254

DELANTE DE = Indica la posición anterior de algo con relación a otro elemento.

▸ *Delante de la catedral hicieron un aparcamiento para los turistas.*
▸ *Juan es el que está delante de la ventana.*

Gramática ▸ Locución preposicional de lugar.
Origen　　▸ **Delante** < *denante.*

CONTRASTE CON **OTRAS EXPRESIONES DE LUGAR:**

▸▸**Adelante** (ver entrada 48): Indica un espacio anterior sin relación a otro elemento.
*Sigue **adelante** hasta el puente, luego gira a la izquierda.*

▸▸**Ante** (ver entrada 85): Significa lo mismo. Se suele aplicar a contextos figurados.
***Ante** tal situación no tuvimos más remedio que irnos.*

▸▸**Enfrente de** (ver entrada 324): Sitúa a alguien o algo en la parte opuesta de otra cosa o persona.
***Enfrente de** mi casa hay una farmacia.*

255

DEMASIADO = Expresa una valoración negativa de algo porque supera los límites tolerables.

▸ *El abrigo rojo es demasiado caro. Vamos a otra tienda.*
▸ *Este coche es demasiado lujoso para mí. Yo busco algo más sencillo.*

Gramática ▸ Adverbio de cantidad.
Estructura ▸ Se utiliza seguido de un adjetivo.
Uso　　　 ▸ También puede utilizarse como adjetivo.
　　　　　　*Hay **demasiada** gente en esta sala.*

CONTRASTE CON **OTRAS EXPRESIONES DE VALORACIÓN:**

▸▸**Algo** + *adjetivo* (ver entrada 72): Describe una persona o cosa de forma negativa, pero la valoración parece positiva.
*Antonio está **algo** gordo, ¿no?*

▸▸**Harto** (ver entrada 397): Significa lo mismo, pero en contextos más formales.
*Su propuesta es **harto** delicada para debatirla hoy.*

Dentro < *deintro* (lat.)
Usos del adverbio. Entradas 256 y 257.

256

DENTRO DE = Sitúa un elemento en el interior de otro.

▸ *Las llaves del coche están en el armario, dentro del cajón.*
▸ *No sé dónde he dejado mis gafas. Estoy seguro de que las he puesto dentro del estuche y ahora no las encuentro.*

Gramática ▶ Locución preposicional de lugar.
Estructura ▶ Se utiliza seguido de un sustantivo.

CONTRASTE CON **OTRAS EXPRESIONES DE LUGAR**:

▶▶**Adentro** (ver entrada 50): Remite a un espacio interior, sin compararlo o relacionarlo con nada.

*No sabes la cantidad de gente que hay **adentro**. Mejor no pases.*

▶▶**En** + *lugar* (ver entrada 296): Se expresa la misma idea, pero con **Dentro de** se insiste en explicitar que la posición es interior y no otra. Si no se quiere hacer esa insistencia, se utiliza más frecuentemente **En**.

*Los informes están **en** mi cartera, pero **dentro** de la cartera.*

257

DENTRO DE + tiempo = Indica el tiempo que tiene que transcurrir para que ocurra un acontecimiento.

▶ *Me han prometido que dentro de dos años me ascienden.*
▶ *Me voy, que he quedado con Marga dentro de un cuarto de hora.*

Gramática ▶ Locución preposicional de tiempo.
Estructura ▶ Se utiliza seguido de una expresión de tiempo.

CONTRASTE CON **OTRAS EXPRESIONES DE TIEMPO**:

▶▶**Antes de** + *hora / fecha* (ver entrada 89): Marca el plazo para que se cumpla un acontecimiento.

*Juan vendrá **antes de** las tres.*

▶▶**De aquí a** (ver entrada 220): Marca el plazo para que se produzca un acontecimiento insistiendo en el desarrollo de un periodo.

*Todavía me faltan cinco meses, pero **de aquí a** que deje mi puesto, iré solucionando todas las cosas pendientes.*

▶▶**En** + *fecha futura* (ver entrada 295): Indica el momento en el que se realizará un acontecimiento o finalizará una actividad.

*Nos vemos de nuevo **en** abril.*

▶▶**Para** + *fecha* (ver entrada 525): Marca un plazo concreto. Se utiliza siempre con fechas.

*Te llamaré **para** el 6 de marzo.*

Desde < contracción de las preposiciones *de*, *ex* y *de* (lat.)
Usos de la preposición. Entradas 258 a 266.

258

DESDE + fecha = Indica el inicio temporal de un acontecimiento.

▶ *Desde **mañana** voy a empezar un régimen: nada de grasas y muchas ensaladas.*
▶ *Yo vivo en esta ciudad desde 2002.*

▮Gramática ▸ Preposición para indicar tiempo.

CONTRASTE CON **A PARTIR DE**:

▸▸**A partir de** (ver entrada 32): Indica el origen temporal de un acontecimiento futuro.
*A **partir de** mañana voy a trabajar en tu oficina.*

259

DESDE + lugar = Indica el punto a partir del cual se observa algo o a alguien.

▸ *Desde la terraza del salón de mi casa hay unas vistas preciosas.*
▸ *Pudimos ver cómo llegaba desde la ventana de la cafetería donde le esperábamos.*

▮Gramática ▸ Preposición para indicar un lugar.

260

DESDE + lugar de origen = Indica el origen de un movimiento, proceso o situación.

▸ *Ayer fui a la Casa de Campo. Dejé el coche en el aparcamiento y desde allí corrí 13 kilómetros.*
▸ *La manifestación sale desde Colón y llega hasta Cibeles.*

▮Gramática ▸ Preposición para indicar un lugar.
▮Estructura ▸ Se utiliza con verbos de movimiento.
▮Uso   ▸ Es muy frecuente con *hasta* (ver entrada 398).

CONTRASTE CON **DE**:

▸▸**De** + *lugar* (ver entrada 213): También indica el origen de un movimiento, pero no hace tanto énfasis en que es el inicio de ese movimiento.
*El tren a Murcia no sale **de** esta estación, sino **desde** la estación Sur.*

261

¿DESDE CUÁNDO? = Pregunta por el origen temporal de un acontecimiento.

▸ *- ¿Desde cuándo conoces a Isabel?*
  • Desde que íbamos al colegio. Somos amigos de toda la vida.
▸ *- ¿Desde cuándo vives en esta casa?*
  • Desde hace dos años.

▮Gramática ▸ Expresión interrogativa de tiempo.

262

DESDE HACE + tiempo = Indica el origen temporal de un acontecimiento actual.

▸ *Trabajo en esta empresa desde hace tres años.*
▸ *No veo a Julián desde hace diez años. ¿Qué habrá sido de él?*

Gramática ▶ Locución preposicional de tiempo.
Estructura ▶ Se utiliza con un verbo en Presente.

CONTRASTE CON **OTRAS EXPRESIONES DE TIEMPO**:

▶▶**Hace** (ver entrada 385): Sitúa temporalmente un acontecimiento pasado, no presente.
*Me casé **hace** ocho años.*

▶▶**Hace... que** (ver entrada 386): Aunque muy similar a **Desde hace**, está expresión indica el tiempo que dura una situación o un actividad actual y no hace tanto énfasis en el origen.
Hace *dos años* **que** *estoy viviendo en este barrio.*

▶▶**Llevar** + *gerundio* (ver entrada 429): Expresa el tiempo que dura una actividad.
Llevo *trabajando quince años en esta empresa.*

263

DESDE LUEGO = Expresa una respuesta afirmativa a una pregunta.

▶ *- ¿Vas a venir mañana?*
   • *Desde Luego.*
▶ *- ¿Me has comprado algo por mi cumpleaños?*
   • *Desde luego.*

Gramática ▶ Expresión de afirmación.

OTRAS EXPRESIONES DE AFIRMACIÓN:

▶▶**Bueno** (ver entrada 117): Se expresa una afirmación, pero con una cierta duda.
▶▶**Claro** (ver entrada 132): Significa lo mismo.
▶▶**Cómo no** (ver entrada 144): Indica una respuesta afirmativa.
▶▶**Evidentemente** (ver entrada 362): Indica una respuesta afirmativa a una pregunta mostrando que es la única respuesta posible.
▶▶**Sí** (ver entrada 674): Es la afirmación más neutra, se utiliza en cualquier contexto.

264

¡DESDE LUEGO! = Expresa una reacción escandalizada ante lo que nos cuentan.

▶ *- Todavía no me ha devuelto el dinero.*
   • *¡Desde luego! Si ya han pasado tres meses desde que se lo prestaste.*
▶ *- Al final Jorge y María se van a casar.*
   • *¡Desde luego! No hay quien los entienda.*

Gramática ▶ Expresión coloquial de reacción.

OTRAS EXPRESIONES SIMILARES:

▶▶**¡Hay que ver!** (ver entrada 404): Significa lo mismo.
▶▶**¡Será posible!** (ver entrada 672): Indica además una reacción de sorpresa y rechazo.

265

DESDE LUEGO QUE NO = Indica una respuesta negativa a una pregunta.

▸ - *¿Se lo has dicho?*
  • *Desde luego que no. No quiero que se enfade conmigo.*
▸ - *¿Vas a venir?*
  • *Desde luego que no. Sabes que no soporto a María José.*

▍Gramática ▸ Expresión de negación.

OTRAS EXPRESIONES SIMILARES:

▸▸**Claro que no** (ver entrada 133): Significa lo mismo.

▸▸**Ni hablar** (ver entrada 487): Se utiliza para rechazar una petición o solicitud de algo.

▸▸**No** (ver entrada 493): Es la negación más neutra, se utiliza en cualquier contexto.

▸▸**¡Qué va!** (ver entrada 614): Es una forma enérgica y coloquial de decir que no.

266

DESDE QUE = Señala un acontecimiento como origen de algo.

▸ *María ya no viene a las reuniones del club desde que tuvo a su primer hijo.*
▸ *Desde que se conocieron no pueden vivir el uno sin el otro.*

▍Gramática ▸ Conjunción de tiempo.
▍Estructura ▸ Se utiliza con un verbo en Indefinido.

Después < de las preposiciones *de* y *ex* y el adverbio *post* (lat.)
Usos del adverbio y la locución. Entradas 267 a 270.

267

DESPUÉS = Señala un tiempo posterior sin especificar el momento exacto.

▸ - *¿Tienes un momento? Tengo que hablar contigo.*
  • *Después te llamo, ahora voy a una reunión.*
▸ *Escribo esta carta y después la echas al buzón, ¿de acuerdo?*

▍Gramática ▸ Adverbio de tiempo.

CONTRASTE CON OTRAS EXPRESIONES DE TIEMPO:

▸▸**A los / A las** + *tiempo* (ver entrada 24): Expresa el tiempo transcurrido entre dos acontecimientos pasados.
*Estuvo en Mallorca en mayo y **a los** dos meses volvió.*

▸▸**Luego** (ver entrada 445): Significa lo mismo pero va al final de frase.
*Nos vemos **luego**.*

▸▸**Más tarde** (ver entrada 454): Se utiliza para expresar un tiempo posterior específico.
*Nada más descubrir el robo llamamos a la policía. Cinco minutos **más tarde** estaban en casa.*

▸▸**Tras** (ver entrada 746): Se utiliza siempre con relación a una referencia temporal dada y en contextos más cultos.
***Tras** los acontecimientos de aquella tarde, optó por dejar la política.*

268

DESPUÉS DE + acontecimiento = Presenta un acontecimiento como posterior a otro.

> ▸ *Después de la fiesta nos fuimos a pasear un rato.*
> ▸ *No la volví a ver después del accidente.*

Gramática ▸ Locución preposicional y conjuntiva de tiempo.
Estructura ▸ Se utiliza seguido de:
- ■ Un sustantivo cuando se refiere a fechas, cantidades de tiempo o acontecimientos de algún tipo (bodas, cumpleaños, despedidas, etc.).
  > *Se fueron a vivir a Bogotá después de la boda.*
- ■ Infinitivo cuando se refiere a una acción y el sujeto de los dos acontecimientos es el mismo.
  > *Después de decirle adiós, se echó a llorar.*
- ■ *Que* + Indicativo cuando presentamos acciones realizadas por sujetos diferentes.
  > *Después de que me dijo adiós, me eché a llorar como un tonto.*
- ■ *Que* + Subjuntivo en contextos cultos o cuando nos referimos al futuro.
  > *Después de que se despidieran para siempre, él dejó caer unas lágrimas.*

269

DESPUÉS DE + fecha = Marca una referencia temporal pasada.

> ▸ *Se fueron a vivir a México después del verano de 1998.*
> ▸ *Después de los juegos del 92 me instalé en Bilbao.*

Gramática ▸ Locución preposicional de tiempo.
Estructura ▸ Se utiliza con un verbo en Indefinido.

270

DESPUÉS DE + hora / fecha = Señala un plazo para que se produzca un acontecimiento.

> ▸ *No vengas después de las ocho y media, que cerramos.*
> ▸ *Siempre se va después de Navidad.*

Gramática ▸ Locución preposicional de tiempo.
Estructura ▸ Se utiliza seguido de la expresión de la hora o una fecha.

271

DETRÁS DE = Localiza algo o a alguien en un lugar posterior a otro.

> ▸ *Encontramos el bolso detrás del armario.*
> ▸ *Antonio es el que está detrás de Jesús, el de camisa blanca.*

Gramática ▸ Locución preposicional de lugar.
Origen ▸ **Detrás** < De las preposiciones *de* y *trans* (lat.)

CONTRASTE CON OTRAS EXPRESIONES DE LUGAR:

▸▸**Atrás** (ver entrada 103): Indica un espacio posterior, sin compararlo o relacionarlo con nada.

*Dad un paso **atrás***.

▸▸**Tras** (ver entrada 746): Expresa posterioridad en el espacio o en el tiempo físico o figurado.

***Tras** aquellos incidentes se escondía una organización delictiva*.

272

DICHO / DICHA = Indica que el elemento del que se está hablando acaba de ser mencionado.

▸ *La conferencia fue un éxito de público. Dicha conferencia se repetirá el próximo mes.*
▸ *Picasso es un artista de fama mundial. Dicho pintor nació en Málaga.*

Gramática ▸ Participio pasado del verbo *decir*.
Origen ▸ **Dicho** < Del participio irregular de *decir*, *dictus* (lat.)
Estructura ▸ Concuerda en género y número con el sustantivo al que acompaña.

273

DIGAMOS QUE SÍ / DIGAMOS QUE NO = Responde a una pregunta mostrando duda e indica que decimos eso por decir algo.

▸ *- ¿Te gustó la película?*
  • Bueno, digamos que sí.
  - O sea, que no te gustó nada.
▸ *- ¿Estás contento con tu nuevo trabajo?*
  • Digamos que no. El sueldo es bajo y el trabajo es duro.

Gramática ▸ Expresión de respuesta.

274

DIME / DIGA / DÍGAME = Expresa una respuesta de alguien que reclama nuestra atención.

▸ *- Oiga, por favor.*
  • ¿Sí? Dígame.
  - ¿La calle Peligros?
▸ *- Oye, Pepe.*
  • Dime.
  - ¿Vas venir mañana?

Gramática ▸ Expresión de respuesta.
Uso ▸ Son muy utilizados cuando se responde al teléfono.

OTRA EXPRESIÓN SIMILAR:

▸▸**¿Sí?** + *indiferencia* (ver entrada 677): Significa lo mismo.

275

DISCULPA / DISCULPE = Llama la atención de alguien para pedirle o preguntarle algo.

> ▶ - *Disculpa.*
>   • *¿Sí?*
>   - *¿Me dejas un momento el periódico?*
> ▶ - *Disculpe, ¿la calle Mayor, por favor?*

Gramática ▶ Expresión de llamada de atención.
Uso ▶ Se utiliza cuando pensamos que podemos molestar al interlocutor.

OTRAS EXPRESIONES SIMILARES:

⟶ **Oye / Oiga** (ver entrada 524): Son las más utilizadas en cualquier contexto.
⟶ **Perdón / Perdona / Perdone** (ver entrada 538): Significan lo mismo.

276

DON / DOÑA = Habla de una persona en relaciones formales.

> ▶ *Doña María, le presento a don Eduardo, un compañero de trabajo.*
> ▶ *Este es don Ramiro, un amigo mío.*

Gramática ▶ Sustantivo que acompaña a nombres propios de persona.
Origen ▶ **Don** < *dominus* (lat.), señor.
Uso ▶ Antiguamente era una distinción exclusiva de los nobles. Hoy es de uso general.
▶ Doctor / Doctora: Se utilizan generalmente para referirse a médicos.

OTRA EXPRESIÓN SIMILAR:

⟶ **Señor / Señora** (ver entrada 652): Se utilizan con el apellido.

Donde y Dónde < *de unde* (lat.)
Usos del adverbio. Entradas 277 a 280.

277

DONDE = Introduce una información adicional sobre un lugar.

> ▶ - *Podríamos ir donde cenamos con los Rodríguez. Me gustó mucho.*
>   • *¿No es un poco caro ese restaurante?*
> ▶ - *¿Sabes de un lugar donde podamos ir de vacaciones?*
>   • *Id a Galicia, es preciosa.*

Gramática ▶ Adverbio relativo de lugar.
Estructura ▶ Se utiliza con:
  ■ Indicativo cuando el lugar referido es conocido por el hablante.
      Esta es la casa donde viví durante mi época de universitario.

  ■ Subjuntivo cuando nos referimos a un lugar del que no tenemos experiencia o no existe.
      Vamos a donde tú quieras.

278

DONDE + nombre propio = Señala la casa de alguien.

▸ *Todos están donde Jesús. Hoy es su cumpleaños y da una fiesta.*
▸ *¿Y si tomamos un refresco donde María?*

Gramática ▸ Adverbio relativo de lugar.
Uso ▸ Se usa en contextos coloquiales y familiares.

279

¿DÓNDE? = Pregunta por un lugar.

▸ *- ¿Dónde vives?*
 • En la calle Preciados.
▸ *- ¿Dónde estás?*
 • Aquí, estoy aquí, en el jardín.

Gramática ▸ Adverbio interrogativo.
Estructura ▸ Se utiliza seguido de un verbo en Indicativo.

OTROS INTERROGATIVOS:

▸▸ Para preguntar por un lugar utilizamos **Adónde** (ver entrada 53); por un modo, **Cómo** (ver entrada 140); por una cantidad, **Cuánto** (ver entrada 193); por un momento, **Cuándo** (ver entrada 188); por un motivo, **Por qué** (ver entrada 583); por una persona, **Quién/es** (ver entrada 624) o **Cuál/es** (ver entrada 180) y por una cosa, **Qué** (ver entrada 605) o **Cuál/es**.

280

¡DÓNDE + verbo! = Expresa una exclamación sobre un lugar.

▸ *Oye, ¡dónde vives! Es una casa preciosa.*
▸ *Estuve una hora buscando las llaves y la niña las había escondido en la nevera. ¡Dónde las fue a poner!*

Gramática ▸ Adverbio exclamativo.
Uso ▸ También se utiliza para rechazar una idea presentada por otro.
 - ¿Y si vamos a tomar algo?
 • ¡Dónde vamos a ir a estas horas, ya está todo cerrado!

281

DONDEQUIERA QUE = Define un lugar en el futuro.

▸ *La encontraré, te juro que la encontraré dondequiera que esté.*
▸ *Dondequiera que vivas seguro que tu casa es más grande que la mía. Mi estudio apenas tiene 20 metros.*

Gramática	▶ Adverbio de lugar.
Origen	▶ **Dondequiera** < contracción del adverbio *donde* y el verbo *querer* en Imperfecto de Subjuntivo.
Estructura	▶ Se utiliza seguido de Subjuntivo.
Uso	▶ Es más frecuente escuchar la forma simple: *donde* + Subjuntivo.

OTRAS EXPRESIONES SIMILARES:

▶▶ Para definir a alguien, **Cualquiera que** (ver entrada 184) o **Quienquiera que / Quienesquiera que** (ver entrada 626); para definir un modo, **Comoquiera que** (ver entrada 146) y para definir un momento, **Cuandoquiera que** (ver entrada 190).

282

DURANTE = Sitúa temporalmente un acontecimiento en un espacio de tiempo largo.

▶ *Durante la cena hubo música de violines.*
▶ *Estuvo viviendo en Bogotá durante los últimos tres años.*

Gramática	▶ Preposición.
Origen	▶ **Durante** < del antiguo participio activo de *durar*.

CONTRASTE CON EN:

▶▶ **En** + *tiempo* (ver entrada 300): Sitúa un acontecimiento en un espacio amplio, sin dar a entender que el acontecimiento se extendió a lo largo de todo ese tiempo marcado. Con **Durante** insistimos en la duración prolongada además de situar en ese tiempo.

*En la cena hubo momentos de tensión dada la conversación política. Yo tuve que compartir la mesa con Eduardo **durante** toda la cena. ¡Ya sabes lo diferentes que somos!*

283

E = Añade un nuevo elemento.

> ▸ *Ayer vi a Juan e Ignacio, que iban al cine.*
> ▸ *Como creo que tengo razón, quiero preguntar e insistir en mi reclamación.*

Gramática ▸ Conjunción copulativa.

Uso ▸ Se usa en vez de *y* cuando va delante de una palabra que empieza por "i" o "hi".

OTRA EXPRESIÓN SIMILAR:

▸▸ **Y** (ver entrada 780): Es la conjunción más utilizada.

284

ECHAR(SE) A + infinitivo = Expresa el inicio de algo realizado con ímpetu.

> ▸ *Como no le hacían caso, el bebé se echó a llorar.*
> ▸ *Viendo que le perseguían, echó a correr calle abajo.*

Gramática ▸ Perífrasis verbal incoativa.

OTRA EXPRESIÓN SIMILAR:

▸▸ **Ponerse a** + *infinitivo* (ver entrada 553): Significa lo mismo, pero es de uso más frecuente.

El, usos del artículo. Entradas 285 a 290.

285

EL / LA / LOS / LAS = Artículos determinados. Ver cuadro de artículos.

286

EL + día de la semana o del mes = Sitúa un acontecimiento en un día concreto.

> ▸ *Saldremos de viaje el sábado.*
> ▸ *Empecé a trabajar en esta empresa el quince del mes pasado.*

Gramática ▸ Artículo determinado masculino singular.

Estructura ▸ Se utiliza seguido del nombre de un día de la semana (*lunes, martes*, etc.) o de un número que indica el día del mes.

Uso ▸ Cuando se refiere al pasado, suele ir acompañando a verbos en Indefinido, porque sitúa temporalmente acontecimientos.

CONTRASTE CON EN:

▸▸ **En** + *tiempo* (ver entrada 300): Sitúa un acontecimiento en un mes, una estación del año o un año, no en un día concreto.

*Este año me voy de vacaciones **en** septiembre.*

287

EL CUAL / LA CUAL / LOS CUALES / LAS CUALES = Introducen una información adicional sobre alguien o algo mencionado en la frase.

▸ *He recibido unas cartas sobre tu pasado, las cuales tengo guardadas bajo llave.*
▸ *Los estudiantes de séptimo curso, los cuales están finalizando ya su grado, organizan esta semana su fiesta de fin de año.*

Gramática	▸ Pronombre relativo compuesto.
Origen	▸ **Cual** < *qualis* (lat.)
Estructura	▸ *Cual* concuerda con antecedentes en singular; *cuales*, en plural.
	▸ Se utilizan siempre precedidos de *el, la, los, las.*
Uso	▸ Se utiliza en registros formales.
	▸ No se puede utilizar cuando no está explicitado el antecedente. En ese caso se usa *el que* (ver entrada 288).
	El que vino ayer es Antonio, no Eduardo.

CONTRASTE CON OTROS PRONOMBRES RELATIVOS:

▸▸**Cuyo/a/os/as** (ver entrada 195): Indican la propiedad sobre alguien o algo mencionado en la frase. Se utilizan sólo en contextos cultos y como relativo posesivo.
*Mira, ese es Raúl, **cuyo** padre es el gerente de la empresa.*

▸▸**El / La que, Los / Las que** (ver entrada 288): Se refieren a una persona o cosa que no especificamos antes porque ya está clara en el contexto o no interesa.
***Los que** no tengan todavía sus libros, aquí tienen una fotocopia.*

▸▸**Que** (ver entrada 596): Es el relativo más utilizado.
*Tengo un amigo **que** te puede ayudar.*

▸▸**Quien/es** (ver entrada 625): Se utilizan también en registros formales y sólo sirven para referirse a personas.
***Quien** bien te quiere, te hará llorar.*

288

EL QUE / LA QUE / LOS QUE / LAS QUE = Introducen una información adicional sobre una persona o una cosa que no especificamos antes porque ya está claro en el contexto o no interesa.

▸ *Ese chico de ahí es con el que estuve viviendo tres años.*
▸ *Los que no tengan todavía sus libros, aquí tienen una fotocopia.*

Gramática	▸ Pronombre relativo compuesto.
Estructura	▸ Se utiliza seguido de:
	■ Indicativo cuando nos referimos a personas o cosas que conocemos.
	El que más me gusta de los que he visto es el azul.
	■ Subjuntivo:
	• Cuando nos referimos a cosas en términos generales.
	Oferta de jabones: compre el que quiera y le hacemos un 50% de descuento.
	• Cuando hablamos de una persona o cosa que no conocemos, de la que no tenemos experiencia.
	Os lo aviso, los que vengan mañana tarde, recibirán una mala nota.
Uso	▸ Puede ir al inicio de la frase.

⏵⏵

CONTRASTE CON **OTROS PRONOMBRES RELATIVOS:**

⏵⏵**Cuyo/a/os/as** (ver entrada 195): Indican la propiedad sobre alguien o algo mencionado en la frase. Se utiliza sólo en contextos cultos y como relativo posesivo.

*Mira, ese es Raúl, **cuyo** padre es el gerente de la empresa.*

⏵⏵**El / La cual, Los / Las cuales** (ver entrada 287): Introducen una información adicional sobre alguien o algo mencionado en la frase. Nunca se puede iniciar una frase con **El cual**.

*He visto un libro de gramática, **el cual** te puede servir para tu clase.*

⏵⏵**Que** (ver entrada 596): Es el relativo más general y se utiliza cuando especificamos antes la persona o cosa a la que nos referimos.

*Tengo un amigo **que** te puede ayudar.*

⏵⏵**Quien/es** (ver entrada 625): Se utilizan igual, pero sólo para referirse a personas. Es más usual en contextos más cultos.

***Quien** bien te quiere, te hará llorar.*

289

EL HECHO DE QUE = Indica que un acontecimiento presentado previamente no es la causa de algo.

⏵ - *Ya verás como apruebas el examen, con todo lo que has estudiado.*
  • *El hecho de que estudiara muchísimo no significa que vaya a aprobar. Era un examen dificilísimo.*
⏵ - *No creo que tengan problemas económicos. Si son de una familia muy rica.*
  • *El hecho de que sean de una familia muy rica no quiere decir que no puedan tener problemas económicos.*

Gramática ⏵ Locución conjuntiva de causa.
Estructura ⏵ Se utiliza seguido de:
  ▪ Presente de Subjuntivo para referirse a una información actual.
    El hecho de que ahora esté aquí no significa que vaya a quedarse.

  ▪ Imperfecto de Subjuntivo para referirse a una información pasada.
    El hecho de que estuviera en la fiesta no quiere decir que me invitaran. Fui porque quise.

  ⏵ El verbo de la oración principal siempre va en tercera persona del singular, ya que la frase introducida por *el hecho de que* actúa como sujeto.
Uso ⏵ La forma breve *el que* se utiliza en contextos más informales.

290

EL UNO Y/CON EL OTRO, LA UNA Y/CON LA OTRA = Se refiere a dos personas de forma recíproca.

⏵ *Son muy cariñosos el uno con el otro.*
⏵ *Fíjate, son dos hermanas gemelas, ¿no? Pues la una y la otra se casaron con dos hermanos gemelos también.*

Gramática ⏵ Locución pronominal.

CONTRASTE CON **AMBOS** / **LOS** / **TODOS**:

▶▶**Ambos/as** (ver entrada 81): Remiten a dos elementos presentados antes y considerados como iguales.

Ambos son muy cariñosos con todo el mundo, pero entre ellos se tratan fatal.

▶▶**Los / Las** + *número* (ver entrada 442): Se refieren a un grupo completo de algo del que se sabe el número de miembros exactos.

*En mi familia somos cinco: mi mujer, los tres niños y yo. **Los** cinco vivimos en el pueblo.*

▶▶**Todo/a/os/as** (ver entrada 739): Se utilizan para referirse a todos los elementos de un grupo, cuyo número es superior a dos y ya ha sido dicho antes o se presupone.

*En esta clase sois quince alumnos y **todos** tenéis que presentaros en la secretaría.*

291

ÉL / ELLA / ELLOS / ELLAS = Pronombres personales sujeto. Se refieren a las terceras personas. Ver cuadro de pronombres.

292

ELLO = Se refiere a algo que no podemos o no queremos nombrar.

▶ *No estoy capacitado para este trabajo. Por ello, renuncio al puesto.*
▶ *Hubo una gran crisis. Ello se debió a una cierta inestabilidad del mercado.*

Gramática ▶ Pronombre personal neutro de tercera persona.
Uso ▶ Sólo se utiliza en contextos formales y en la lengua escrita.

En < *in* (lat.)
Usos de la preposición y la locución. Entradas 293 a 319.

293

EN + cantidad de tiempo = Indica el tiempo empleado para realizar una actividad.

▶ *Aprendí a conducir en cinco semanas.*
▶ *No consiguió terminar la casa en los dos años que tenía de descanso.*

Gramática ▶ Preposición para indicar tiempo.
Estructura ▶ Se utiliza seguido de una expresión de tiempo.
Uso ▶ Suele ir acompañando a verbos en Indefinido porque sitúa temporalmente acontecimientos.

294

EN + ciencia = Ubica figuradamente algo dentro de un área del saber humano.

> ▸ *Julián es muy bueno en matemáticas.*
> ▸ *Hoy hicimos un experimento en biología.*

Gramática ▸ Preposición para indicar área del saber.
Estructura ▸ Se utiliza seguido de un sustantivo (de área de conocimiento humano).

295

EN + fecha futura = Indica el momento en el que se realizará un acontecimiento o finalizará una actividad.

> ▸ *Nos vemos de nuevo en abril.*
> ▸ *Terminaré de pagar la hipoteca en 2012.*

Gramática ▸ Preposición para indicar tiempo.
Estructura ▸ Se utiliza seguido de una expresión de tiempo.

CONTRASTE CON **DENTRO DE**:

>> **Dentro de** + *tiempo* (ver entrada 257): Indica el tiempo que tiene que transcurrir para que ocurra un acontecimiento. Con **En** se indica un tiempo aproximado y, además, en español es incorrecto utilizarlo con una cantidad de tiempo exacta.
> *Dentro de cinco días, o sea, **en** mayo, habremos terminado este trabajo.*

296

EN + lugar = Indica el lugar donde está alguien o algo.

> ▸ *Tus gafas están en la mesa.*
> ▸ *Ayer vi a María en casa de Juan.*

Gramática ▸ Preposición para indicar lugar.
Estructura ▸ Se utiliza precedido de verbos de ubicación: *estar*, *situar*, etc., con un determinante y un sustantivo que indica lugar.
      ▸ El sustantivo *casa*, cuando indica la vivienda, no lleva determinante.

CONTRASTE CON **OTRAS PREPOSICIONES DE LUGAR**:

>> **A** + *lugar no concreto* (ver entrada 7): Indica una ubicación de forma abstracta.
> ***Al** final de la calle hay una farmacia.*
>> **Dentro de** (ver entrada 256): Sitúa un elemento en el interior de otro.
> *Tu pasaporte está **en** la mesa del despacho, **dentro del** cajón.*
>> **Encima de** (ver entrada 322) y **Sobre** (ver entrada 703): Ubican un elemento en una posición superior a otro.
> *Tu pasaporte está **en** la mesa del despacho, **encima de** todos esos papeles.*

297

EN + lugar interior = Indica el lugar interior hacia donde se dirige un movimiento.

▸ *He visto a Jesús entrar en casa ahora mismo.*
▸ *Metió la mano en el bolsillo y sacó un billete de 500 euros.*

Gramática ▸ Preposición para indicar lugar.
Estructura ▸ Se utiliza seguido de un verbo que expresa movimiento hacia el interior de algo.
Uso ▸ Con otros verbos de movimiento: *entrar*, *meter*, *introducir*, etc. se utiliza la preposición *a*, aunque el movimiento sea hacia el interior de algo.

298

EN + modo = Indica la manera de hacer algo.

▸ *Dijo en voz baja que no estaba de acuerdo.*
▸ *Ayer hablé en español con Doris.*

Gramática ▸ Preposición para indicar modo.

CONTRASTE CON **A / DE**:

▸▸**A** + *modo* (ver entrada 8): Indica la forma mecánica, física, de hacer las cosas. Con **En** se indica una manera más figurada, una actitud o un estilo.
*Lo dijo **en** voz alta, **a** gritos.*

▸▸**De** + *causa* (ver entrada 208): Más que un modo se indica la causa.
*Estoy llorando **de** alegría. Me haces muy feliz.*

299

EN + precio = Indica una estimación de lo que puede costar algo.

▸ *Me han tasado el piso en 500.000 euros.*
▸ *Me imagino que lo podría sacar en 2.000 euros, más o menos.*

Gramática ▸ Preposición para indicar precio.
Estructura ▸ Se utiliza seguido de un número cardinal y una moneda.

CONTRASTE CON **OTRAS PREPOSICIONES DE PRECIO**:

▸▸**A** + *precio* (ver entrada 12): Indica que un precio es cambiante.
*¡Qué caro está todo! El kilo de patatas está **a** 1 euro.*

▸▸**Por** + *precio* (ver entrada 564): Indica el valor de algo obtenido mediante la negociación.
*El vecino vende patatas de su huerta y le he comprado dos kilos **por** 1 euro.*

▸▸En otros contextos no se utiliza ninguna preposición para indicar el precio de algo.
Las patatas cuestan 1 euro el kilo.

300

EN + tiempo = Sitúa un acontecimiento en un momento temporal.

- ▸ *Me iré a esquiar en invierno.*
- ▸ *Mi abuelo nació en 1930.*

Gramática ▸ Preposición para indicar tiempo.
Estructura ▸ Se utiliza seguido del nombre de un mes, una estación del año o un año.
Uso ▸ Suele ir acompañando a verbos en Indefinido, porque sitúa temporalmente acontecimientos.

CONTRASTE CON **DURANTE:**

▸▸**Durante** (ver entrada 282): Señala la duración prolongada de un acontecimiento, además de situarlo en el tiempo.

*En la cena hubo momentos de tensión por una conversación política. Yo tuve que compartir la mesa con Eduardo **durante** toda la cena. Ya sabes lo diferentes que somos.*

301

EN + vehículo = Indica un medio de transporte.

- ▸ *Me voy en bicicleta, así doy un paseo.*
- ▸ *Este fin de semana voy en tren a Córdoba.*

Gramática ▸ Preposición para indicar medio de transporte.
Estructura ▸ Se utiliza seguido de un verbo de movimiento y un sustantivo (medio de transporte).
  ▸ Las dos únicas excepciones a esta regla son: *a pie* y *a caballo*.

302

EN AQUELLA ÉPOCA = Se refiere a una época pasada que se ha determinado anteriormente.

- ▸ *De niños vivíamos en casa de los abuelos. En aquella época todo era felicidad.*
- ▸ *Los primeros años de la posguerra fueron muy duros. En aquella época la represión fue tremenda.*

Gramática ▸ Locución adverbial de tiempo.

CONTRASTE CON **OTRAS EXPRESIONES DE TIEMPO:**

▸▸**Antaño** (ver entrada 84): Se refiere a una época pasada, pero indeterminada, más lejana.

Antaño había pocas comodidades y la vida era muy dura.

▸▸**Entonces** + *tiempo pasado* (ver entrada 328): Se utiliza para referirse a un momento pasado que se ha determinado anteriormente.

*En 1998 terminé la carrera. **Entonces** vivía con mis padres.*

303

EN CAMBIO = Expresa una oposición total a una información expresada anteriormente.

▶ *En España se cena a las nueve o diez de la noche. En Argentina, en cambio, es mucho antes.*
▶ *Ana y Elena son muy diferentes. Ana es muy morena. Elena, en cambio, es rubia.*

▌Gramática ▶ Locución adverbial adversativa.

CONTRASTE CON **OTRAS EXPRESIONES ADVERSATIVAS:**

▸▸**Mientras que** (ver entrada 469): Significa lo mismo. Cambia la estructura.
*La vida en el campo es muy tranquila, **mientras que** en la ciudad es más ajetreada.*
*La vida en el campo es muy tranquila. La vida en la ciudad, **en cambio**, es más ajetreada.*

▸▸**Sin embargo** (ver entrada 699): Señala una oposición a una información expresada anteriormente. Se suele utilizar en contextos más formales.
*La situación económica de la empresa no es buena. **Sin embargo**, haremos un esfuerzo para poder subir los sueldos este año.*

304

EN CASO DE QUE = Presenta una posibilidad remota de que algo ocurra.

▶ *En caso de que no puedas venir, llámame.*
▶ *Ya te avisaré en caso de que te necesite el sábado. Si no, buen fin de semana.*

▌Gramática ▶ Locución conjuntiva condicional.
Estructura ▶ Se utiliza seguido de:
   ■ Presente de Subjuntivo si la condición se considera posible, aunque poco probable.
   Te llamo en caso de que finalmente Paco no tenga que trabajar y podamos ir a cenar con Maruja y contigo.

   ■ Imperfecto de Subjuntivo si la condición se considera poco probable o irreal.
   Mira, te llamaré en caso de que Paco no tuviera que trabajar hasta muy tarde. Pero, la verdad, lo dudo. Están en una época muy mala.

CONTRASTE CON **OTRAS EXPRESIONES CONDICIONALES:**

▸▸**A menos que** (ver entrada 29), **A no ser que** (ver entrada 31), **Excepto que** (ver entrada 364) y **Salvo que** (ver entrada 637): Expresan lo único que podría ocurrir para que no se produzca algo.
*No te preocupes, llegaremos puntuales a la cita **a no ser que** haya mucho tráfico.*

▸▸**Como** + *condición* (ver entrada 136): Expresa una advertencia.
***Como** sigas sin ir a clase, vas a suspender.*

▸▸**Con que** (ver entrada 158), **Con sólo** (ver entrada 161), **Con tal de que** (ver entrada 162), **Siempre que** + *condición* (ver entrada 695), **Sólo con** (ver entrada 710) y **Sólo si** (ver entrada 711): Expresan una condición que se considera mínima, imprescindible.
*Te dejo el dinero **con tal de que** me prometas devolvérmelo pronto.*

305

EN CONTRA DE = Expresa oposición a algo o a alguien.

> ▸ *Actuó en contra de su jefe y por eso lo despidieron.*
> ▸ *Se manifestaron en contra de esa ley.*

▌Gramática ▸ Locución preposicional de oposición.

OTRA EXPRESIÓN SIMILAR:

↠**Contra** + *algo / alguien* (ver entrada 174): Significa lo mismo.

306

EN CONTRA DE LO QUE = Presenta una información que se opone a otra presentada antes.

> ▸ *En la excursión lo pasamos muy bien. En contra de lo que dijo el hombre del tiempo, hizo un día estupendo.*
> ▸ *El pobre Eduardo, en contra de lo que pensábamos, suspendió el examen.*

▌Gramática ▸ Locución conjuntiva concesiva.
Estructura ▸ Se utiliza seguido de Indicativo, normalmente en Indefinido (si se refiere a una acción) o en Imperfecto (si se refiere a una situación).

OTRAS EXPRESIONES SIMILARES:

↠**Contrariamente a lo** (ver entrada 175): Significa lo mismo. Se utiliza en contextos formales.
↠**Por el contrario** (ver entrada 571): Se utiliza cuando no se nombra el elemento opuesto.

307

EN CUANTO = Presenta un acontecimiento como inmediatamente posterior a otro.

> ▸ *En cuanto supe la noticia, la llamé para saber cómo estaba.*
> ▸ *Avísame en cuanto llegues al hospital.*

▌Gramática ▸ Locución conjuntiva de tiempo.
Estructura ▸ Se utiliza seguido de:

> ▪ Presente de Indicativo cuando nos referimos a acontecimientos habituales o presentes.
> *En cuanto llego a casa, me quito los zapatos y me pongo cómodo.*
>
> ▪ Indefinido en los dos verbos de la frase para referirnos a acontecimientos pasados.
> *En cuanto llegué a casa, me quité los zapatos.*
>
> ▪ Imperfecto en los dos verbos de la frase para referirnos a costumbres pasadas.
> *Cuando era pequeño, en cuanto llegaba a casa, me quitaba los zapatos.*
>
> ▪ Presente de Subjuntivo en el verbo introducido por la locución cuando nos referimos a momentos futuros.
> *En cuanto llegue a casa, me voy a dar una ducha. Estoy cansadísimo.*

▸▸ **OTRAS EXPRESIONES SIMILARES:**

▸▸**Apenas** + *acontecimiento* (ver entrada 92) y **No bien** (ver entrada 495): Se utilizan en contextos más cultos.

▸▸**Así que** (ver entrada 100) y **Tan pronto como** (ver entrada 725): Significan lo mismo.

▸▸**Cuando** (ver entrada 186): Es la expresión temporal más general.

308

EN CUANTO A = Presenta una información sobre algo ya conocido por los hablantes.

▸ *En cuanto al problema de los visados, ya he hablado con la embajada y se solucionará en breve.*

▸ *En cuanto a lo que dijiste ayer, tienes toda la razón, no vamos a invertir en bolsa.*

Gramática ▸ Locución preposicional, equivale a *sobre*.
Estructura ▸ Se utiliza seguido de un sustantivo o de *lo que* y un verbo en Indicativo.
Uso ▸ También se utiliza:
- *En lo que respecta a* y *en lo que se refiere a*: Significan lo mismo.
- *Al respecto* y *a este respecto*: Se utilizan para referirse a algo que se acaba de mencionar.
- *Respecto de, con respecto a, en relación con, a propósito de*: Se utilizan cuando alguien habla de un tema y eso evoca otra cosa a quien escucha. Introduce además un matiz de improvisación.

309

EN CUANTO QUE = Explica y limita el alcance de una información dicha anteriormente.

▸ *Es un libro bastante malo, en cuanto que no aporta nada nuevo sobre el tema.*

▸ *Me parecen muy interesantes sus ofertas, en cuanto que muestran una apertura.*

Gramática ▸ Locución conjuntiva de causa.
Estructura ▸ Se utiliza seguido de un verbo en Indicativo.

OTRAS EXPRESIONES SIMILARES:

▸▸**Considerando que** (ver entrada 170), **En la medida en que** (ver entrada 311) y **Teniendo en cuenta que** (ver entrada 734): Significan lo mismo.

310

EN ESTO = Introduce en un relato un nuevo acontecimiento que tiene lugar en el momento del que se habla.

▸ *Salí de casa, crucé el parque y, en esto, me encontré con Antonio, que venía del trabajo.*

▸ *Me pongo el abrigo, cierro la puerta de casa y, en esto, me doy cuenta de que me he dejado las llaves dentro.*

Gramática ▸ Locución adverbial de tiempo.
Estructura ▸ Normalmente se utiliza seguido del Indefinido, nunca del Imperfecto, ya que se trata de introducir acontecimientos. En algunas ocasiones se utiliza el Presente de Indicativo con un valor de pasado.

311 **EN LA MEDIDA EN QUE** = Explica y limita el alcance de una información dicha anteriormente.

▸ *Haremos lo que propones en la medida en que nos sea posible.*
▸ *Me gustó su oferta en la medida en que se adapta a mis necesidades.*

Gramática	▸ Locución conjuntiva de causa.
Estructura	▸ Se utiliza seguida de:

      ■ Indicativo cuando nos referimos a algo conocido.
        En la medida en que te conozco sé que no me defraudarás.

      ■ Subjuntivo cuando nos referimos a algo desconocido o al futuro.
        Te irás acostumbrando a la ciudad en la medida en que tengas nuevos amigos.

OTRAS EXPRESIONES SIMILARES:

▸▸**Considerando que** (ver entrada 170), **En cuanto que** (ver entrada 309) y **Teniendo en cuenta que** (ver entrada 734): Significan lo mismo.

---

312 **EN LA VIDA / EN MI VIDA** = Indica que algo no se ha hecho todavía o no se va a hacer nunca.

▸ *Uf, estoy cansadísimo. En mi vida he escalado tanto.*
▸ *No he participado en una actividad política en la vida.*

Gramática	▸ Expresión de negación.
Estructura	▸ Si va al final de la frase, va introducida por el adverbio negativo *no*. Lleva un verbo en Perfecto, si se refiere al momento actual, o en Futuro.
Uso	▸ Se utiliza en contextos informales. Es una expresión coloquial.

CONTRASTE CON OTRAS EXPRESIONES DE NEGACIÓN:

▸▸**Jamás** (ver entrada 415) y **Nunca** (ver entrada 515): Indican la nula frecuencia de una actividad.
    Nunca *veo el teatro en la tele. Me aburre.*
    Jamás *he dicho eso.*

---

313 **EN LUGAR DE** = Expresa la sustitución de una información por otra nueva.

▸ *Yo creo que, en lugar de bombones, le compramos unas flores.*
▸ *Este año, en lugar de ir de vacaciones a la playa, nos vamos a la montaña.*

Gramática	▸ Locución preposicional o conjuntiva de oposición.
Estructura	▸ Se utiliza seguido de:

      ■ Sustantivo.
        Vamos a redecorar la casa. En lugar de madera, vamos a poner moqueta en el suelo.

▶▶

- ■ Infinitivo cuando los sujetos de las dos oraciones son el mismo.
  Muy bien. Hoy comemos en tu casa, pero mañana, en lugar de ir a un restaurante, vamos a mi casa.
- ■ *Que* + Subjuntivo cuando los sujetos de las dos acciones son diferentes.
  Vas muy lento. Mira, en lugar de que los hagas tú solo, los hacemos juntos y así acabamos antes. ¿De acuerdo?

CONTRASTE CON **EN CAMBIO / EN VEZ DE / NO... SINO (QUE)**:

▶▶**En cambio** (ver entrada 303): Se utiliza cuando no se expresa el elemento sustituido.
*Normalmente vamos a la playa. Este año, **en cambio**, vamos a la montaña.*

▶▶**En vez de** (ver entrada 318): Significa lo mismo. **En lugar de** tiene un uso más culto.
*Este año, **en vez de** ir de vacaciones a la playa, nos vamos a la montaña.*

▶▶**No..., sino (que)** (ver entrada 508): Se utiliza para negar el primer elemento y sustituirlo por otro.
*Este año **no** vamos a la playa, **sino que** vamos a la montaña.*

314

EN PUNTO = Indica exactamente una hora.

▶ *- ¿Qué hora es?*
  • *Las cinco en punto.*
▶ *- La reunión es a las siete en punto. No te retrases.*
  • *No te preocupes. Seré puntual.*

▌Gramática ▶ Locución adverbial de tiempo.

315

EN TU LUGAR / EN SU LUGAR = Expresa una recomendación o da un consejo poniéndose en el lugar de la persona aconsejada.

▶ *- Yo, en tu lugar no haría eso, es peligroso.*
  • *¿Tú crees?*
▶ *- En su lugar, Sr. Martínez, subiría andando. El ascensor no funciona bien.*
  • *Gracias.*

▌Gramática ▶ Expresión de consejo.
▌Estructura ▶ Se utiliza seguido de un verbo en Condicional en primera persona.

OTRAS EXPRESIONES SIMILARES:

▶▶Si (yo) estuviera en tu lugar / Si (yo) estuviera en su lugar (ver entrada 688) y Si yo fuera tú / Si yo fuera usted (ver entrada 692): Se utilizan en contextos formales.
▶▶Yo que tú / Yo que usted (ver entrada 799): Se utilizan en contextos informales.

316

EN ÚLTIMA INSTANCIA / EN ÚLTIMO TÉRMINO = Propone una solución por si se produce un problema inesperado.

▸ *No sé cuántos vamos a ser para cenar. Compra como para siete y, en última instancia, freímos unos huevos y ya está.*
▸ *Vamos a intentar enviárselo por correo mañana mismo. Y, en último término, si no estuviera terminado, le enviaríamos un mensajero.*

Gramática ▸ Locución adverbial condicional.
Estructura ▸ Se utiliza seguido de un verbo en Indicativo.
Uso ▸ Se utiliza en contextos cultos.

OTRA EXPRESIÓN SIMILAR:

▸▸**Si acaso** (ver entrada 684): Expresa una posibilidad más real. Se utiliza en contextos informales.

317

EN UNA DE ESTAS = Se refiere a algo que puede ocurrir de manera inesperada y que sería mejor que no ocurriera.

▸ *Ya verás, en una de estas se presenta Julio sin avisar y tenemos que cambiar los planes.*
▸ *Como sigas llegando tarde, en una de estas te despiden.*

Gramática ▸ Expresión de tiempo.
Estructura ▸ Se utiliza seguido de un verbo en Indicativo.
Uso ▸ Se emplea en contextos familiares.

318

EN VEZ DE = Expresa la sustitución de una información por otra nueva.

▸ *Hoy, en vez de ir en autobús, podíamos ir andando. Hace un día muy bueno.*
▸ *Mira, en vez de que lo hagas a máquina, déjamelo y te lo paso al ordenador.*

Gramática ▸ Locución preposicional y conjuntiva de oposición.
Estructura ▸ Se utiliza seguido de:
■ Sustantivo.
Hoy, en vez de azúcar, voy a tomar sacarina. A ver si adelgazo un poco.
■ Infinitivo cuando los sujetos de las dos oraciones son el mismo.
En vez de ir a ese restaurante, podíamos ir al de la esquina. Dicen que es bueno.
■ *Que* + Subjuntivo cuando los sujetos de las dos acciones son diferentes.
Pues a mí me parece que, en vez de que vaya Isidro, debería ir Mauricio. Es más competente.

CONTRASTE CON EN CAMBIO / EN LUGAR DE / NO... SINO (QUE):

▸▸**En cambio** (ver entrada 303): Se utiliza cuando no se expresa el elemento sustituido.
*Normalmente vamos a la playa. Este año, **en cambio**, vamos a la montaña.*

⏵⏵**En lugar de** (ver entrada 313): Se utiliza en contextos más cultos. Significa lo mismo.

*Este año, **en lugar de** ir de vacaciones a la playa, vamos a la montaña.*

⏵⏵**No..., sino (que)** (ver entrada 508): Se utiliza para negar el primer elemento y sustituirlo por otro.

*Este año **no** vamos a la playa, **sino que** vamos a la montaña.*

319

EN VISTA DE = Expresa la causa como la situación previa a un acontecimiento.

⏵ *En vista de su tardanza, decidimos marcharnos.*
⏵ *En vista de que no quieres acompañarnos, nos iremos solos.*

Gramática ⏵ Locución preposicional o conjuntiva de causa.
Estructura ⏵ Se utiliza seguido de un sustantivo o *que* y un verbo en Indicativo.
Uso ⏵ Se utiliza en contextos formales.

CONTRASTE CON **OTRAS EXPRESIONES DE CAUSA:**

⏵⏵**Al** + *infinitivo* (ver entrada 63): Indica la causa conocida por el interlocutor. Con **En vista de** se presenta una causa como una información nueva.

- *Sé que han operado a Alberto. ¿Qué tal está?*

• ***Al ser*** *una operación tan simple, ya está trabajando.*

⏵⏵**Como** + *causa* (ver entrada 135): Significa lo mismo. Se usa en todos los contextos.

Como *no tenía dinero, decidí no ir de viaje.*

⏵⏵**Porque** (ver entrada 588): Es la expresión más general de causa. Suele ir en medio de la frase.

*Comí un bocadillo **porque** no tenía mucho dinero.*

⏵⏵**Puesto que** (ver entrada 595) y **Ya que** (ver entrada 796): Expresan que lo dicho por quien escucha es la causa de algo.

- *Me voy al mercado.*

• *Oye, **ya que** vas, tráeme un litro de leche, por favor.*

320

ENCANTARLE = Expresa que algo gusta muchísimo.

⏵ *- A Manuel le encantan los bombones. ¿Le compramos una caja?*
• *Claro. Estos son muy buenos.*

⏵ *- A mí me encanta que me hagan regalos por mi cumpleaños.*
• *A mí también.*

⏵⏵

▶▶

Gramática	▸ Verbo intransitivo.
Origen	▸ **Encantar** < *incantāre* (lat.)
Estructura	▸ Verbo en tercera persona del singular o del plural precedido de un pronombre personal complemento indirecto.

Se utiliza seguido de:

■ Un determinante y un sustantivo.
  Me encanta el chocolate / Me encantan los bombones.

■ Infinitivo cuando el sujeto de los dos verbos es el mismo, cuando se valora una acción que uno mismo hace.
  Me encanta viajar.

■ *Que* + Subjuntivo cuando los sujetos de los dos verbos son distintos, cuando valoramos una acción que realiza otra persona.
  Me encanta que me traigas regalos de tus viajes.

OTRA EXPRESIÓN SIMILAR:

▶▶**Gustarle** (ver entrada 378): Expresa que algo gusta o no.

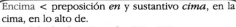
Encima < preposición *en* y sustantivo *cima*, en la cima, en lo alto de.
Usos del adverbio. Entradas 321 y 322.

321

ENCIMA = Introduce un elemento nuevo y negativo que no se considera decisivo en el relato.

▸ *Tengo una semana terrible, con reuniones, informes y, encima, la visita del jefe.*
▸ *Se enfadó conmigo y, encima, ni me quería hablar.*

Gramática	▸ Adverbio.
Uso	▸ Se emplea en contextos informales.

CONTRASTE CON ADEMÁS:

▶▶**Además** (ver entrada 49): Añade un elemento nuevo que no se considera decisivo en el relato, pero no es necesariamente negativo.
*Me regalaron unos libros, unos discos y, **además**, una película en DVD. La película era mala, aburrida y, **encima**, estaba estropeada.*

322

ENCIMA DE = Ubica un elemento en una posición superior a otro.

▸ *Encima del mueble de la entrada he puesto un cuadro muy bonito.*
▸ *Encima de mi casa está la clínica dental del Dr. Pérez.*

Gramática	▸ Locución preposicional de lugar.

▶▶

CONTRASTE CON **OTRAS EXPRESIONES DE LUGAR**:

▶▶**Arriba** (ver entrada 96): Indica un espacio superior sin compararlo o relacionarlo con nada.

*Mi vecina vive en el piso de **arriba**.*

▶▶**Sobre** (ver entrada 703): Indica la misma posición, pero implica contacto físico. **Encima de** no implica contacto.

*Las llaves están **sobre** la mesa.*

Enfrente < preposición *en* y sustantivo *frente*.
Uso del adverbio y la locución. Entradas 323 y 324.

323

ENFRENTE = Indica un espacio opuesto, sin compararlo o relacionarlo con nada.

▶ *Enfrente hay un museo, vamos a verlo.*
▶ *Hemos quedado en el bar de enfrente.*

▌Gramática ▶ Adverbio de lugar.

CONTRASTE CON **OTRAS EXPRESIONES DE LUGAR**:

▶▶**Enfrente de** (ver entrada 324): Sitúa a alguien o algo en la parte opuesta de otra cosa o persona.

***Enfrente de** mi casa hay una farmacia.*

▶▶**Frente a** (ver entrada 369): Significa lo mismo. También se utiliza en contextos abstractos.

***Frente a** la gasolinera hay un taller de autos.*
***Frente a** los problemas hay que mostrarse racional.*

324

ENFRENTE DE = Sitúa a alguien o algo en la parte opuesta de otra cosa o persona.

▶ *Enfrente de mi casa hay una farmacia.*
▶ *Estaba tan enfadado que me puse enfrente de él y le pedí que repitiera lo que había dicho.*

▌Gramática ▶ Locución preposicional de lugar.

CONTRASTE CON **OTRAS EXPRESIONES DE LUGAR**:

▶▶**Delante de** (ver entrada 254): Indica la posición anterior de algo con relación a otro elemento.

***Delante de** aquel edificio hay una cabina de teléfono.*

▶▶

⠀

>> **Enfrente** (ver entrada 323): Indica una posición fija, sin compararla con nada.
   *Mira, allí **enfrente** hay una cabina, vamos a llamar.*

>> **Frente a** (ver entrada 369): Significa lo mismo. También se utiliza en contextos abstractos.
   ***Frente a** la gasolinera hay un taller de autos.*
   ***Frente a** los problemas hay que mostrarse racional.*

325

ENSEGUIDA = Se refiere al momento inmediatamente después del que se está hablando.

▸ *Me voy a por pan. Enseguida vengo.*
▸ *Joaquín ¡Ven aquí enseguida!*

Gramática ▸ Adverbio de tiempo.
Estructura ▸ También puede escribirse *en seguida*.

326

ENTERO / ENTERA = Indica la totalidad de un elemento.

▸ *Tengo tanta hambre que soy capaz de comerme una vaca entera.*
▸ *Me leí el libro entero en un par de días.*

Gramática ▸ Adjetivo.
Origen ▸ **Entero** < *intĕgrum* (lat.), íntegro.
Estructura ▸ Se utiliza precedido de sustantivos contables.

OTRA EXPRESIÓN SIMILAR:

>> **Todo/a/os/as** (ver entrada 739): Significa lo mismo. Se aplica tanto a sustantivos contables como incontables.

Entonces, usos del adverbio. Entradas 327 y 328.

327

ENTONCES + consecuencia = Expresa la consecuencia de algo.

▸ *¿Estás a dieta? Entonces no vas a comer con nosotros.*
▸ *No viene el jefe. Entonces tendremos que hacer el trabajo solos.*

Gramática ▸ Conjunción ilativa.
Estructura ▸ Se utiliza seguido de un verbo en Indicativo.
Uso ▸ Se emplea para expresar una consecuencia que se considera como una información nueva, no implícita.

CONTRASTE CON OTRAS EXPRESIONES DE CONSECUENCIA:

▸▸**Así (es) que** (ver entrada 99): Se utiliza para expresar una consecuencia de cualquier tipo.

> *Todavía no lo he visto, **así que** no le he podido dar tu mensaje.*

▸▸**Luego** + *frase* (ver entrada 446): Presenta una deducción lógica.

> *Pienso, **luego** existo.*

▸▸**O sea, que** (ver entrada 518): Se utiliza para expresar una consecuencia que se supone implícita, que se puede deducir de lo ya dicho.

> *Estoy cansadísimo, **o sea, que** me voy a la cama.*

▸▸**Por (lo) tanto** (ver entrada 578): Se utiliza para hacer énfasis en la relación de causa-efecto.

> *Han descendido los tipos de interés **y por lo tanto** las hipotecas han bajado.*

328

ENTONCES + tiempo pasado = Se refiere a un momento pasado que se ha determinado anteriormente.

▸ *Me iba a meter en la ducha y, entonces, sonó el teléfono.*
▸ *De niño vivía en el pueblo. Entonces no teníamos tantas comodidades como ahora.*

▌Gramática ▸ Adverbio de tiempo.

CONTRASTE CON OTRAS EXPRESIONES DE TIEMPO:

▸▸**Antaño** (ver entrada 84): Se refiere a una época lejana e indeterminada del pasado.

> ***Antaño** había pocas comodidades y la vida era muy dura.*

▸▸**En aquella época** (ver entrada 302): Se utiliza para referirse a una época pasada, pero determinada.

> *El siglo XIX es el siglo de la revolución industrial. **En aquella época** se produjeron enormes movimientos de población del campo a la ciudad.*

329

ENTRE = Sitúa algo dentro de unos límites espaciales o temporales.

▸ *Pon la mesita entre las dos camas.*
▸ *Me dijo que pasaría por la mañana entre las nueve y las diez.*

▌Gramática ▸ Preposición.
▌Origen ▸ **Entre** < *inter* (lat.)

330

ENTRETANTO = Presenta un acontecimiento como simultáneo a otro.

▸ *Me voy a la compra. Entretanto, ve haciendo las camas.*
▸ *La crisis iba en aumento. Entretanto, él se entretenía en un viaje.*

Gramática ▸ Adverbio de tiempo.
Uso ▸ También puede escribirse *entre tanto*.

OTRA EXPRESIÓN SIMILAR:

▸▸**Mientras tanto** (ver entrada 470) : Significa lo mismo, pero es de uso más general.

Ser, usos del verbo. Entradas 331 a 334 y 653 a 672.

331

ÉRASE UNA VEZ = Expresa el inicio de un relato de forma tradicional.

> ▸ *Érase una vez una niña que tenía un abrigo rojo y...*
> ▸ *Érase una vez un rey y una reina que vivían en un país muy lejano y...*

Gramática ▸ Expresión literaria fija.
Uso ▸ Expresión frecuente para iniciar un cuento infantil.

OTRA EXPRESIÓN SIMILAR:

▸▸**Había una vez** (ver entrada 383): Significa lo mismo.

332

ES DECIR = Aclara algo que se acaba de decir.

> ▸ *La situación económica es mala y las subidas de salarios son impensables. Es decir, no se van a subir los sueldos por la crisis.*
> ▸ *Este fin de semana tengo que trabajar. Es decir, no puedo ir a la feria de Bruselas.*

Gramática ▸ Locución conjuntiva ilativa.

CONTRASTE CON OTRAS EXPRESIONES ILATIVAS:

▸▸**Esto es** (ver entrada 360) y **O sea** (ver entrada 517): Se utilizan para aclarar lo dicho e introducir más detalles.
Ahora soy jefe de departamento, o sea, más trabajo, más responsabilidades.

333

ES MÁS = Añade una información que viene a confirmar lo dicho anteriormente.

> ▸ *Sé que les van muy bien las cosas. Es más, son muy felices.*
> ▸ *Parece ser que le dieron el puesto a Pedro. Es más, él mismo me lo ha confirmado.*

Gramática ▸ Locución conjuntiva ilativa.
Estructura ▸ Se utiliza seguido de un verbo en Indicativo.

➤➤**Más aún** (ver entrada 451): Se utiliza en contextos formales.

334

ES QUE = Presenta una causa como pretexto o justificación.

▸ *No voy a poder ir a la reunión. Es que tengo otro compromiso.*
▸ *Me voy. Es que me duele muchísimo la cabeza.*

Gramática ▸ Expresión de causa.
Estructura ▸ Se utiliza seguido de Indicativo.
Uso ▸ Es muy frecuente el uso de esta expresión para rechazar propuestas, invitaciones, ofertas, etc.

CONTRASTE CON OTRAS EXPRESIONES DE CAUSA:

➤➤**A fuerza de** (ver entrada 18), **De puro** (ver entrada 231), **De tanto** (ver entradas 233) y **De tanto/a/os/as** (ver entrada 234): Presentan la causa como el resultado de la insistencia o continuidad de una acción.
   Se compró la casa que quería a fuerza de ahorrar.

➤➤**Debido a** (ver entrada 245): Se utiliza sólo en contextos formales y en lengua escrita.
   ***Debido a** la inflación, hubo que hacer reajustes económicos.*

➤➤**Lo que pasa es que** (ver entrada 439): Presenta la causa de un problema.
   *No le han dado el crédito que pedía. **Lo que pasa es que** no tiene ningún aval.*

➤➤**Porque** (ver entrada 588): Es la expresión de causa más general.
   *No fui a trabajar **porque** estaba enfermo.*

➤➤**Por** + *causa* (ver entrada 555): Presenta la causa con una connotación negativa.
   *Ha perdido la cartera **por** despistado.*

335

ESE / ESA / ESOS / ESAS = Se refiere a una persona o cosa alejada de quien habla y próxima a quien escucha.

▸ *¿Me acercas esa caja que está a tu derecha, por favor?*
▸ *No, no toques ese jarrón, que es muy delicado y se puede romper.*

Gramática ▸ Adjetivo y pronombre demostrativo.
Origen ▸ **Ese** < *ipse* (lat.)
Estructura ▸ Puede ser un adjetivo (ir delante del sustantivo) o un pronombre (sin sustantivo):
   Esa cartera es la mía / Esa es mi cartera.

▸ El adjetivo demostrativo suele ir delante del sustantivo. En caso de utilizarlo después indica un cierto rechazo o desprecio.
   No me gustó nada el comentario ese tan absurdo que hiciste.

➤➤

◀◀ CONTRASTE CON **OTROS DEMOSTRATIVOS**:

▸▸**Aquel / Aquella / Aquellos / Aquellas** (ver entrada 93): Se utilizan para referirse a personas o cosas alejadas de quien habla y de quien escucha.
Aquel es mi hermano, el que está hablando con Jesús.

▸▸**Este/a/os/as** (ver entrada 358): Se utilizan para referirse a personas o cosas próximas a la persona que habla.
Mira, este es mi hermano Antonio.

336

ESO = Se refiere a una cosa que no queremos o no podemos nombrar y está próximo espacial y temporalmente a la persona que escucha.

▸ *- ¿Qué es eso?*
  • Un plato típico de mi región.
▸ *Y eso, ¿cómo se hace?*

▌Gramática ▸ Pronombre demostrativo neutro.

CONTRASTE CON **AQUELLO / ESTO / LO QUE**:

▸▸**Aquello** (ver entrada 94): Se refiere a una cosa que no queremos o no podemos nombrar y está alejado de quien habla y de quien escucha.
Mira, aquello que lleva Juan es lo que estaba buscando. Vamos a preguntarle dónde lo ha comprado.

▸▸**Esto** (ver entrada 359): Se refiere a una cosa que no queremos o no podemos nombrar y está próxima a la persona que habla.
¿Qué hay en mi plato? ¿Qué es esto?

▸▸**Lo que** (ver entradas 438): Se refiere a algo dicho o presente en la conversación.
Lo que no entiendo es por qué no me llamaste.

337

ESO DE = Se refiere a un tema o a un asunto mencionado por otra persona.

▸ *Eso de la cena, ¿cómo lo hacemos?*
▸ *No estoy de acuerdo con eso de hacer las cosas tan rápido. Es mejor ir despacio.*
▸ *Estoy totalmente de acuerdo en eso de que vayamos más tarde, como propone Arturo.*

Gramática ▸ Locución pronominal.
Estructura ▸ Se utiliza seguido de:
  ■ Infinitivo:
    • Cuando de lo que se habla es de una acción.
      Eso de ir a tu casa esta tarde me apetece mucho, la verdad.
    • Cuando no se especifica el sujeto y se da la idea de impersonalidad.
      Eso de estar de vacaciones es maravilloso, ¿no?

▶▶ ■ *Que* + Subjuntivo cuando los sujetos de los dos verbos son diferentes.
Eso de que vayamos todos a tu casa me parece una muy buena idea.

Uso ▶ Es una expresión coloquial.

OTRAS EXPRESIONES SIMILARES:

▶▶ **Lo de que** y **Lo que** (ver entradas 436 y 438): Nos referimos de forma más neutra a un tema. Con **Eso de** marcamos una distancia más grande señalando que es algo dicho por otra persona.

338

ESO SÍ = Añade un aspecto nuevo a algo dicho anteriormente que de alguna forma contrasta.

▶ *No es muy bueno. Eso sí, es barato.*
▶ *Dijo que no estaba de acuerdo con mis ideas. Eso sí, valoró la originalidad de las mismas.*

Gramática ▶ Locución conjuntiva adversativa.
Estructura ▶ Se utiliza seguido de un verbo en Indicativo.

CONTRASTE CON OTRAS EXPRESIONES ADVERSATIVAS:

▶▶ **Así y todo** (ver entrada 101) y **Aun así** (ver entrada 106): Añaden una información que podría ser contradictoria a otra previamente dada.
*Parece una persona muy fácil. **Así y todo**, cuando se enfada, es insoportable.*

▶▶ **Pero** (ver entrada 539): Es la expresión adversativa más usual.
*Ya es la hora de salir, **pero** voy a quedarme un poco más en la oficina, a ver si termino esto.*

339

ESPECIALMENTE = Matiza una valoración como sorprendente o insólita.

▶ *Estás especialmente guapa esta noche.*
▶ *Se comporta de una forma peculiar, especialmente rara cuando está en grupo.*

Gramática ▶ Adverbio de modo.
Uso ▶ Se utiliza seguido de un adjetivo calificativo.

CONTRASTE CON OTRAS EXPRESIONES DE VALORACIÓN:

▶▶ **Bastante** + *adjetivo* (ver entrada 111): Se utiliza para valorar positivamente una cualidad sin expresar entusiasmo.
*Es **bastante** bonito, aunque prefiero el otro modelo.*

▶▶ **Más bien** (ver entrada 452): Sirve para expresar que el objeto valorado tiene una tendencia hacia esa cualidad.
*Es una chica **más bien** rubia, castaña clara, muy clara.*

▶▶

▸▸**Realmente** (ver entrada 629) y **Verdaderamente** (ver entrada 773): Sirven para expresar el punto de vista sobre algo que se considera insólito o sorprendente.

*Este niño es **verdaderamente** listo para su edad, ¿no? Sólo tiene cuatro años y habla de maravilla.*

▸▸**Sumamente** (ver entrada 715): Sirve para expresar el punto de vista sobre algo, en general, positivo.

*Es una obra **sumamente** divertida. Yo te la recomiendo, si te gustan las comedias, claro.*

340

ESPERAR = Expresa esperanza o deseo.

▸ *- ¿Cómo vas a conseguir el dinero?*
  • *Espero que me toque la lotería.*

▸ *- Esperábamos que vinieras a casa a cenar.*
  • *Sí, pero es que no pude ir. El niño se puso enfermo.*

Gramática ▸ Verbo transitivo.
Estructura ▸ Se utiliza seguido de la conjunción *que* y de Subjuntivo.
Uso ▸ Es la expresión de deseo más generalizada. Se usa tanto para expresar los deseos de quien habla como de cualquier otra persona.

CONTRASTE CON **OTRAS EXPRESIONES DE ESPERANZA O DESEO**:

▸▸**A ver si** (ver entrada 36): Indica la posibilidad de que algo conocido o pensado ocurra.

***A ver si** la próxima vez te sale mejor.*

▸▸**Así** + *deseo* (ver entrada 98): Expresa un deseo negativo o una maldición.

*Me cae fatal. **Así** le despidan y se vaya de la empresa.*

▸▸**Ojalá** (ver entrada 520): Expresa un deseo de difícil realización. Tiene un sentido de esperanza.

***Ojalá** me den vacaciones en Navidad.*

▸▸**¿Por qué no?** (ver entrada 584) e **¿Y si?** (ver entrada 789): Se utilizan para proponer hacer algo.

*- ¿**Por qué no** vamos al cine?*
  • *¿**Y si** vamos a ver "Mar adentro"? Dicen que es muy buena.*

▸▸**Que** + *deseo* (ver entrada 600): Expresa buenos deseos en despedidas y situaciones determinadas y establecidas culturalmente.

*¿Te vas ya a dormir? ¡**Que** duermas bien!*

▸▸**¡Quién!** (ver entrada 623): Más que una esperanza muestra una cierta amargura por algo imposible.

*¿Que te ha tocado la lotería? ¡Qué suerte! ¡**Quién** fuera tú! A mí no me toca nunca nada.*

Estar < *stare* (lat.)
Usos del verbo. Entradas 341 a 357.

341

ESTAR + adjetivo = Expresa un estado físico o anímico.

> ▸ *Andrés está muy enfermo desde hace tiempo.*
> ▸ *Asunción estaba contenta porque había aprobado el examen.*

Gramática ▸ Verbo intransitivo.
Estructura ▸ Se utiliza seguido de un adjetivo de estado físico o anímico.

CONTRASTE CON **SER:**

▸▸**Ser** + *adjetivo* (ver entrada 653): Se utiliza para describir la identidad, la esencia de algo o de alguien.
  *Alberto **es** alto, **es** moreno y muy simpático.*

342

ESTAR + fecha = Nos sitúa en una fecha exacta.

> ▸ *Hoy estamos a 19 de marzo. ¡Cómo pasa el tiempo!*
> ▸ *¡Ya estamos en verano! Habrá que sacar las camisetas y los pantalones cortos.*

Gramática ▸ Verbo intransitivo.
Estructura ▸ Se utiliza en primera persona del plural con la preposición *a* y *en* y seguido de un día, un mes, un año o una estación.
          ▸ Se emplea en Presente, para indicar la fecha actual, o en Imperfecto, para indicar la fecha en la que ha ocurrido algo.

CONTRASTE CON **SER:**

▸▸**Ser** + *fecha* (ver entrada 654): Define una fecha.
  *Hoy **es** 6 de marzo / **Estamos** a 6 de marzo.*

343

ESTAR + gerundio = Indica una acción que se realiza en el momento en el que se habla.

> ▸ *No, Juan no está. Está trabajando. No sé si tenía una reunión o una comida.*
> ▸ *Me ha contado que ha estado todo el fin de semana durmiendo.*

Gramática ▸ Perífrasis verbal durativa.

344

ESTAR + lugar = Expresa el lugar donde se ubica algo o alguien.

> ▸ *La farmacia está en la plaza.*
> ▸ *Por favor, ¿dónde está la oficina de Correos más próxima?*

Gramática ▸ Verbo intransitivo.

▶▶

CONTRASTE CON HABER / SER:

> ▶▶**Haber** (ver entrada 379): Indica la existencia de algo. Con **Estar** se ubica algo determinado.
>
> *Hay un restaurante al otro lado de la calle / El restaurante "Braulio" está al otro lado de la calle.*
>
> ▶▶**Ser** + *lugar* (ver entrada 657): Se utiliza para indicar el lugar donde tiene lugar un acontecimiento.
>
> *La conferencia es en el aula magna.*

345

ESTAR + participio = Expresa el resultado de una acción.

- ▸ *Estoy encantado de cómo ha ido la operación.*
- ▸ *Estamos enfadados contigo. ¿Por qué has actuado así?*

▌Gramática ▸ Perífrasis verbal terminativa.

CONTRASTE CON EL VERBO SER:

> ▶▶**Ser** + *participio* (ver entrada 661): Se utiliza sólo para realizar la voz pasiva, forma muy poco frecuente en la lengua hablada y escrita.
>
> *El ladrón fue detenido cinco minutos después del robo.*

346

ESTAR A + precio = Indica que un precio es cambiante.

- ▸ *Un euro está a 80 centavos de dólar.*
- ▸ *El kilo de manzanas está a 15 pesos.*

▌Gramática ▸ Verbo preposicional.
▌Estructura ▸ Se utiliza seguido de un número cardinal y una moneda.

CONTRASTE CON SER:

> ▶▶**Ser** + *precio* (ver entrada 662): Indica el precio total de una compra.
>
> - ¿Cuánto es?
> • *Son 6 euros.*

347

ESTAR A + temperatura = Indica la temperatura.

- ▸ *Hace frío. Estamos a dos grados bajo cero.*
- ▸ *Ayer estuvimos a treinta grados.*

▌Gramática ▸ Verbo preposicional.
▌Estructura ▸ Se utiliza en primera persona del plural.

▶▶

<small>Contraste con **HACER**:</small>

> ▶▶ **Hacer** + *temperatura* (ver entrada 388): Es la expresión más general. Con **Estar** + *temperatura* se personaliza en nosotros, nos ubicamos climáticamente en un cierta temperatura.
>
> Hoy ***hace*** *treinta grados* / *¡Uf, qué calor, **estamos a** treinta grados!*

348

ESTAR AL + infinitivo = Indica que algo está a punto de ocurrir.

- ▶ *Vamos rápido. El tren* está al llegar.
- ▶ *Papá* está al caer, *va a venir enseguida.*

Gramática ▶ Perífrasis verbal incoativa.
Estructura ▶ Se utiliza seguido de un verbo de movimiento en infinitivo.

<small>Otra expresión similar:</small>

▶▶ **Estar a punto de** (ver entrada 350): Significa lo mismo, pero se utiliza con cualquier tipo de verbos.

349

ESTAR A FAVOR DE / ESTAR EN CONTRA DE = Expresa una opinión favorable o contraria.

- ▶ *Estamos **totalmente** a favor de que construyan ese pantano.*
- ▶ *Estoy en contra de que empiecen las obras el lunes.*

Gramática ▶ Expresión de opinión.
Estructura ▶ Se utiliza seguido de:

- ■ Infinitivo cuando el sujeto de los dos verbos es el mismo, es decir, cuando el mismo sujeto expresa su opinión para hacer algo.
  Nos manifestaremos en contra de trabajar dos horas más a la semana.

- ■ *Que* + Subjuntivo cuando los sujetos son distintos, es decir, cuando expresamos la opinión para que otras personas hagan algo.
  - • Presente de Subjuntivo para referirse a acciones habituales y también a acciones futuras.
    Estoy en contra de que en general suban los impuestos.
  - • Imperfecto de Subjuntivo para referirse a acciones pasadas.
    Estaba a favor de que convocaran el paro, por eso no fui a trabajar.

350

ESTAR A PUNTO DE = Indica que algo va a ocurrir enseguida.

- ▶ *El tren procedente de Zaragoza está a punto de entrar por la vía 5.*
- ▶ *Cuando estaba a punto de acabar el informe, me llamó Gustavo y me pidió que no lo entregara.*

▶▶

▶▶
Gramática ▶ Perífrasis verbal incoativa.
Estructura ▶ Se utiliza seguido de un infinitivo.
Uso ▶ Esta perífrasis se puede emplear en cualquier tiempo, excepto en Imperativo.

CONTRASTE CON **OTRAS PERÍFRASIS INCOATIVAS Y FALTAR POCO:**

▶▶**Estar al** + *infinitivo* (ver entrada 348): Significa lo mismo, pero se usa en registros familiares y coloquiales y sólo con verbos de movimiento.

Vamos rápido. El tren ***está al*** *llegar.*

▶▶**Estar para** + *infinitivo* (ver entrada 354): Indica que se está preparado o (no) se tiene el ánimo para hacer algo.

Bueno, me peino y ya ***estoy para*** *salir.*

▶▶**Estar por** + *infinitivo* (ver entrada 355): Indica la intención de hacer algo o la posibilidad de que algo ocurra.

¡Qué hambre! ***Estoy por*** *salir y comer algo en ese bar tan bueno.*

▶▶**Faltar poco** (ver entrada 365): Indica que una acción va a ocurrir o que una acción casi ocurre.

Falta poco *para que se llene la piscina.*

351

ESTAR CLARO QUE = Constata una realidad producto de la experiencia.

▶ *Está claro que no quiere venir. No insistas.*
▶ *Al parecer está claro que Antonio Meucci fue el inventor del teléfono, y no Graham Bell, como se suponía.*

Gramática ▶ Expresión de constatación.
Estructura ▶ Se utiliza seguido de un verbo en Indicativo.
▶ Si esta construcción se emplea en negativo, el verbo va en Subjuntivo.
No está claro que Graham Bell inventara el teléfono.
Uso ▶ *Estar comprobado, estar demostrado*... Significan lo mismo.

OTRA EXPRESIÓN SIMILAR:

▶▶**Ser evidente / Ser verdad / Ser cierto** (ver entrada 668): Sirven también para constatar la realidad pero, en este caso, sin hacer énfasis en que ese conocimiento es producto de la experiencia.

352

ESTAR DE = Explica una situación provisional.

▶ *No, no me llames a la oficina, que estoy de vacaciones.*
▶ *Pues ahora estoy de coordinador del departamento, pero creo que el próximo mes vuelve Rafa y me voy a mi puesto.*

Gramática ▶ Verbo preposicional.
Estructura ▶ Se utiliza seguido de un sustantivo.
Uso ▶ Se suele utilizar para referirse a que se está realizando una actividad profesional de forma temporal.

CONTRASTE CON **SER**:

>> **Ser** + *profesión u ocupación* (ver entrada 663): Expresa la profesión u ocupación de alguien.

> María **es** bióloga.

353

ESTAR DE ACUERDO = Expresa acuerdo ante la opinión de otra persona.

> *Yo estoy de acuerdo contigo. Debemos reunirnos cuanto antes.*
> *María está de acuerdo en que nos veamos, pero no en la fecha.*

Gramática ▸ Expresión de opinión.
Estructura ▸ Se utiliza seguido de:

■ *Con* y un sustantivo de persona o un nombre propio o un pronombre personal para indicar la persona con la que se comparte la opinión.
> *Estoy de acuerdo con Ana, tenemos que hacer algo.*

■ *En* y un verbo para indicar la opinión que se comparte. El verbo puede ir en:
• Infinitivo cuando se expresa acuerdo sobre una propuesta para hacer algo si el sujeto de los dos verbos es el mismo.
> *Estoy de acuerdo en trabajar dos horas diarias más, si, a cambio, nos dan la tarde del viernes libre.*

• *Que* + Indicativo cuando se expresa acuerdo sobre una opinión de la realidad.
> *Estoy de acuerdo en que la situación política es mala.*

• *Que* + Subjuntivo cuando se expresa acuerdo sobre una propuesta para hacer algo.
> *Estoy de acuerdo en que el sindicato decida qué hacemos.*

OTRAS EXPRESIONES SIMILARES:

>> **Conforme** (ver entrada 164): Se utiliza en contextos formales.
>> **De acuerdo** (ver entrada 219) y **Vale** (ver entrada 766): Se utilizan para aceptar una propuesta de manera informal, no para reaccionar ante una opinión.
>> **Sí, quizás sí** (ver entrada 678): Se muestra reserva o duda aunque se está de acuerdo.
>> **Tener razón** (ver entrada 733): Se utiliza en contextos más generales.

354

ESTAR PARA + infinitivo = Indica que se está preparado o se tiene el ánimo para hacer algo.

> *Estaba para salir, con el abrigo puesto y las llaves en la mano, cuando llamó Pedro y dijo que se anulaba la cita.*
> *No estoy para ir de fiesta. Mejor vayan ustedes sin mí. Yo me quedo en casa.*

Gramática ▸ Perífrasis verbal incoativa.

▶▶

CONTRASTE CON **OTRAS PERÍFRASIS INCOATIVAS:**

▶▶**Estar al** + *infinitivo* (ver entrada 348) y **Estar a punto de** (ver entrada 350): Indican que algo va a ocurrir enseguida.
>   El avión **está a punto de** despegar. Corre, que llegamos tarde.

▶▶**Estar por** + *infinitivo* (ver entrada 355): Indica la intención de hacer algo o la posibilidad de que algo ocurra.
>   ¡Qué calor! **Estoy por** irme a la piscina.

355

ESTAR POR + infinitivo = Señala la intención de hacer algo o la posibilidad de que algo ocurra.

▸   *¡Que sueño! Estoy por **irme ya a la cama**.*
▸   *Ya son las cinco. El avión estará por **aterrizar, digo yo**.*

Gramática   ▸ Perífrasis verbal incoativa.
Uso   ▸ Si el sujeto de la perífrasis es una persona, indica la intención de hacer algo. Si es una cosa, indica la inminencia de algo.

CONTRASTE CON **OTRAS PERÍFRASIS INCOATIVAS:**

▶▶**Estar al** + *infinitivo* (ver entrada 348) y **Estar a punto de** (ver entrada 350): Indican que algo va a ocurrir enseguida.
>   El avión **está a punto de** despegar. Corre, que llegamos tarde.

▶▶**Estar para** + *infinitivo* (ver entrada 354): Indica que se está preparado o se tiene el ánimo para hacer algo.
>   Ese autobús está lleno, **está para** salir.

356

ESTAR SEGURO DE = Señala la confirmación de una información dada.

▸   *Estoy seguro de eso. Te lo puedo demostrar cuando quieras.*
▸   *Estamos seguros de que Amadeo no va a ganar las elecciones.*

Gramática   ▸ Expresión de opinión.
Estructura ▸ Se utiliza seguido de:
  ■ Un pronombre o infinitivo cuando los sujetos de los dos verbos son el mismo. Se utiliza cuando expresamos nuestra opinión sobre una acción.
    Estoy seguro de ser yo el próximo elegido para el puesto.

  ■ *Que* + Indicativo cuando la expresión de opinión es afirmativa.
    Estoy seguro de que me van a elegir a mí como nuevo delegado.

  ■ *Que* + Subjuntivo cuando la expresión de opinión es negativa.
    *No estoy **nada seguro de** que las cosas sean como tú dices.*

357

ESTAR SIN + infinitivo = Presenta la necesidad de hacer algo que está pendiente.

> ▸ *La habitación de los niños está sin pintar. Lo demás está listo.*
> ▸ *Todavía estoy sin peinar. En unos segundos nos vamos.*

▌Gramática ▸ Perífrasis verbal resultativa.

OTRA EXPRESIÓN SIMILAR:

▸▸**Quedar por / Quedar sin** + *infinitivo* (ver entrada 617): Significan lo mismo.

358

ESTE / ESTA / ESTOS / ESTAS = Se refiere a una persona o cosa próxima a quien habla.

> ▸ *- ¿Dónde me siento?*
> ● *Toma esta silla y siéntate.*
> ▸ *- Este libro es para ti. Espero que te guste.*
> ● *¡Muchas gracias!*

Gramática ▸ Adjetivo y pronombre demostrativo.
Origen ▸ **Este** < *iste* (lat.)
Estructura ▸ Puede ser un adjetivo (ir delante del sustantivo) o un pronombre (sin sustantivo).
　　　　　　Esta cartera es la mía / Esta es mi cartera.

> ▸ El adjetivo demostrativo suele ir delante del sustantivo. En caso de utilizarlo después indica un cierto rechazo o desprecio.
> *No me gusta nada la carta esta que has escrito. Está llena de faltas. Toma, corrígela.*

CONTRASTE CON OTROS DEMOSTRATIVOS:

▸▸**Aquel / Aquella / Aquellos / Aquellas** (ver entrada 93): Se utilizan para referirse a personas o cosas alejadas de quien habla y de quien escucha.
Aquel es mi hermano, el que está hablando con Jesús.

▸▸**Ese/a/os/as** (ver entrada 335): Se utilizan para referirse a personas o cosas alejadas de quien habla y próximas a quien escucha.
Ese que está detrás de ti es mi hermano.

359

ESTO = Se refiere a una cosa que no queremos o no podemos nombrar y está próxima física o temporalmente a la persona que habla.

> ▸ *- ¡Buagh!, ¿qué es esto?*
> ● *Has pisado una porquería de perro.*
> ▸ *Esto que te voy a contar es un secreto, ¿de acuerdo?*

▌Gramática ▸ Pronombre demostrativo neutro.

◆◆

Contraste con **AQUELLO / ESO / LO DE QUE**:

▶▶**Aquello** (ver entrada 94): Se refiere a una cosa que no queremos o no podemos nombrar y está alejada de quien habla y de quien escucha.

*¿Qué fue de **aquello** que me contaste el otro día?*

▶▶**Eso** (ver entrada 336): Se refiere a una cosa que no queremos o no podemos nombrar y está próxima a la persona que escucha.

*¿Qué es **eso** que tienes ahí?*

▶▶**Lo de que** (ver entrada 436): Se refiere a algo dicho o presente en la conversación.

*¿Es verdad **lo de que** te vas a vivir a México?*

360

ESTO ES = Aclara algo que se acaba de decir.

> ▶ *Me han ascendido. Esto es, ahora voy a tener más responsabilidades y más trabajo, pero voy a ganar más.*
> ▶ *Belén y yo ya no somos socios. Esto es, le he vendido mis acciones.*

❚Gramática ▶ Locución conjuntiva ilativa.

Contraste con **OTRAS EXPRESIONES ILATIVAS**:

▶▶**Es decir** (ver entrada 332): Se utiliza además para formular explícitamente las consecuencias de lo que se acaba de decir.

*No se celebrará la reunión anual, **es decir**, hay que buscar otra fecha para vernos todos.*

▶▶**O sea** (ver entrada 517): Significa lo mismo.

*Ahora soy jefe de departamento, **o sea**, más trabajo, más responsabilidades.*

361

ESTOS / ESTAS... AQUELLOS / AQUELLAS = Especifica de quién se habla después de mencionar varios elementos.

> ▶ *Las relaciones entre padres e hijos son a veces complicadas. Estos quieren su independencia; aquellos, su educación.*
> ▶ *- Las chicas y los chicos se han enfadado. Estos porque quieren jugar al fútbol y aquellas porque prefieren el baloncesto.*
> *• ¿Y por qué no se ponen de acuerdo?*

❚Gramática ▶ Pronombres demostrativos plurales.
❚Uso ▶ Se utilizan en registros cultos.

362 EVIDENTEMENTE = Indica una respuesta afirmativa a una pregunta, mostrando que es la única respuesta posible.

- - Esto está mal, ¿no?
    • Evidentemente.
- - ¿Vas a venir con nosotros?
    • Evidentemente. En el coche de Iñaqui no cabemos todos.

Gramática ▸ Adverbio de afirmación.

OTRAS EXPRESIONES AFIRMATIVAS:

▸▸ **Bueno** (ver entrada 117): Se expresa una afirmación, pero con una cierta duda.
▸▸ **Claro** (ver entrada 132) y **Desde luego** (ver entrada 263): La respuesta es una confirmación de lo que ha dicho la otra persona.
▸▸ **Sí** (ver entrada 674): Es la afirmación más neutra, se utiliza en cualquier contexto.

Excepto < exceptus (lat.), retirado. Procede del antiguo participio pasado de exceptar. Usos de la preposición y la locución. Entradas 363 y 364.

363 EXCEPTO = Excluye un elemento de una lista o una información previamente dada.

- Iremos todos, excepto Manuel, que no puede.
- Tengo toda la colección de sellos, excepto este. ¿Me lo regalas?

Gramática ▸ Preposición.

OTRA EXPRESIÓN SIMILAR:

▸▸ **Salvo** (ver entrada 636): Significa lo mismo. Se utiliza en contextos más cultos.

364 EXCEPTO QUE = Expresa lo único que podría ocurrir para que algo no se produzca.

- Os iré a recoger al aeropuerto excepto que Susana necesite el coche, pero no creo.
- Este año no iremos de vacaciones al extranjero, excepto que nos toque la lotería.

Gramática ▸ Locución conjuntiva condicional.
Estructura ▸ Se utiliza seguido de:
■ Presente e Imperfecto de Subjuntivo. Se refiere a la posibilidad remota de que no se produzca una acción si ocurre una eventualidad presente o futura que no esperamos.

Juan vendrá puntual a la reunión, excepto que tenga un contratiempo, claro.

Llámame a la oficina de ocho a dos, que seguro que estoy, excepto que tuviera que salir por algo.

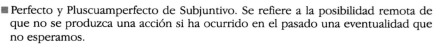

■ Perfecto y Pluscuamperfecto de Subjuntivo. Se refiere a la posibilidad remota de que no se produzca una acción si ha ocurrido en el pasado una eventualidad que no esperamos.

> *María estará a punto de llegar,* excepto que *le haya pasado algo por el camino.*

> *Estoy seguro de que, con todo lo que estudió, aprobará el examen,* excepto que *se hubiera puesto nervioso.*

▸ Con el Presente o con el Perfecto presentamos eventualidades que, aunque no esperables, sí son más posibles. Con el Imperfecto y el Pluscuamperfecto expresamos eventualidades no sólo inesperadas, sino además remotas.

CONTRASTE CON OTRAS EXPRESIONES CONDICIONALES:

▸▸ **Como** + *condición* (ver entrada 136): Expresa una advertencia.

> **Como** *sigas sin ir a clase, vas a suspender.*

▸▸ **Con que** (ver entrada 158), **Con sólo** (ver entrada 161), **Con tal de que** (ver entrada 162), **Siempre que** + *condición* (ver entrada 695), **Sólo con** (ver entrada 710) y **Sólo si** (ver entrada 711): Expresan una condición que se considera mínima, imprescindible.

> *Te dejo el dinero* **con tal de que** *me prometas devolvérmelo pronto.*

▸▸ **En caso de que** (ver entrada 304): Presenta una eventualidad, una posibilidad remota de que algo ocurra.

> *Deja un recado* **en caso de que** *no esté en la oficina, pero suele estar.*

OTRAS EXPRESIONES SIMILARES:

▸▸ **A menos que** (ver entrada 29), **A no ser que** (ver entrada 31), **Excepto que** (ver entrada 364) y **Salvo que** (ver entrada 637): Significan lo mismo.

▸▸ **Si** + *condición* (ver entrada 681): Es la expresión de la condición más general.

365

FALTAR POCO = Indica que una acción va a ocurrir o que una acción casi ocurre.

> ▶ *Falta poco **para que se llene la piscina**.*
> ▶ *Pisé un plátano y faltó poco **para caerme**, pero afortunadamente, no me caí.*

Gramática ▶ Expresión incoativa.
Estructura ▶ Se utiliza seguido de la preposición *para* y de:
 ▪ Infinitivo cuando no se especifica el sujeto.
  *No te preocupes, falta poco **para llegar al pueblo**.*

 ▪ *Que* + Subjuntivo cuando se especifica el sujeto.
  *Falta poco **para que termine el plazo de matriculación**.*

Uso ▶ Se utiliza en Presente o en Imperfecto para indicar la eminencia de una acción y en Perfecto o en Indefinido para indicar que una acción no ha ocurrido.

OTRAS EXPRESIONES SIMILARES:

▶▶**Casi** (ver entrada 126) y **Por poco** (ver entrada 582): Significan lo mismo que **Faltar poco** cuando se utiliza en Perfecto o en Indefinido.

▶▶**Estar a punto de** (ver entrada 350): Significa lo mismo que **Faltar poco** cuando se utiliza en Presente o en Imperfecto.

366

FIJARSE = Indica que se preste atención en algo.

> ▶ *¡Fíjese en los detalles del cuadro! ¿No es una maravilla?*
> ▶ *¡Fíjate en lo que haces! ¿No ves que lo vas a romper?*

Gramática ▶ Verbo pronominal.
Estructura ▶ Se utiliza en Imperativo y seguido de la preposición *en*.

367

FRANCAMENTE = Muestra sinceridad sin tener en cuenta los sentimientos u opiniones del interlocutor.

> ▶ *- ¿Qué te parece este diseño?*
> ● *Francamente, no me gusta nada.*
> ▶ *- ¿Vienes con nosotros?*
> ● *Francamente, no me apetece.*

Gramática ▶ Adverbio de modo.

CONTRASTE CON DE VERDAD / LA VERDAD:

▶▶**De verdad** (ver entrada 240): Se utiliza para confirmar la veracidad y certeza de una información dada.
 *Tú no me crees, pero, **de verdad**, no he sido yo quien ha hecho esto.*

▶▶**La verdad** (ver entrada 424): Se utiliza para expresar que se es sincero al dar una opinión o información que tal vez puede molestar.
 *¿Quieres saber lo que pienso? Pues, **la verdad**, ese vestido no me gusta nada.*

368

FRECUENTEMENTE = Expresa la relativa frecuencia con la que se hace una actividad.

▸ *Hay que hacer deporte frecuentemente.*
▸ *Es bueno beber agua frecuentemente.*

Gramática ▸ Adverbio de frecuencia.
Estructura ▸ Se utiliza seguido de un verbo en Indicativo.
Uso ▸ Se usa en contextos formales.

CONTRASTE CON **OTRAS EXPRESIONES DE FRECUENCIA**:

▸▸**A menudo / A veces** (ver entrada 30): Es de uso más general y común.
*A **menudo** me encuentro con Jesús y tomamos algo.*

▸▸**Con frecuencia** (ver entrada 155): Significa lo mismo.
*Para estar en forma hay que hacer deporte **con frecuencia**, tres días a la semana.*

369

FRENTE A = Sitúa a alguien o algo en el lado opuesto de otra cosa o persona.

▸ *Te espero frente a la tienda de Luis a las cinco.*
▸ *Han puesto un cartel frente al edificio que indica que lo van a arreglar.*

Gramática ▸ Locución preposicional de lugar.
Uso ▸ Se utiliza también en contextos abstractos.
Frente a los problemas hay que mostrarse racional.

CONTRASTE CON **OTRAS EXPRESIONES DE LUGAR**:

▸▸**Delante de** (ver entrada 254): Indica la posición anterior de algo con relación a otro elemento.
***Delante de** aquel edificio hay una cabina de teléfono.*

▸▸**Enfrente** (ver entrada 323): Indica una posición fija sin compararla con nada.
*Mira, allí **enfrente** hay una cabina, vamos a llamar.*

▸▸**Enfrente de** (ver entrada 324): Significa lo mismo que **Frente a**, pero sólo en su valor concreto, no abstracto.
***Enfrente de** la gasolinera hay un taller de coches.*

370

FUERA DE = Indica la posición exterior de algo con relación a otro elemento.

▸ *Fuera de mi casa tengo un jardincito pequeño.*
▸ *Se marchó fuera de la ciudad porque no le gustaba vivir allí.*

Gramática ▸ Locución preposicional de lugar.

CONTRASTE CON **AFUERA**:

▸▸**Afuera** (ver entrada 54): Indica un espacio exterior, sin compararlo o relacionarlo con nada.
*¿Comemos adentro o **afuera**? Hoy hace calor.*

371

FULANO / FULANA = Habla de forma hipotética de la identidad de alguien.

> ► *Es como si llega fulano y te pide dinero y tú se lo das.*
> ► *¿Fulano te dice algo y tú le obedeces?*

Gramática ► Sustantivo.
Origen ► **Fulano** < *fulan* (ár.), un tal.

OTRAS EXPRESIONES SIMILARES:

▸▸**Mengano / Mengana** (ver entrada 460): Se utiliza para referirse a una segunda persona.

▸▸**Zutano / Zutana** (ver entrada 800): Sólo se utiliza para referirse a terceras personas después de **Mengano**.

372

GENERALMENTE = Se refiere a una actividad habitual o que se produce regularmente.

▸ - *Nosotros, en Navidad, generalmente comemos en casa de mis suegros.*
  • *¿Ah, sí? Pues nosotros solemos quedarnos en casa.*
▸ - *Es raro que haga frío. Generalmente en esta época hace bastante calor.*
  • *Sí, es muy raro.*

Gramática ▸ Adverbio de frecuencia.

OTRAS EXPRESIONES SIMILARES:

▸▸**Por lo general** (ver entrada 575) y **Soler** (ver entrada 707): Significan lo mismo.

373

GENTE = Se refiere a las personas en general, excluyendo a quien habla y quien escucha.

▸ *Yo no sé qué pensarás tú, pero la gente dice que debemos hacer huelga.*
▸ - *La gente no puede entrar sin permiso en esta sala.*
  • *Sí, pero es que yo tengo un pase especial.*

Gramática ▸ Sustantivo femenino singular.
Origen ▸ **Gente** < *gens, gentis* (lat.)
Estructura ▸ Se utiliza precedido del artículo determinado. Se usa el artículo indeterminado para dar una idea de vaguedad o imprecisión; a veces incluso de desprecio.

CONTRASTE CON SE:

▸▸**Se** + *verbo* + *complemento* (ver entrada 640): Tiene usos parecidos, pero no se excluye al hablante.

La **gente** no puede entrar sin permiso en esta sala.

No **se puede** entrar sin permiso en esta sala.

OTRA EXPRESIÓN SIMILAR:

▸▸**Todo el mundo** (ver entrada 741): Significa lo mismo, pero tiene un carácter de universalismo que no tiene **Gente**.

374

GRACIAS = Expresa un agradecimiento.

▸ - *Toma, aquí tienes un vaso de agua.*
  • *Gracias.*
▸ - *¡Feliz cumpleaños!*
  • *Muchas gracias.*

Gramática ▸ Sustantivo plural.
Uso ▸ Para enfatizar el agradecimiento se utiliza *muchas gracias*.

375

GRACIAS A = Señala la persona a quien se le expresa un agradecimiento.

▶ - *Gracias por la fiesta.*
  • *Gracias a ti por venir.*
▶ *Gracias a Dios, he conseguido ese trabajo.*

▌Gramática ▶ Locución preposicional de agradecimiento.

376

GRACIAS A + causa = Presenta la causa como algo bien aceptado.

▶ *Gracias a la tormenta de nieve, se recuperaron los niveles de agua.*
▶ *Gracias a que llegamos pronto, no tuvimos problemas para encontrar alojamiento.*

▌Gramática ▶ Locución preposicional y conjuntiva de causa.
Estructura ▶ Se utiliza seguido de un sustantivo o de *que* y un verbo en Indicativo.
Uso   ▶ Es más frecuente seguido de un sustantivo que de un verbo.
           ▶ Es la expresión contraria a *por culpa de* (ver entrada 570).

CONTRASTE CON OTRAS EXPRESIONES DE CAUSA:

▶▶**A fuerza de** (ver entrada 18), **De puro** (ver entrada 231) y **De tanto** (ver entrada 233): Presenta la causa como el resultado de la insistencia o continuidad de algo.
  ***A fuerza de** trabajar consiguió lo que se proponía.*

▶▶**Debido a** (ver entrada 245): Se utiliza sólo en contextos formales y en lengua escrita.
  ***Debido a** la falta de acuerdos no se firmó el convenio.*

▶▶**Es que** (ver entrada 334): Presenta la causa como un pretexto o una justificación.
  *Me voy. **Es que** me duele muchísimo la cabeza.*

▶▶**Lo que pasa es que** (ver entrada 439): Presenta la causa de un problema.
  *No le han dado el crédito que pedía. **Lo que pasa es que** no tiene aval.*

▶▶**Por + causa** (ver entrada 555): Presenta la causa con una connotación negativa.
  *Ha perdido la cartera **por** despistado.*

377

GRACIAS POR = Señala la causa del agradecimiento.

▶ *Gracias por el regalo.*
▶ *Gracias por venir a mi fiesta.*

▌Gramática ▶ Locución preposicional de causa.
Estructura ▶ Se utiliza seguido de:
  ■ Sustantivo.
    Gracias por la comida, estaba muy rica.

  ■ Infinitivo cuando el motivo del agradecimiento es una acción.
    • Infinitivo Simple para acciones habituales y para acciones presentes.
      Gracias por estar conmigo en estos momentos tan difíciles.

    • Infinitivo Compuesto o Perfecto para referirse a acciones pasadas.
      Gracias por haber hecho ese informe por mí. La verdad, me encontraba fatal y no podía hacerlo.

378

GUSTARLE = Expresa gustos.

> ▸ - *Me gusta muchísimo este cuadro.*
> • *¿Sí? Pues a mí no me gusta nada.*
> ▸ *Gracias. Nos gusta mucho que nos traigas flores.*

Gramática ▸ Verbo intransitivo y defectivo.

Origen ▸ **Gustar** < *gustāre* (lat.)

Estructura ▸ Verbo en tercera persona del singular o del plural precedido de un pronombre personal de complemento indirecto.

▸ Se utiliza seguido de:

■ Un determinante y un sustantivo. Con sustantivos en singular el verbo se utiliza en singular y con sustantivos plurales, en plural.

Me gusta el chocolate / Me gustan los bombones.

■ Infinitivo cuando el verbo va en singular y cuando el sujeto de los dos verbos es el mismo. Se valora una acción que uno mismo hace.

Me gusta mucho viajar.

■ *Que* + Subjuntivo. Se utiliza el verbo en singular y cuando los sujetos de los dos verbos son distintos. Se valora una acción que realiza otra persona.

Me gusta muchísimo que tú y yo viajemos por fin juntos.

▸ Los adverbios de intensidad que suelen acompañar al verbo *gustar* son: *muchísimo, mucho, bastante, un poco, nada.* Cuando se utiliza el adverbio *nada* o cuando se expresa un disgusto, se utiliza siempre con el adverbio negativo *no* delante del pronombre y del verbo.

No me gusta nada el fútbol.

OTRA EXPRESIÓN SIMILAR:

▸▸**Encantarle** (ver entrada 320): Expresa que algo gusta muchísimo.

Haber < *babēre* (lat.)
Usos del verbo. Entradas 379 a 383.

379

HABER = Indica la existencia de algo.

▸ - *¿Hay una farmacia por aquí cerca?*
• *Sí, todo recto.*

▸ - *Cuando era más joven, aquí, en esta misma plaza, había una fuente.*
• *Pues yo no me acuerdo.*

Gramática ▸ Verbo impersonal.
Estructura ▸ Se utiliza en tercera persona del singular con un artículo indeterminado o un adjetivo indefinido y un sustantivo.

CONTRASTE CON ESTAR / SER:

▸▸**Estar** + *lugar* (ver entrada 344): Ubicamos algo determinado y concreto. Con **Haber** hablamos de la existencia de algo no definido.
- *¿**Hay** un supermercado cerca?*
• *Sí, **está** el Compra-Bueno, a dos cuadras de aquí.*

▸▸**Ser** + *lugar* (ver entrada 657): Indica el lugar donde tiene lugar un acontecimiento.
*La conferencia **es** en el aula magna.*

380

HABER + participio = Es la construcción de algunas formas verbales compuestas. En español todos los tiempos verbales compuestos se forman con el verbo *haber*. Ver cuadro de verbos.

381

HABER DE + infinitivo = Da una instrucción de forma impersonal para hacer algo.

▸ *Para que este plato quede bien, ha de hacerse a fuego lento.*
▸ *Si queremos vivir muchos años, hemos de llevar una vida equilibrada.*

Gramática ▸ Perífrasis verbal de obligación.
Estructura ▸ Se utiliza con el verbo *haber* en tercera persona del singular.
Uso ▸ Se emplea en registros formales.

CONTRASTE CON OTRAS PERÍFRASIS DE OBLIGACIÓN:

▸▸**Deber** + *infinitivo* (ver entrada 244) y **Tener que** + *infinitivo* (ver entrada 732): Expresan la obligación o necesidad de hacer algo, no una instrucción.
*Mira, **debes** tratar con más respeto a tu padre. Es mayor y...*

▸▸**Haber que** + *infinitivo* (ver entrada 382): Expresa una necesidad y una obligación de forma impersonal.
*Para estar bien **hay que** dormir ocho horas.*

382

HABER QUE + infinitivo = Expresa la necesidad y la obligación de hacer algo de forma impersonal.

▸ *Para hacer este túnel ha habido que quitar los árboles que había y trasplantarlos.*
▸ *Hay que aprender varios idiomas.*

▌Gramática ▸ Perífrasis verbal de obligación.

CONTRASTE CON **OTRAS PERÍFRASIS DE OBLIGACIÓN Y NECESITAR:**

▸▸**Deber** + *infinitivo* (ver entrada 243): Expresa la obligación o necesidad de hacer algo.
  *Mira, **debes** tratar con más respeto a tu padre. Es mayor y...*

▸▸**Haber de** + *infinitivo* (ver entrada 381): Expresa una instrucción para hacer algo de forma impersonal.
  *Para hacer bien este plato, **ha de** hacerse a fuego lento.*

▸▸**Necesitar** (ver entrada 485): Expresa la necesidad de hacer algo.
  ***Necesito** que envíes este fax urgentemente.*

▸▸**Tener que** + *infinitivo* (ver entrada 732): Se utiliza para expresar obligaciones personales, no impersonales como con **Haber que.**
  *Mira, **hay que** comer de todo, pero tú **tienes que** cuidar además las grasas, que no te sientan bien.*

383

HABÍA UNA VEZ = Inicia un relato de forma tradicional.

▸ *Había una vez **un príncipe que**...*
▸ *Había una vez **una mujer que vivía en un país muy lejano.***

▌Gramática ▸ Expresión literaria fija.

OTRA EXPRESIÓN SIMILAR:

▸▸**Érase una vez** (ver entrada 331): Significa lo mismo.

384

HABLANDO DE = Introduce una información que se había olvidado dar antes.

▸ *Hablando de **negocios**, ¿cuándo podemos vernos y hablar de la feria...?*
▸ *A mí me parece bien la oferta de Edelsa y, hablando de **Edelsa**, ¿sabes que han sacado un manual nuevo?*

▌Gramática ▸ Locución preposicional ilativa.
▌Estructura ▸ Se utiliza seguido de un sustantivo, de un pronombre o de una frase relativa.

▶▶ **Otras expresiones similares:**

▸▸ **Con respecto a** (ver entrada 160): Presenta un tema que se había olvidado dar antes.

▸▸ **Por cierto** (ver entrada 569): Se refiere a algo que se ha mencionado de pasada y que nos interesa tratar para profundizar más.

▸▸ **Por lo que respecta a** (ver entrada 577): Presenta un tema que se había tratado antes.

Hacer < *facĕre* (lat.)
Usos del verbo. Entradas 385 a 393.

385

HACE = Sitúa temporalmente un acontecimiento pasado indicando el tiempo que ha transcurrido desde que ocurrió.

▸ *Me casé hace seis años.*
▸ *Vine a vivir por primera vez aquí en el... bueno, hace quince o dieciséis años.*

Gramática ▸ Expresión de tiempo.
Estructura ▸ Se utiliza en:
  ■ Presente cuando reconstruimos una fecha desde el momento actual.
    Volví de Venezuela hace un mes, o sea, en noviembre.
  ■ Imperfecto cuando reconstruimos una fecha desde el pasado.
    Hacía tres meses que había regresado de Caracas cuando me volví a marchar. Esta vez a Guatemala.
  ▸ Se utiliza seguido de un número cardinal y una unidad de tiempo.
  ▸ El verbo principal suele ir en Indefinido.

Contraste con otras expresiones de tiempo:

▸▸ **Desde hace** + *tiempo* (ver entrada 262): Indica el origen temporal de un acontecimiento actual.
  *Trabajo en esta empresa **desde hace** tres años.*

▸▸ **Hace... que** (ver entrada 386): Se utiliza con verbos en Presente para indicar el tiempo que dura una situación.
  ***Hace** cuatro días **que** conozco a Celia y ya somos íntimos amigos.*

386

HACE... QUE = Indica el tiempo que dura una situación o una actividad.

▸ *Hace cinco años que vivo en esta ciudad.*
▸ *Cuando me casé, hacía doce años que salía con mi novia.*

Gramática ▸ Expresión de tiempo.
Estructura ▸ Se utiliza en:
  ■ Presente cuando hablamos de una situación o actividad actual.
    Hace tres años que estudio español.

▶▶

▶▶

■ Imperfecto cuando hablamos de una situación o actividad pasada.
> *Antes de estudiar español, estudiaba japonés. Hacía cinco años que lo había dejado.*

▸ Se utiliza seguido de un número cardinal y una unidad de tiempo.

▸ El verbo principal suele ir en Indicativo.

CONTRASTE CON **OTRAS EXPRESIONES DE TIEMPO**:

> ▶▶**Desde hace** + *tiempo* (ver entrada 262): Indica el origen temporal de un aconteci-miento actual.
>> *Trabajo en esta empresa **desde hace** tres años.*
>
> ▶▶**Hace** (ver entrada 385): Sitúa temporalmente un acontecimiento pasado indicando el tiempo que ha transcurrido desde que ocurrió.
>> *Me casé **hace** seis años.*
>
> ▶▶**Llevar** + *gerundio* (ver entrada 429): Tiene un significado parecido, pero sólo se puede utilizar con verbos que implican una actividad. Con **Hace... que**, además, se puede utilizar con verbos de situación.
>> ***Llevo** dos años viviendo en esta ciudad.*

387

HACE (MUCHO) TIEMPO = Reconstruye una fecha pasada sin precisar, pero indicando que es muy lejana.

▸ *Me licencié hace mucho tiempo. Tú todavía no habías nacido.*

▸ *Hace tiempo **que no veo a Juan**.*

Gramática   ▸ Expresión de tiempo.
Estructura   ▸ Suele ir con verbos en Indicativo.
Uso   ▸ Para intensificar el valor impreciso de la expresión, se utiliza también *hace algún tiempo* o *hace un tiempo*.

388

HACER + temperatura = Indica la temperatura.

▸ *Hoy hace treinta grados.*

▸ *Ayer hizo tres grados de máxima.*

Gramática   ▸ Verbo transitivo.
Estructura   ▸ Se utiliza en tercera persona del singular.

CONTRASTE CON **ESTAR**:

> ▶▶**Estar a** + *temperatura* (ver entrada 347): Se utiliza cuando nos ubicamos climática-mente en una temperatura.
>> *¡Qué calor! **Estamos a** treinta grados.*

389

HACER + tiempo = Indica el tiempo atmosférico.

▶ *¡Qué día más bueno hace hoy!*
▶ *Hace mucho viento, mejor no abras el paraguas.*

Gramática ▶ Verbo transitivo.
Estructura ▶ Se utiliza con los sustantivos *frío, calor, viento, aire, sol* o con un *buen / mal día*.
▶ Se emplea en tercera persona del singular.

390

HACER FALTA = Expresa la necesidad de tener o contar con algo o con alguien.

▶ *Me hace falta leche y pan. ¿Puedes ir a comprarlo?*
▶ *En estas situaciones hace falta mucha paciencia.*

Gramática ▶ Expresión de necesidad.
Estructura ▶ Se utiliza seguido de un determinante y un sustantivo o de un verbo en infinitivo.
Uso ▶ Se emplea en forma impersonal.

OTRAS EXPRESIONES SIMILARES:

▶▶**Necesitar** (ver entrada 485): Tiene un uso similar, pero en forma personal.
▶▶**Ser necesario / Ser preciso** (ver entrada 670): Se utilizan en un contexto más culto y para referirse a la necesidad de hacer algo.

391

HACER ILUSIÓN = Expresa el deseo de algo poco importante.

▶ *Lleva al niño al circo, que le hace ilusión.*
▶ *Me voy de vacaciones a las islas. Me hace muchísima ilusión. Es la primera vez que subo en avión.*

Gramática ▶ Expresión de deseo.
Estructura ▶ Se utiliza seguido de un determinante y un sustantivo o de un infinitivo.

OTRAS EXPRESIONES SIMILARES:

▶▶**Querer** (ver entrada 622): Expresa un deseo.
▶▶**Tener ganas de** (ver entrada 731): Se utiliza para expresar la voluntad o el deseo de hacer algo.

392

HACERSE = Expresa los cambios definitivos experimentados por una persona como resultado de la evolución natural o de una decisión propia.

▶ *Se hizo budista.*
▶ *Antonio se está haciendo un abogado de mucho prestigio.*

Gramática ▶ Verbo reflexivo.
Estructura ▶ Se utiliza seguido de un determinante y un sustantivo o de un adjetivo.

CONTRASTE CON **OTROS VERBOS DE CAMBIO**:

▸▸ **Convertirse en** (ver entrada 176) y **Transformarse en** (ver entrada 745): Se refieren a cambios radicales en una persona o cosa.

*Ese convento **lo han convertido** en una discoteca de moda.*

▸▸ **Llegar a** y **LLegar a ser** (ver entradas 427 y 428): Se refieren a cambios progresivos.

*Con mucho esfuerzo mi padre **llegó a ser** el subdirector de su empresa.*

▸▸ **Ponerse** (ver entrada 552): Se refiere a un cambio rápido e instantáneo y de poca duración.

***Me he puesto** muy nervioso, pero ya se me ha pasado.*

▸▸ **Quedarse** + *cambio* (ver entrada 619): Se refiere a un cambio como el resultado de una situación o acción anterior.

*Voy a ponerme un jersey. **Me he quedado** frío de estar cenando en el jardín.*

▸▸ **Volverse** (ver entrada 776): Se refiere a transformaciones rápidas, pero definitivas.

*Jerónimo **se ha vuelto** muy callado. Con lo charlatán que era antes. ¿Qué le habrá pasado?*

393

HACERSE EL / HACERSE LA = Se refiere a fingir ser algo que no se es, aparentar.

▸ *Cuando le pregunté por su trabajo, se hizo el tonto. Que no sabía nada.*
▸ *Dio su opinión haciéndose el independiente. Que él era imparcial y...*

Gramática ▸ Expresión de fingimiento.
Estructura ▸ Se utiliza seguido de un adjetivo.

Hacia < del antiguo *faze a*, cara a.
Usos de la preposición. Entradas 394 a 396.

394

HACIA + lugar = Señala la dirección de un movimiento.

▸ *- ¿Este tren va hacia Zaragoza?*
  • Sí, sí, pasa por Zaragoza y llega hasta Barcelona.
▸ *Enrique, si vas hacia la plaza, pasa por el estanco y cómprame dos sellos, por favor.*

Gramática ▸ Preposición para indicar movimiento.

CONTRASTE CON **OTRAS PREPOSICIONES DE MOVIMIENTO**:

▸▸ **A** + *lugar* (ver entrada 6): Indica el destino de un movimiento. Con **Hacia** sólo se hace énfasis en la dirección de ese movimiento.

*Mañana llegaré **a** la oficina tarde.*

▸▸ **Hasta** + *lugar* (ver entrada 399): Indica el punto final del movimiento.

*Este tren no va **hasta** Huesca, sólo hasta Zaragoza. Allí tendrá que tomar otro.*

> ▶▶**Para** + *lugar* (ver entrada 528): Indica una meta, el objetivo de un movimiento, que se puede alcanzar o no.
>
> *Me voy **para** el bosque, a ver si llego. ¿Vienes conmigo?*
>
> ▶▶**Por** + *lugar* (ver entrada 558): Indica el tránsito, el camino a través del cual se realiza el movimiento.
>
> *El ladrón entró **por** la ventana.*

395

HACIA + persona = Expresa el destinatario de un sentimiento.

- ▶ *Siento un gran respeto hacia ella.*
- ▶ *Hacia Eduardo no siento más que lástima.*

Gramática ▶ Preposición para indicar el destinatario de un sentimiento.
Estructura ▶ Se utiliza seguido de un nombre propio o de un pronombre.

CONTRASTE CON OTRAS PREPOSICIONES DE USOS SIMILARES:

> ▶▶**Con** + *alguien / algo* (ver entrada 148): Expresa un sentimiento o sensación que se tiene con algo o alguien.
>
> *Me he enfadado **con** Cristina. Sinceramente, es insoportable.*
>
> ▶▶**Por** + *algo / alguien* (ver entrada 554): Indica el destinatario de un sentimiento, actitud o estado mental.
>
> *Estoy muy preocupado **por** Juan.*

396

HACIA LA(S) + hora = Expresa una hora o un día aproximados.

- ▶ *Me pasaré por tu casa hacia las cinco, ¿de acuerdo?*
- ▶ *El robo debió de ser hacia las diez de la noche.*

Gramática ▶ Preposición para indicar la hora.

CONTRASTE CON OTRAS EXPRESIONES DE TIEMPO:

> ▶▶**A eso de la(s)** (ver entrada 16): Expresa una hora aproximada.
>
> *Volveré **a eso de las** tres y media, espero.*
>
> ▶▶**Ahí por / Allá por** + *fecha* (ver entrada 58): Sitúa un acontecimiento en una fecha aproximada.
>
> *Iré a veros **allá por** Navidad.*
>
> ▶▶**Alrededor de** + *tiempo* (ver entrada 80): Sitúa un acontecimiento en una hora o fecha aproximada.
>
> *Vendrán después de comer, **alrededor de** las tres.*

▶▶**Por** + *fecha* (ver entrada 556): Indica el tiempo aproximado en que se produce un acontecimiento.

*Me compré el coche **por** marzo o abril.*

▶▶**Por** + *parte del día* (ver entrada 561): Sitúa un acontecimiento en una parte aproximada del día.

*Te llamo **por** la mañana y hablamos.*

▶▶**Sobre** + *tiempo* (ver entrada 706): Indica una hora aproximada o la duración (cantidad de tiempo) aproximada.

*Ahora tengo trabajo. **Sobre** las tres habré terminado. Ven a verme entonces.*

397

HARTO = Expresa una valoración negativa de algo porque supera los límites tolerables.

▸ *Su propuesta es harto complicada para debatirla hoy.*
▸ *Aquellos manjares eran harto delicados para personas tan burdas.*

Gramática	▸ Adverbio de cantidad.
Origen	▸ **Harto** < *farcius* (lat.), saciado, participio pasado irregular de *hartar*.
Estructura	▸ Se utiliza seguido de un adjetivo.
Uso	▸ Se utiliza en contextos cultos.

CONTRASTE CON OTRAS EXPRESIONES DE VALORACIÓN:

▶▶**Algo** + *adjetivo* (ver entrada 72): Describe una persona o cosa de forma negativa pero la valoración se muestra positiva.

*Antonio está **algo** gordo, ¿no?*

▶▶**Demasiado** (ver entrada 255): Significa lo mismo que **Harto**, pero es de uso más general.

*Esta película es **demasiado** intelectual para mí, la verdad.*

Hasta < *hattá* (árabe hispano) influenciado por *ad ista* (lat.), hasta esto.
Usos de la preposición. Entradas 398 a 403.

398

HASTA = Indica lo último que se le podría ocurrir a alguien como ejemplo de una argumentación.

▸ *Fue tan aburrida la conferencia que se durmió hasta el conferenciante.*
▸ *Estoy seguro de que hasta tú me darás la razón cuando sepas mis motivos.*

Gramática	▸ Preposición para indicar el final de una acción.

CONTRASTE CON INCLUSO:

▶▶**Incluso** (ver entrada 409): Añade algún elemento a una argumentación que podría estar excluido por algún motivo.

*En la cena todo estaba buenísimo, **incluso** la ensalada, que no tenía nada especial.*

399

HASTA + lugar = Indica el punto final de un movimiento.

> ▸ *Se fue corriendo hasta el pinar y luego volvió andando.*
> ▸ *Este autobús no llega hasta Valsaín. En Segovia tendrá que subirse a otro.*

Gramática ▸ Preposición para indicar un lugar.
Estructura ▸ Se utiliza precedido de un verbo de movimiento con:
    ■ Un determinante y un sustantivo.
      Te echo una carrera hasta la esquina.
    ■ Infinitivo.
      Corrió hasta alcanzar el autobús que estaba saliendo.

CONTRASTE CON **OTRAS PREPOSICIONES DE MOVIMIENTO:**

▸▸**A** + *lugar* (ver entrada 6): Indica el destino de un movimiento.
  *Me voy **a** casa, que me están esperando.*
▸▸**Hacia** + *lugar* (ver entrada 394): Indica la dirección de un movimiento.
  *Enrique, si vas **hacia** la plaza, pasa por el estanco y compra dos sellos, por favor.*
▸▸**Para** + *lugar* (ver entrada 528): Indica una meta y el objetivo de un movimiento, que se puede alcanzar, o no.
  *Me voy **para** el bosque, a ver si llego. ¿Vienes conmigo?*
▸▸**Por** + *lugar* (ver entrada 558): Indica el tránsito, el camino a través del cual se realiza un movimiento.
  *El ladrón entró **por** la ventana.*

400

HASTA + tiempo = Expresa el límite temporal de algo.

> ▸ *Tienes hasta el miércoles para entregar el informe. No te retrases.*
> ▸ *Adiós, hasta mañana.*

Gramática ▸ Preposición para expresar tiempo.

401

HASTA AHORA = Se refiere a momentos anteriores al instante en que se está hablando.

> ▸ *Hasta ahora no he conseguido ver esa película.*
> ▸ *Hasta ahora no hemos tenido que despedir a nadie y espero que no lo hagamos jamás.*

Gramática ▸ Expresión de tiempo.

CONTRASTE CON **OTRAS EXPRESIONES DE TIEMPO:**

▸▸**Antes** (ver entrada 86): Se refiere al pasado, sin especificar el momento exacto.
  ***Antes** iba todos los días al gimnasio. Ahora sólo voy una vez a la semana.*
▸▸**Aún** (ver entrada 105) y **Todavía** (ver entrada 738): Se presupone que se terminará aquello de lo que se está hablando.
  ***Aún** no ha venido Juan, pero no creo que tarde en llegar.*

> ⟩⟩**Ya** + *pasado* (ver entrada 792): Expresa que algo que se presuponía ha ocurrido.
> - ¿*Ya* has hablado con él?
> • No. No he tenido tiempo.

402

HASTA CUÁNDO = Pregunta por el límite de una acción.

▸ - *¿Hasta cuándo te quedas?*
• *Hasta mañana.*
▸ - *No sé hasta cuándo quieres quedarte, pero yo me voy. Tengo mucho sueño.*
• *Yo me quedo un poco más.*

▌Gramática ▸ Locución interrogativa de tiempo.

403

HASTA QUE = Indica el límite de una acción con respecto a otra.

▸ - *No te preocupes por el niño, me quedo con él hasta que vuelvas.*
• *Muchas gracias, no tardaré mucho.*
▸ *Estuvo toda la noche bailando, hasta que se acabó la fiesta.*

▌Gramática ▸ Locución conjuntiva de tiempo.
▌Estructura ▸ Se utiliza seguido de:
  ■ Presente de Indicativo cuando nos referimos a acciones habituales.
  Mi turno de trabajo dura hasta que viene Antonio a relevarme.

  ■ Indefinido cuando hablamos del pasado.
  Hoy mi turno duró hasta que vino Antonio a las cinco a relevarme.

  ■ Imperfecto cuando hablamos de acciones habituales en el pasado.
  Mi turno duraba hasta que venía Antonio a las cinco a relevarme.

  ■ Presente de Subjuntivo cuando nos referimos al futuro.
  Mi turno durará hasta que venga Antonio a relevarme a eso de las cinco.

404

¡HAY QUE VER! = Expresa escándalo ante algo.

▸ - *Se fue sin despedirse.*
• *¡Hay que ver qué maleducado es ese chico!*
▸ - *No ha parado de criticar a los demás.*
• *¡Hay que ver!*

▌Gramática ▸ Expresión de reacción.
▌Uso ▸ Se usa en registros familiares y coloquiales.

OTRAS EXPRESIONES SIMILARES:
_____

⟩⟩**¡Desde luego!** (ver entrada 264): Significa lo mismo.
⟩⟩**¡Será posible!** (ver entrada 672): Expresa una reacción de sorpresa y rechazo.

Hoy < *hodïe* (lat.)
Uso del adverbio. Entradas 405 y 406.

405

HOY = Se refiere al día en que se habla.

▸ *Hoy hace mucho calor.*
▸ *Hoy es domingo.*

▌Gramática   ▸ Adverbio de tiempo.

406

HOY (EN) DÍA = Se refiere a la época presente.

▸ *Hoy en día están de moda las faldas cortas.*
▸ *La gente, hoy día no quiere lo mismo que querían sus padres.*

▌Gramática   ▸ Expresión de tiempo.

407

IGUAL = Expresa una hipótesis de algo que se considera posible, pero, de ser cierta, sería una sorpresa.

▸ *¿Sabes que están en la ciudad los Pérez? Igual vienen a vernos.*
▸ *Igual me dan a mí la plaza de subsecretario en la nueva delegación que van a abrir.*

Gramática ▸ Adverbio de duda.
Origen ▸ **Igual** < *aequālis* (lat.)
Estructura ▸ Se utiliza seguido de un verbo en Indicativo.

Contraste con otras expresiones de hipótesis:

▸▸**A lo mejor** (ver entrada 22): Expresa una hipótesis posible pero no tiene el matiz de sorpresa.
A lo mejor me voy de vacaciones a la playa este verano.

▸▸**Deber de** + *infinitivo* (ver entrada 244) y **Seguro que / Seguramente** (ver entrada 647): Expresan lo que se considera probable, muy próximo a la realidad, casi seguro.
*No sé qué hora es, pero **deben de** ser las tres y cuarto, hace un rato he oído las campanadas del reloj.*

***Seguramente** Celia llegará enseguida, es muy puntual.*

▸▸**Poder incluso que** (ver entrada 549): Presenta una eventualidad remota, aunque posible.
*Tal vez no tengamos suficiente dinero allá. **Puede incluso que** pasemos hambre. Pero eso no importa. Hemos decidido irnos y nos vamos.*

▸▸**Poder ser que** (ver entrada 550): Expresa una hipótesis.
*No ha venido Mariano, **puede ser que** esté enfermo.*

▸▸**Quizá(s)** (ver entrada 627) y **Tal vez** (ver entrada 718) + *Indicativo*: Expresan lo que se considera posible, pero con una gran duda.
*En la reunión de mañana **tal vez** eligen al próximo delegado. Ya se rumorean varios nombres.*

▸▸**Quizá(s)** (ver entrada 627) y **Tal vez** (ver entrada 618) + *Subjuntivo*: Mencionan una posibilidad remota, una conjetura, sin tener datos objetivos.
*¡Qué raro que no haya llegado! **Quizá** le haya pasado algo. Suele ser muy puntual.*

*Mañana tengo una reunión y **quizá** llegue tarde a casa. No sé cuánto va a durar.*

408

IGUALMENTE = Presenta un elemento parecido a otro presentado anteriormente.

▸ *Para la reunión habrá que traer el contrato. Igualmente habrá que preparar un informe minucioso sobre la crisis.*
▸ *- Feliz fin de semana.*
  • Igualmente.

Gramática ▸ Adverbio de modo.
Uso ▸ También se utiliza en despedidas de buenos deseos.

▶▶**Asimismo** (ver entrada 102): Introduce una información nueva sobre una persona o cosa ya presentados.

*No tiene ni dinero ni ocupación y, **asimismo**, carece de vivienda.*

▶▶**También** (ver entrada 719): Sirve para presentar otro elemento, pero no implica que sea parecido a los anteriores.

*A mí me gusta el cine. A María **también**.*

409

INCLUSO = Añade un elemento a una argumentación que podría estar excluido por algún motivo.

▶ *En la cena todo estaba buenísimo, incluso la ensalada, que no tenía nada de especial.*
▶ *Estoy seguro de que vendrán todos, incluso César, que vive en el extranjero.*

Gramática ▶ Preposición para indicar adhesión.
Origen ▶ **Incluso** < *inclūsus* (lat.), participio pasado irregular de incluir.

CONTRASTE CON HASTA:

▶▶**Hasta** (ver entrada 398): Indica lo último que se le podría ocurrir a alguien como ejemplo de una argumentación.

*Fue tan aburrida la charla que se durmió **hasta** el conferenciante.*

410

INMEDIATAMENTE DESPUÉS = Indica que una acción ocurre justo después de otra.

▶ *Se compró el vídeo, lo instaló e inmediatamente después lo puso en funcionamiento.*
▶ *Decidió ir a Barcelona. Fue a la estación e inmediatamente después salió.*

Gramática ▶ Locución adverbial de tiempo.
Uso ▶ Es muy frecuente el uso de esta expresión con verbos en Indefinido, ya que se trata de acciones pasadas.

OTRA EXPRESIÓN SIMILAR:

▶▶**Acto seguido** (ver entrada 47): Se utiliza en contextos formales.

Ir < *ire* (lat.)
Usos del verbo. Entradas 411 a 414.

411

IR + gerundio = Presenta una acción como progresiva.

▶ *Si repasas todos los días las palabras, las irás aprendiendo poco a poco.*
▶ *Vete escribiendo estas cartas, que yo vuelvo enseguida y te ayudo.*

Gramática ▶ Perífrasis verbal durativa.

412

IR A + infinitivo = Expresa la intención de hacer algo.

▸ *Mañana me voy a cenar con Julia. ¿Quieres venir con nosotros?*
▸ *Andrés iba a venir con nosotros, pero el jefe le dio más trabajo y no pudo.*

Gramática ▸ Perífrasis verbal incoativa.
Estructura ▸ Se utiliza con el verbo *ir* en:
  ■ Presente cuando expresamos la intención de hacer algo en el futuro.
    El hombre del tiempo ha dicho que hoy lloverá, así que voy a llevarme el paraguas.
  ■ Imperfecto cuando expresamos la intención o el deseo de hacer algo que finalmente no ha sido posible.
    Iba a comprarte unas flores, pero la tienda está cerrada.

CONTRASTE CON **PENSAR / QUERER:**

▸▸**Pensar** + *infinitivo* (ver entrada 536): Expresa también la intención de hacer algo, pero con **Ir a** se da a entender que es una decisión tomada y firme.
  Pienso tomarme la tarde libre. A ver si me deja el jefe.
  Esta tarde me la voy a tomar libre, diga el jefe lo que diga.
▸▸**Querer** (ver entrada 622): Expresa el deseo de hacer algo en el futuro.
  Quiero irme unos días de vacaciones, pero no sé cuándo.

413

IR + participio = Indica que una acción en curso está finalizada.

▸ *Antes de echarlas al buzón comprueba que las cartas van firmadas por el jefe.*
▸ *Bueno, ya está. La ropa va bien doblada en esa maleta y los zapatos en esa bolsa.*

Gramática ▸ Perífrasis verbal terminativa.
Uso ▸ Esta perífrasis es de uso muy limitado.

414

IR A VER / IR A HABLAR = Expresa la intención de visitar a alguien.

▸ *Mañana me voy a ver a Emilio. ¿Quieres venir conmigo?*
▸ *Mañana iremos a hablar con el jefe de personal. Seguro que él resuelve el problema.*

Gramática ▸ Expresión incoativa.
Estructura ▸ Se utiliza la preposición *a* después del verbo *ver* y la preposición *con* después de *hablar*.
Uso ▸ En español no se puede decir, como en otras lenguas, *ir a* y nombre de persona.

415

JAMÁS = Indica la nula frecuencia de una actividad o de un acontecimiento.

- ▶ *Yo no veo el fútbol en la tele jamás. No me gusta.*
- ▶ *Jamás he dicho eso.*

Gramática ▶ Adverbio de tiempo.
Origen ▶ **Jamás** < *iam magis* (lat.), ya más.
Estructura ▶ Si *jamás* no va delante del verbo, este va precedido del adverbio negativo *no*.
Uso ▶ *Nunca jamás* se utiliza con un valor enfático muy fuerte.

CONTRASTE CON **OTRAS EXPRESIONES DE NULA FRECUENCIA:**

▶▶ **En la vida / En mi vida** (ver entrada 312): Es de uso coloquial y hace énfasis en que no se hace algo a lo largo de la vida.
*No he participado en una actividad política **en la vida**.*
▶▶ **Nunca** (ver entrada 515): Es de uso mucho más frecuente. **Jamás** tiene un matiz enfático.
***Nunca** veo el teatro en la tele. Me aburre.*

Junto < *iunctus* (lat.), participio pasado irregular de *juntar*.
Usos de la locución. Entradas 416 y 417.

416

JUNTO A = Sitúa algo o a alguien con relación a otro próximo.

- ▶ *El libro que buscas está junto a ese otro verde de allí. ¿Lo ves?*
- ▶ *Beatriz es la que está junto a Teresa.*

Gramática ▶ Locución preposicional de lugar.

CONTRASTE CON **OTRAS EXPRESIONES DE LUGAR:**

▶▶ **Al lado de** (ver entrada 65): Se hace referencia a que dos elementos son contiguos.
***Al lado de** mi casa hay un supermercado y una biblioteca.*
▶▶ **Cerca de** + *lugar* (ver entrada 130): Indica simplemente una cierta proximidad con algo. **Junto a** indica una proximidad mayor.
*Mi casa está **cerca del** centro, a unos diez minutos a pie.*

417

JUNTO CON = Indica que alguien hace algo en compañía de otra persona.

- ▶ *Este viaje lo hice junto con María.*
- ▶ *Yo mismo he hecho este armario. Bueno, junto con mi padre. ¿Qué te parece?*

Gramática ▶ Locución preposicional de compañía.

418

JUSTO = Enfatiza la exactitud de una información, de un dato.

- ▶ *Hemos quedado en vernos justo el mes que viene.*
- ▶ *La panadería está justo delante de la casa de Jaime.*

Gramática ▶ Adverbio de modo.
Origen ▶ **Justo** < *iustus* (lat.)

419

LA MANERA EN QUE = Define el modo de hacer algo.

> ▸ *Me sorprendió mucho la manera en que solucionaste el problema.*
> ▸ *Yo creo que esa no es la manera en que debemos actuar, la verdad.*

Gramática ▸ Locución conjuntiva de modo.
Estructura ▸ Se utiliza seguido de:
  ■ Indicativo cuando nos referimos a un modo de actuar conocido y experimentado.
    Me encanta la manera en que me miras a los ojos.
  ■ Subjuntivo cuando describimos un modo de actuar que no conocemos.
    No me importa la manera en que vuelvas, pero vuelve pronto.
Uso ▸ Se utiliza en registros cultos.

OTRAS EXPRESIONES SIMILARES:

▸▸**Como** + *modo* (ver entrada 137): Es de uso más frecuente.
▸▸**Conforme** + *modo* (ver entrada 166), **De esta manera / De este modo** (ver entrada 225) y **Según** + *modo* (ver entrada 644): Tienen usos parecidos.

La, usos del artículo femenino. Entradas 420 a 424.

420

LA MAÑANA = Presenta la parte del día que va desde primera hora hasta la hora de almorzar.

> ▸ *A mí me gusta levantarme pronto por la mañana.*
> ▸ *Las tiendas están abiertas desde las nueve de la mañana hasta las ocho de la noche.*

Gramática ▸ Expresión de tiempo.
Estructura ▸ Se utiliza precedido de: *por, de, a... por la mañana / de mañana / a las... de la mañana.*

CONTRASTE CON MAÑANA:

▸▸**Mañana** (ver entrada 448): Se refiere al día después de hoy, no a una parte del día.
  *Nos vemos **mañana** por la mañana, ¿de acuerdo?*

421

LA MAR DE = Indica que una cualidad es grande.

> ▸ *Es una mujer la mar de simpática. En todas las fiestas es el centro de atención.*
> ▸ *¿Estás haciendo ese puzzle? Es la mar de difícil.*

Gramática ▸ Locución adjetiva de cantidad.
Estructura ▸ Se utiliza seguido de un adjetivo o de un adverbio.
Uso ▸ Sólo se utiliza en registros familiares y coloquiales.

OTRA EXPRESIÓN SIMILAR:

▸▸**Muy** (ver entrada 478): Es de uso más frecuente.

422

LA MAYOR PARTE DE = Se refiere a la casi totalidad de un grupo de cosas o de personas.

▶ *La mayor parte de los universitarios empieza el curso a primeros de octubre.*
▶ *La mayor parte del agua embalsada se utiliza para uso doméstico.*

Gramática ▶ Locución adjetiva de cantidad.
Estructura ▶ Se utiliza seguido de un determinante y un sustantivo incontable en singular o de un sustantivo contable en plural y un verbo en tercera persona del singular.

OTRA EXPRESIÓN SIMILAR:

➠**La mayoría de** (ver entrada 423): Se utiliza sólo con sustantivos contables en plural y, en general, es más utilizado para referirse a personas que a cosas.

423

LA MAYORÍA DE = Se refiere a la casi totalidad de un grupo de cosas o de personas.

▶ *La mayoría de los electores votó a ese partido por el carisma de su presidente.*
▶ *A la mayoría de los españoles les preocupa el desempleo.*

Gramática ▶ Locución adjetiva de cantidad.
Estructura ▶ Se utiliza seguido de un determinante y un sustantivo contable en plural y un verbo en tercera persona del singular.

OTRA EXPRESIÓN SIMILAR:

➠**La mayor parte de** (ver entrada 422): Se utiliza tanto con sustantivos contables en plural como con sustantivos incontables en singular, y se usa para referirse a personas y a cosas. Sin embargo, para referirse a personas, es más frecuente **La mayoría de**.

424

LA VERDAD = Expresa que se es sincero al dar una opinión o una información que tal vez puede molestar.

▶ *- Te he comprado esto. ¿Te gusta?*
 • Pues, la verdad, no es muy de mi estilo.
▶ *La verdad es que no podemos seguir así. Estamos todo el día discutiendo. Tenemos que hacer algo.*

Gramática ▶ Locución adverbial de modo.
Uso ▶ Se usa en contextos coloquiales.

CONTRASTE CON DE VERDAD / FRANCAMENTE:

➠**De verdad** (ver entrada 240): Se utiliza para confirmar la veracidad y certeza de una información dada.
*Tú no me crees, pero, **de verdad,** no he sido yo quien ha hecho esto.*

➠**Francamente** (ver entrada 367): Se utiliza para mostrar sinceridad sin tener en cuenta los sentimientos u opiniones del interlocutor.
*Si me preguntas mi opinión, **francamente**, no me gusta nada.*

425

LEJOS (DE) = Sitúa algo o a alguien con relación a otro lejano.

> ▸ - *¿Dónde vives?*
>   • *Yo vivo muy lejos, en otro país.*
> ▸ *Mi casa está bastante lejos de la estación. Así que, cuando llegues, toma un taxi.*

Gramática	▸ Adverbio y locución preposicional de lugar.
Origen	▸ **Lejos** < *laxius*, adverbio comparativo de *laxus* (lat.)
Uso	▸ Se opone a *cerca de* + lugar (ver entrada 130).

426

LIGERAMENTE = Describe una cosa o una persona de forma un poco negativa.

> ▸ *Esta sopa está ligeramente salada.*
> ▸ *La Mona Lisa tiene una sonrisa ligeramente amarga.*

Gramática	▸ Adverbio de modo.
Estructura	▸ Se utiliza seguido de un adjetivo.
Uso	▸ Se suele utilizar para hacer una valoración negativa, pero evitando herir los sentimientos del oyente o siendo prudentes con él.

OTRAS EXPRESIONES SIMILARES:

▸▸**Algo** + *adjetivo* (ver entrada 72), **Un poco** (ver entrada 755) y **Un tanto** (ver entrada 759): Tienen el mismo significado, pero en contextos más familiares. **Ligeramente** tiene un marcado uso culto.

Llegar < *plicāre* (lat.)
Uso de la perífrasis. Entradas 427 y 428.

427

LLEGAR A + infinitivo = Expresa un éxito, algo que se ha conseguido con esfuerzo.

> ▸ *Empezó de botones y llegó a dirigir el hotel.*
> ▸ *No estaba totalmente seguro, pero he llegado a creer lo que me has contado.*

Gramática	▸ Perífrasis verbal perfectiva.

428

LLEGAR A SER = Expresa los éxitos progresivos experimentados por una persona como resultado del esfuerzo personal.

> ▸ *Mi hijo ha llegado a ser director de un banco.*
> ▸ *- ¿Qué quieres ser de mayor?*
>   • *Pues yo pienso llegar a ser el mejor actor del mundo.*

Gramática	▸ Expresión de cambio.

➤➤

CONTRASTE CON OTROS VERBOS DE CAMBIO:

>> **Convertirse en** (ver entrada 176) y **Transformarse en** (ver entrada 745): Se refieren a cambios radicales en una persona o cosa.

*Ese convento **lo han convertido** en una discoteca de moda.*

>> **Hacerse** (ver entrada 392): Expresa los cambios definitivos experimentados por una persona como resultado de la evolución natural o resultado de la decisión propia.

***Se hizo** budista.*

>> **Ponerse** (ver entrada 552): Se refiere a un cambio rápido e instantáneo y de poca duración.

***Me he puesto** muy nervioso, pero ya se me ha pasado.*

>> **Quedarse** + *cambio* (ver entrada 619): Se refiere a cambios como el resultado de una situación o acción anterior.

*Voy a ponerme un jersey. **Me he quedado** frío de estar cenando en el jardín.*

>> **Volverse** (ver entrada 776): Se refiere a transformaciones rápidas, pero definitivas.

*Jerónimo **se ha vuelto** muy callado. Con lo charlatán que era antes. ¿Qué le habrá pasado?*

Llevar < *levāre* (lat.)
Usos de las perífrasis. Entradas 429 a 431.

429

LLEVAR + gerundio = Expresa el tiempo que dura una actividad.

▶ *Llevo **trabajando** quince años en esta empresa.*
▶ *Antonio y Marina **llevaban** ya mucho tiempo discutiendo. Así que se han separado.*

Gramática ▶ Perífrasis verbal durativa.
Estructura ▶ Se utiliza el verbo *llevar* en:

■ Presente cuando hablamos de una actividad actual.
Llevo tres años estudiando español.

■ Imperfecto, cuando nos referimos a una actividad pasada.
Antes de estudiar español, estudiaba japonés. Llevaba cinco años estudiándolo cuando lo dejé.

Uso ▶ Sólo se utiliza con verbos que implican una actividad.

CONTRASTE CON OTRAS EXPRESIONES DE TIEMPO:

>> **Desde hace** + *tiempo* (ver entrada 262): Hace énfasis en el origen temporal de un acontecimiento presente, no en su duración.

***Desde hace** unos días no me encuentro muy bien.*

>> **Hace... que** (ver entrada 386): Tiene un significado parecido, pero se puede utilizar tanto con verbos que implican una actividad, como con verbos de situación.

***Hace** tres años **que** estoy en este departamento.*

L

430

LLEVAR + número + participio = Indica la cantidad de lo que se ha hecho.

> ▸ *Tengo que escribir todas estas cartas y ya llevo doscientas (escritas).*
> ▸ *Este documento está fatal. Llevo ya quince errores contados. Haz el favor de corregir-lo y luego me lo das.*

❚Gramática ▸ Perífrasis verbal terminativa.

OTRA EXPRESIÓN SIMILAR:

↠**Tener** + *participio* (ver entrada 730): Tiene un significado parecido, pero insiste más en el estado concreto de las cosas, mientras que con **Llevar** + *participio* se insiste en la idea de contar.

431

LLEVAR SIN + infinitivo = Indica el tiempo que ha transcurrido sin realizar una acción.

> ▸ *Llevo tres años sin verle. Habrá cambiado mucho.*
> ▸ *Estoy muerto. Llevo dos días sin dormir bien. No sé qué me pasa.*

❚Gramática ▸ Perífrasis verbal durativa.

> Lo. Usos del pronombre.
> Entradas 432 a 441.

432

LO + adjetivo = Destaca una característica de varias.

> ▸ *Lo bueno de vivir en un pueblo pequeño es el contacto con la naturaleza.*
> ▸ *Pues, al final, lo mejor de la película eran los actores.*

❚Gramática ▸ Expresión de énfasis.
❚Estructura ▸ Se utiliza seguido de un adjetivo en forma masculina o de un adverbio.

CONTRASTE CON OTRAS EXPRESIONES DE ÉNFASIS:

↠**Lo de** (ver entrada 435): Se refiere a un tema o asunto presentado antes.
*Estoy de acuerdo contigo en **lo de** la reunión.*

↠**Lo de que** (ver entrada 436): Se refiere a una propuesta u opinión presentada antes.
*Estoy de acuerdo contigo en **lo de que** debemos reunirnos.*

↠**Lo que** (ver entrada 438): Se refiere a algo dicho anteriormente.
*No es eso **lo que** yo he dicho.*

433

LO + adjetivo / adverbio + QUE = Señala de forma intensa una característica.

> ▸ *No sabes lo bien que habla español.*
> ▸ *A mí me sorprendió lo caro que es ese restaurante.*

❚Gramática ▸ Expresión de énfasis.
❚Estructura ▸ Se utiliza con adjetivos y adverbios y un verbo en Indicativo.

434

LO CUAL = Se refiere a algo que se acaba de decir.

▸ *Le dije que se fuera, lo cual le molestó mucho.*
▸ *Hubo una disminución de los beneficios, lo cual supone una crisis, claro.*

Gramática ▸ Pronombre relativo compuesto.
Estructura ▸ Se utiliza seguido de un verbo en Indicativo.

435

LO DE = Se refiere a un tema o asunto ya mencionado previamente.

▸ *No me gusta nada lo de Luis. Parece muy complicado.*
▸ *Oye, lo del concierto del sábado, imposible. No quedan entradas.*

Gramática ▸ Locución pronominal.
Estructura ▸ Se utiliza seguido de un nombre propio o de un determinante y sustantivo.

CONTRASTE CON **OTRAS EXPRESIONES DE ÉNFASIS:**

▸▸**Lo** + *adjetivo* (ver entrada 432): Destaca una característica de varias.
*Me gusta mucho **lo** amable que eres.*

▸▸**Lo de que** (ver entrada 436): Se refiere a una propuesta u opinión presentada antes.
*Estoy de acuerdo contigo en **lo de que** debemos reunirnos.*

▸▸**Lo que** (ver entrada 438): Se refiere a algo dicho anteriormente.
*No es eso **lo que** yo he dicho.*

OTRA EXPRESIÓN SIMILAR:

▸▸**Eso de** (ver entrada 337): Marcamos una distancia más grande, indicando que es algo dicho por otra persona. Con **Lo de** nos referimos de forma más neutra a un tema.

436

LO DE QUE = Se refiere a una propuesta u opinión presentada previamente.

▸ *No estoy de acuerdo en lo de que pagues tú toda la cena. Yo pago la mitad.*
▸ *¿Es verdad lo de que te vas a vivir a México?*

Gramática ▸ Locución conjuntiva de relativo.
Estructura ▸ Se utiliza seguido de:
        ■ Indicativo cuando damos una opinión.
            Es interesante lo de que se puede clonar a la gente, ¿no?
        ■ Subjuntivo cuando hacemos una propuesta.
            Me parece bien lo de que vayamos a ver a Arturo mañana.

CONTRASTE CON **OTRAS EXPRESIONES DE ÉNFASIS:**

▸▸**Lo** + *adjetivo* (ver entrada 432): Destaca una característica de varias.
*Me gusta mucho **lo** amable que eres.*

L

> ▸▸**Lo de** (ver entrada 435): Se refiere a un tema o asunto presentado antes.
> *Estoy de acuerdo contigo en **lo de** la reunión.*
>
> ▸▸**Lo que** (ver entrada 438): Se refiere a algo dicho anteriormente.
> *No es eso **lo que** yo he dicho.*

437

LO MÍO / LO TUYO = Se refiere a lo característico o propio de cada persona.

▸ *Yo no entiendo de números. Lo mío son las letras.*
▸ *¡Qué comediante eres! Lo tuyo es el teatro.*

Gramática ▸ Expresión de propiedad.
Estructura ▸ Se utiliza seguido de un verbo en Indicativo.

438

LO QUE = Se refiere a algo dicho o presente en la conversación.

▸ *Lo que no entiendo es por qué no me llamaste.*
▸ *Y a ti, ¿lo que te preocupa es eso?*

Gramática ▸ Locución conjuntiva de relativo.
Estructura ▸ Se utiliza seguido de un verbo en Indicativo o Subjuntivo.

CONTRASTE CON **OTRAS EXPRESIONES DE ÉNFASIS:**

> ▸▸**Lo** + *adjetivo* (ver entrada 432): Destaca una característica de varias.
> *Me gusta mucho **lo** amable que eres.*
> ▸▸**Lo de** (ver entrada 435): Se refiere a un tema o asunto presentado antes.
> *Estoy de acuerdo contigo en **lo de** la reunión.*
> ▸▸**Lo de que** (ver entrada 436): Se refiere a una propuesta u opinión presentada antes.
> *Estoy de acuerdo contigo en **lo de que** debemos reunirnos.*

439

LO QUE PASA ES QUE = Presenta la causa de un problema.

▸ *Nos hemos enfadado. Lo que pasa es que él y yo somos muy diferentes.*
▸ *He llegado tarde. Lo que pasa es que me he quedado dormido.*

Gramática ▸ Locución conjuntiva de causa.
Estructura ▸ Se utiliza seguido de un verbo en Indicativo.

CONTRASTE CON **OTRAS EXPRESIONES DE CAUSA:**

> ▸▸**A fuerza de** (ver entrada 18), **De puro** (ver entrada 231) y **De tanto** (ver entrada 233):
> Presentan la causa como el resultado de la insistencia o continuidad de algo.
> ***A fuerza de** trabajar consiguió lo que se proponía.*

▶▶**Debido a** (ver entrada 245): Se utiliza sólo en contextos formales.
Debido a la falta de acuerdos no se firmó el convenio.

▶▶**Es que** (ver entrada 334): Presenta la causa como un pretexto o una justificación.
Me voy. Es que me duele muchísimo la cabeza.

▶▶**Gracias a** + *causa* (ver entrada 376): Presenta la causa como algo bien aceptado.
Pudo solucionar ese problema gracias a tu ayuda.

▶▶**Por** + *causa* (ver entrada 555): Presenta la causa con una connotación negativa.
Ha perdido la cartera por despistado.

▶▶**Si (es que)** (ver entrada 687): Se presenta una causa que se supone conocida por todos. **Lo que pasa es que** presenta la causa de un problema que se considera no conocida.

- *Ven con nosotros a esquiar.*
- *¡Cómo voy a ir a esquiar, si es que no tengo esquís!*

OTRA EXPRESIÓN SIMILAR:

▶▶**Porque** (ver entrada 588): Es la expresión de causa más general y utilizada. **Lo que pasa es que** sólo se utiliza para explicar la causa de un problema.

440

LO QUE SE DICE = Reafirma el uso de una palabra.

▶ *¿Juan? Es muy simpático, simpatiquísimo, lo que se dice una persona simpática.*
▶ *No, no. La fiesta no fue lo que se dice divertida.*

Gramática ▶ Expresión de énfasis.
Estructura ▶ Se utiliza seguido de un adjetivo o de un determinante y un sustantivo.
Uso ▶ Se utiliza en contextos familiares y coloquiales.

441

LO SIENTO = Expresa una petición de disculpa o una reacción de tristeza ante algo.

▶ *Sé que he llegado con retraso. Lo siento. Es que el tráfico estaba fatal.*
▶ *- He suspendido el examen de conducir.*
  • ¡Vaya, lo siento!

Gramática ▶ Expresión de disculpa.

CONTRASTE CON OTRAS EXPRESIONES DE DISCULPA:

▶▶**Sentir** (ver entrada 649): Expresa una sensación o sentimiento ante algo.
Siento mucho que no puedas venir mañana.

▶▶**Sentir** + *información* (ver entrada 650): Expresa una opinión o constata una información.
Siento que es verdad lo que dices.

442

LOS / LAS + número = Se refiere a un grupo completo de algo del que se sabe el número de miembros exacto.

▸ *Somos ocho para comer y los ocho tenemos que entrar en esta mesa tan pequeña.*
▸ *Los veinte que éramos decidimos votar y zanjar de una vez la cuestión.*

❚Gramática ▸ Artículo determinado plural.

CONTRASTE CON **AMBOS / EL UNO Y/CON EL OTRO / TODOS:**

▸▸**Ambos/as** (ver entrada 81): Remite a dos elementos presentados antes.
*He leídos dos artículos muy interesantes. **Ambos** te van a gustar, pero este es mejor.*
▸▸**El uno y/con el otro, La una y/con la otra** (ver entrada 290): Se utilizan para referirse a dos personas de forma recíproca.
*Son muy cariñosos **el uno con el otro**.*
▸▸**Todo/a/os/as** (ver entrada 739): Se utilizan para referirse a todos los elementos de un grupo, cuyo número es superior a dos y ya ha sido dicho antes o se presupone.
*En esta clase sois quince alumnos y **todos** tenéis que ir mañana a la secretaría.*

443

LOS DEMÁS / LAS DEMÁS = Se refiere a una parte de un grupo que no ha sido mencionada todavía.

▸ *Todos no podemos ir juntos. Ignacio, Míriam y Raúl van en mi coche. Los demás en el coche de Vicente.*
▸ *Se presentaron doscientas personas al concurso. Fueron seleccionados diez. Los demás recibieron solamente un diploma.*

❚Gramática ▸ Locución pronominal.
❚Origen ▸ **Demás** < *de magis* (lat.)

444

LOS MÍOS / LOS TUYOS = Se refiere a la familia de alguien.

▸ *Dale un beso a los míos.*
▸ *- ¡Hola! ¿Qué tal los tuyos?*
  • Pues todos muy bien, gracias.

❚Gramática ▸ Expresión de propiedad.
❚Uso ▸ Se utiliza en un contexto coloquial.

445

LUEGO = Se refiere a un tiempo posterior que los interlocutores saben cuál es.

▸ *Esta tarde tengo una reunión hasta las ocho. Si quiere, podemos vernos luego.*
▸ *- ¿Nos vemos a las siete?*
  • Muy bien. Hasta luego.

Gramática ▸ Adverbio de tiempo.

CONTRASTE CON **OTRAS EXPRESIONES DE TIEMPO:**

▸▸**Después** (ver entrada 267): Significa lo mismo, pero va al principio de la frase.
Fuimos a su casa. ***Después*** *salimos a dar un paseo.*

▸▸**Más tarde** (ver entrada 454): Indica un tiempo posterior específico.
*Nada más descubrir el robo llamamos a la policía. Cinco minutos **más tarde** estaban aquí.*

▸▸**Tras** (ver entrada 746): Expresa posterioridad en el espacio o en el tiempo físico o figurado. Se utiliza siempre en relación a una referencia temporal dada y en contextos más cultos.
***Tras** los acontecimientos de aquella tarde, optó por dejar la política.*

446

LUEGO + frase = Presenta una deducción lógica.

▸ *- Es un poco contradictorio, pero parece coherente.*
  • Luego estás de acuerdo conmigo.
▸ *Pienso, luego existo.*

Gramática ▸ Conjunción ilativa con valor consecutivo.
Estructura ▸ Se utiliza seguido de un verbo en Indicativo.

CONTRASTE CON **OTRAS EXPRESIONES DE CONSECUENCIA:**

▸▸**Así (es) que** (ver entrada 99): Se utiliza para expresar una consecuencia de cualquier tipo.
*Todavía no lo he visto, **así que** no le he podido dar tu mensaje.*

▸▸**Entonces** + *consecuencia* (ver entrada 327): Se utiliza para expresar una consecuencia que se considera una información nueva, no implícita.
*No vino a la reunión, **entonces** tuve que llamarle y explicárselo todo.*

▸▸**O sea, que** (ver entrada 518): Se utiliza para expresar una consecuencia que se supone implícita, que se puede deducir de lo ya dicho.
*Estoy cansadísimo, **o sea, que** me voy a la cama.*

▸▸**Por (lo) tanto** (ver entrada 578): Se utiliza para hacer énfasis en la relación de causa-efecto.
*Han descendido los tipos de interés, y, **por lo tanto**, las hipotecas han bajado.*

447

MAL QUE = Expresa una oposición a algo, pero no impide su realización.

> ▸ *Tendrá que hacer este trabajo mal que le pese.*
> ▸ *Mal que gane el equipo contrario, el Real Madrid es el mejor.*

Gramática ▸ Locución conjuntiva concesiva.
Origen ▸ **Mal** < apócope de *malo*.
Estructura ▸ Se utiliza seguido de un verbo en Subjuntivo.
Uso ▸ Sólo se utiliza en la lengua oral y coloquial y no es muy frecuente.

OTRA EXPRESIÓN SIMILAR:

▸▸**Aunque** (ver entrada 107): Es de uso mucho más frecuente.

448

MAÑANA = Se refiere al día siguiente.

> ▸ *Mañana nos vemos.*
> ▸ *Esto es para mañana. Date prisa, por favor.*

Gramática ▸ Adverbio de tiempo.
Origen ▸ **Mañana** < *maneāna* (lat.)

CONTRASTE CON LA MAÑANA:

▸▸**La mañana** (ver entrada 420): Presenta la parte del día que va desde primera hora hasta la hora de almorzar.
En verano el sol sale a las siete de la mañana.

449

MAS = Presenta un nuevo elemento que contrasta con otro anterior.

> ▸ *Me gustaría ir, mas no puedo.*
> ▸ *Es muy difícil, mas no imposible.*

Gramática ▸ Conjunción adversativa.
Uso ▸ Se utiliza en la lengua escrita con un matiz culto y arcaizante.

CONTRASTE CON PERO:

▸▸**Pero** (ver entrada 539): Es de uso más común y generalizado.
Tiene un coche nuevo, pero no le funciona nada bien.

Más < *maes* (lat.)
Usos del adverbio. Entradas 450 a 455.

450

MÁS = Indica una cantidad mayor de algo.

> ▸ *Si te gusta la sopa, ponte más.*
> ▸ *Necesito más dinero. No llego a final del mes.*

▸▸

▸▸ ❚Gramática ▸ Adverbio de cantidad.

CONTRASTE CON **OTRO**:

▸▸**Otro/a/os/as** (ver entrada 523): Sirve para referirse a una cantidad mayor. Se utiliza con sustantivos contables. **Más** se refiere siempre a sustantivos no contables.
*Si te gusta la sopa, ponte **otro** plato.*

451

MÁS AÚN = Añade una información para confirmar lo que se acaba de decir.

▸ *Es una persona muy solitaria. Más aún, casi no tiene amigos ni conocidos.*
▸ *Mi hijo este año está estudiando mucho. Más aún, todas sus notas son sobresalientes.*

❚Gramática ▸ Locución conjuntiva ilativa.
❚Estructura ▸ Se utiliza seguido de un verbo en Indicativo.
❚Uso ▸ Se utiliza en contextos formales.

OTRA EXPRESIÓN SIMILAR:

▸▸**Es más** (ver entrada 333): Es de uso más común.

452

MÁS BIEN = Expresa que el objeto valorado tiene una tendencia hacia esa cualidad.

▸ *Es un color más bien verde. Entre azul y verde.*
▸ *Yo no te lo aconsejo. Es un piso más bien caro, la verdad.*

❚Gramática ▸ Locución adverbial.
❚Estructura ▸ Se utiliza seguido de un adjetivo calificativo.

CONTRASTE CON **OTRAS EXPRESIONES DE VALORACIÓN**:

▸▸**Bastante** + *adjetivo* (ver entrada 111): Sirve para valorar positivamente una cualidad sin expresar entusiasmo.
*La fiesta fue **bastante** divertida, pero, si lo sé, no voy.*

▸▸**Especialmente** (ver entrada 339), **Realmente** (ver entrada 629) y **Verdaderamente** (ver entrada 773): Sirven para expresar el punto de vista sobre algo que se considera insólito o sorprendente.
*Este niño es **realmente** listo para su edad, ¿no? Sólo tiene cuatro años y habla de maravilla.*

▸▸**Sumamente** (ver entrada 715): Sirve para expresar el punto de vista sobre algo, en general, positivo.
*Es una obra **sumamente** divertida. Yo te la recomiendo, si te gustan las comedias, claro.*

453

MÁS DE = Expresa una cantidad superior aproximada.

> ▸ *Ayer comí más de la cuenta.*
> ▸ *Había más de doscientas personas en el banquete y todavía había sitio para más.*

Gramática ▸ Expresión de comparación.
Estructura ▸ Se utiliza seguido de un número o de una expresión de cantidad.
Uso ▸ Indica un término de la comparación.

CONTRASTE CON **MÁS... QUE**:

▸▸**Más... que** (ver entrada 455): Se establece una comparación. Con **Más de** se indica una cantidad aproximada.
*En la fiesta de Ana había **más** gente **que** en la de Juan, pero no éramos **más de** veinte.*

454

MÁS TARDE = Indica un tiempo posterior específico.

> ▸ *Nada más descubrir el robo llamamos a la policía. Cinco minutos más tarde estaban en casa.*
> ▸ *Dijo que volvería en un par de meses y volvió diez años más tarde.*

Gramática ▸ Locución adverbial de tiempo.
Estructura ▸ Se utiliza precedido de una unidad de tiempo y con un verbo en Indicativo.

CONTRASTE CON **OTRAS EXPRESIONES DE TIEMPO**:

▸▸**Después** (ver entrada 267): Se utiliza para indicar un tiempo posterior sin especificar cuánto.
*Fuimos a su casa. **Después** nos fuimos a dar un paseo.*
▸▸**Tras** (ver entrada 746): Se utiliza siempre con relación a una referencia temporal dada y en contextos más cultos.
***Tras** los acontecimientos de aquella tarde, optó por dejar la política.*

455

MÁS(...) QUE = Presenta una comparación de superioridad.

> ▸ *Este me gusta más que el otro, ¿qué te parece?*
> ▸ *Alberto es más alto que su hermano.*

Gramática ▸ Expresión comparativa de superioridad.

CONTRASTE CON **OTRAS CONSTRUCCIONES COMPARATIVAS**:

▸▸**Menos... que** (ver entrada 464): Se utiliza para hacer una comparación de inferioridad.
*Su casa tiene **menos** metros **que** la mía, es más pequeña.*
▸▸**Tan... como** (ver entrada 724) y **Tanto como** (ver entrada 727): Se utilizan para hacer una comparación de igualdad.
*Jorge tiene **tantos** años **como** yo, somos de la misma edad.*

456   **ME** = Pronombre personal objeto de primera persona. Ver cuadro de pronombres.

457   **MEDIANTE** = Presenta el modo o el medio de conseguir algo.

> ▸ *Se van a recaudar fondos mediante una cuestación popular.*
> ▸ *Los políticos esperan conseguir votos mediante campañas publicitarias agresivas.*

Gramática ▸ Preposición.
Origen   ▸ **Mediante** < *medians, mediantis* (lat.), participio activo de mediar.
Uso   ▸ Se utiliza en un registro formal.

OTRA EXPRESIÓN SIMILAR:

▸▸ **Con** + *instrumento* (ver entrada 153): Se utiliza en todos los registros.

458   **MEJOR** = Adjetivo comparativo de superioridad de *bueno*. Ver cuadro de comparativos.

459   **MEJOR DICHO** = Corrige una información recién dada o la forma de expresarla.

> ▸ *Se van a comprar un coche de segunda mano. Mejor dicho, se lo han comprado ya.*
> ▸ *Sé puntual. Ven a las cinco. Mejor dicho, a las cinco menos cinco.*

Gramática ▸ Locución conjuntiva ilativa.

OTRA EXPRESIÓN SIMILAR:

▸▸ **¡Qué digo!** (ver entrada 610): Significa lo mismo. Se usa en contextos coloquiales o familiares.

460   **MENGANO / MENGANA** = Habla de forma hipotética de la identidad de alguien.

> ▸ *Yo qué sé quién lo hizo: Mengano. ¿Qué más da?*
> ▸ *Tú imagínate que viene ahora alguien a casa, Mengano, ¿qué crees que pensaría de este caos?*

Gramática ▸ Sustantivo masculino y femenino.
Origen   ▸ **Mengano** < *man kán* (árabe), quien sea.
Uso   ▸ Se usa en un registro coloquial y para referirse a una segunda persona hipotética.

OTRAS EXPRESIONES SIMILARES:

▸▸ **Fulano/a** (ver entrada 371): Se utiliza más frecuentemente. **Mengano** sólo se utiliza después de esta forma.

▸▸ **Zutano/a** (ver entrada 800): Sólo se utiliza para referirse a terceras personas, después de **Mengano**.

461

MENOS = Indica una cantidad menor de algo.

> ▸ *Tengo que trabajar menos, estoy muy estresado.*
> ▸ *No me des tanto dinero, dame menos, que la leche no cuesta tanto.*

▮Gramática ▸ Adverbio de cantidad.

462

MENOS DE = Expresa una cantidad inferior aproximada.

> ▸ *Tengo menos de 6 euros, no creo que pueda ir al cine.*
> ▸ *Las vacaciones empiezan en menos de dos semanas. ¡Qué ganas tengo!*

▮Gramática ▸ Expresión de comparación.
▮Estructura ▸ Se utiliza seguido de un número o de una expresión de cantidad.
▮Uso ▸ Indica un término de la comparación.

CONTRASTE CON **MENOS... QUE**:

▸▸**Menos... que** (ver entrada 464): Se establece una comparación. Con **Menos de** se indica una cantidad aproximada.
*En la fiesta de Ana había **menos** gente **que** en la de Juan, éramos **menos de** veinte.*

463

MENOS MAL = Expresa alivio por algo que no ha ocurrido.

> ▸ *- Tuve un accidente, pero no me pasó nada.*
> • *Menos mal.*
> ▸ *Había un perro en el jardín. Menos mal que estaba atado.*

▮Gramática ▸ Expresión de sentimiento.
▮Estructura ▸ Se utiliza seguido de *que* y un verbo en Indicativo:
  ■ En Imperfecto para referirse a una situación.
    Se fue la luz por la noche, menos mal que tenía unas velas.
  ■ En Indefinido o Perfecto para referirse a un acontecimiento.
    Menos mal que no has venido, porque la fiesta ha sido muy aburrida.

464

MENOS... QUE = Presenta una comparación de inferioridad.

> ▸ *No es muy bonito, pero es menos caro que el otro.*
> ▸ *A mí, la verdad, me gusta menos, bastante menos que el mío. ¿Quieres verlo?*

▮Gramática ▸ Expresión comparativa de inferioridad.

CONTRASTE CON **OTRAS CONSTRUCCIONES COMPARATIVAS**:

▸▸**Más(...) que** (ver entrada 455): Se utiliza para hacer una comparación de superioridad.
*Tu coche es **más** rápido **que** el mío, corre más.*

▶▶**Tan... como** (ver entrada 724) y **Tanto como** (ver entrada 727): Se utilizan para hacer una comparación de igualdad.

*Jorge tiene **tantos** años **como** yo, somos de la misma edad.*

---

465 **MI / MIS** = Adjetivos posesivos de primera persona. Ver cuadro de posesivos.

---

466 **MÍ** = Pronombre personal objeto de primera persona. Ver cuadro de pronombres.

Mientras, usos de la conjunción y de la locución.
Entradas 467 a 470.

---

467 **MIENTRAS** = Presenta un acontecimiento como simultáneo a otro.

▶ *¿No has empacado todavía? Mientras acabas, voy bajando las maletas al auto.*
▶ *Mientras estés de viaje, te regaré las plantas. Te lo prometo.*

Gramática ▶ Conjunción de tiempo.
Estructura ▶ Se utiliza seguido de:
■ Indicativo cuando se refiere a algo presente o pasado. Si es pasado, va en Imperfecto.
*Mientras **trabajabas**, he hecho las maletas. Ya nos podemos ir.*
■ Presente de Subjuntivo cuando es una acción futura.
*Mientras le **dure** la fiebre, no se mueva de la cama.*

CONTRASTE CON **MIENTRAS TANTO**:

▶▶**Mientras tanto** (ver entrada 470): Se utiliza cuando los dos acontecimientos son informaciones nuevas. Con **Mientras**, en cambio, el acontecimiento primero no es una información nueva, sino que es conocida por las personas que están hablando.

*¡Que te destinan dos meses a Alicante! Pues **mientras** estés allí, yo me ocupo de tu departamento, no te preocupes.*

*Mira, he decidido que me tomo unos días de vacaciones, y tú, **mientras tanto**, te encargas del despacho. ¿De acuerdo?*

468

MIENTRAS + condición = Presenta una condición simultánea.

> ▸ *Mientras estés con nosotros, no te faltará de nada.*
> ▸ *Estoy embarazada y estaré trabajando mientras pueda.*

Gramática ▸ Locución conjuntiva condicional.
Estructura ▸ Se utiliza seguido de un verbo en Subjuntivo.
Uso ▸ Tiene un matiz temporal.

OTRA EXPRESIÓN SIMILAR:

▸▸**Si** + *condición* (ver entrada 681): Es la expresión condicional más general. **Mientras** hace énfasis en el valor temporal de la condición.

469

MIENTRAS QUE = Presenta dos informaciones subrayando que son distintas.

> ▸ *La investigación genética está avanzando mucho, mientras que la legislación no sabe cómo controlarla.*
> ▸ *Me paso el día trabajando mientras que tú no haces nada.*

Gramática ▸ Locución conjuntiva adversativa.

CONTRASTE CON OTRAS EXPRESIONES ADVERSATIVAS:

▸▸**En cambio** (ver entrada 303): Significa lo mismo. Cambia la estructura.
*La investigación genética está avanzando mucho. La legislación, **en cambio**, no sabe cómo controlarla.*

▸▸**Sin embargo** (ver entrada 699): Expresa una oposición parcial a una información expresada anteriormente.
*La situación económica de la empresa es mala. **Sin embargo**, haremos un esfuerzo para poder subir los sueldos este año.*

470

MIENTRAS TANTO = Presenta un acontecimiento como simultáneo a otro.

> ▸ *Me voy a casa y vuelvo en una hora. Mientras tanto, vete archivando estos documentos.*
> ▸ *Estuvo destinado en Buenos Aires. Mientras tanto, Elena hizo su trabajo.*

Gramática ▸ Locución adverbial de tiempo.
Estructura ▸ Se utiliza seguido de un verbo en Indicativo.

CONTRASTE CON MIENTRAS:

▸▸**Mientras** (ver entrada 467): Se utiliza cuando el acontecimiento primero no es una información nueva, sino que es conocida por las personas que están hablando.
*Juan está en Barcelona y yo, **mientras** esté allí, me ocupo de su departamento.*
*Juan se va a Barcelona y **mientras tanto**, yo me ocupo de su departamento.*

OTRA EXPRESIÓN SIMILAR:

▸▸**Entretanto** (ver entrada 330): Significa lo mismo, pero no es tan usual como **Mientras tanto**.

471 **MÍO / MÍA / MÍOS / MÍAS** = Pronombres posesivos de primera persona. Ver cuadro de posesivos.

Mirar < *mirāri* (lat.), admirarse.
Usos del verbo. Entradas 472 a 474.

472 **MIRA / MIRE** = Introduce una explicación.

▶ *Mira, para hacer este plato tienes que comprar...*
▶ *- ¿La calle Ezequiel González, por favor?*
  • *Sí, mire, todo recto, la tercera a la izquierda.*

Gramática ▶ Expresión de llamada de atención.
Estructura ▶ Se usa en un registro coloquial.

473 **MIRA QUE** = Señala un dato que puede ser contradictorio con lo dicho por quien escucha.

▶ *- Mañana llegaré un poco más tarde.*
  • *Mira que el jefe no está de buen humor.*
▶ *- ¿Y si nos vemos a las siete?*
  • *Mira que tienes cita en el dentista a las seis y que no habrás acabado a esa hora.*

Gramática ▶ Expresión de reproche.
Estructura ▶ Se utiliza seguido de un verbo en Indicativo.
Uso ▶ Se emplea en un registro coloquial.

OTRA EXPRESIÓN SIMILAR:

▶▶**Pero si** (ver entrada 541): Significa lo mismo. Se usa en todos los registros.

474 **MIRÁNDOLO BIEN** = Presenta una deducción como resultado del análisis que cambia una primera opinión.

▶ *Ayer estuve pensando en tu oferta y, mirándolo bien, creo que vamos a aceptarla.*
▶ *Tienes razón, estaba confundido. Mirándolo bien, se nota claramente que no es suyo.*

Gramática ▶ Expresión ilativa.
Estructura ▶ Se utiliza seguido de un verbo en Indicativo.
Uso ▶ Se usa en un registro coloquial.

OTRAS EXPRESIONES SIMILARES:

▶▶**Bien mirado** (ver entrada 115) y **Si se mira bien** (ver entrada 690): Significan lo mismo.

475

MISMO / MISMA / MISMOS / MISMAS = Señala que algo o alguien es idéntico a otra cosa o persona.

▸ *Yo me parezco mucho a mi padre, tenemos el mismo carácter.*
▸ *Claro que reconoces estos libros, son los mismos que tú me dejaste.*

Gramática ▸ Pronombre o adjetivo indefinido.
Estructura ▸ Se utiliza precedido de un artículo determinado (*el, la, los, las*).

Mucho < *multus* (lat.), abundante.
Usos del adverbio y el adjetivo. Entradas 476 y 477.

476

MUCHO = Matiza un verbo aumentando su intensidad.

▸ *Esta película me gusta mucho.*
▸ *¡Qué cambiado estás! Has crecido mucho.*

Gramática ▸ Adverbio de cantidad.

CONTRASTE CON **POCO**:

▸▸**Poco** (ver entrada 544): Matiza un verbo disminuyendo su intensidad.
*Mis abuelos han viajado **poco**.*

477

MUCHO / MUCHA / MUCHOS / MUCHAS = Se refiere a cantidades altas de una forma imprecisa.

▸ *Hay mucha gente aquí, vámonos a otro sitio.*
▸ *Lo siento, tengo mucho trabajo y no puedo salir contigo hoy.*

Gramática ▸ Adjetivo indefinido.

CONTRASTE CON **OTRAS EXPRESIONES DE VALORACIÓN**:

▸▸**Bastante/es** (ver entrada 110). Es una gradación de cantidad, es menos que **Mucho**.
*Había **bastante** gente en el estreno de la obra.*
▸▸**Muy** (ver entrada 478) y **Tan** (ver entrada 723): Se utilizan para matizar adjetivos o adverbios, es decir, características. **Mucho** y **Tanto** se emplean para matizar sustantivos, es decir, algo.
*Este museo es **tan** bueno porque hay **muchos** cuadros.*
▸▸**Tanto/a/os/as** (ver entrada 726): Se utiliza cuando ya ha aparecido en el contexto la idea de **Mucho**.
*Hay **mucho** ruido aquí. Con **tanto** ruido no podemos hablar. Vámonos.*
*Había **mucha** gente, **tanta** que no cabía en la sala.*

Muy < apócope de *muitu* y este de *multum* (lat.)
Usos del adverbio. Entradas 478 a 480.

478

MUY = Matiza un adjetivo o adverbio.

▸ *Es muy bonito. Me gusta.*
▸ *Lo has hecho muy bien. Te mereces un premio.*

Gramática ▸ Adverbio.
Estructura ▸ Se utiliza seguido de adjetivos calificativos o de los adverbios *bien* y *mal*.

CONTRASTE CON OTRAS EXPRESIONES DE VALORACIÓN:

▸▸**Algo** + *adjetivo* (ver entrada 72), **Demasiado** (ver entrada 255), **Un poco** (ver entrada 755) y **Un tanto** (ver entrada 759): Dan un matiz negativo al adjetivo al que acompañan.
*Este jersey es bonito, pero **algo** llamativo para mi forma de ser, ¿no te parece?*

▸▸**Bastante** +*adjetivo* (ver entrada 111): Se utiliza para valorar positivamente una cualidad sin expresar entusiasmo.
*La fiesta fue **bastante** divertida, pero, si lo sé, no voy.*

▸▸**Especialmente** (ver entrada 339), **Realmente** (ver entrada 629) y **Verdaderamente** (ver entrada 773): Sirven para expresar el punto de vista sobre algo que se considera insólito o sorprendente.
*Este niño es **realmente** listo para su edad, ¿no? Sólo tiene cuatro años y habla de maravilla.*

▸▸**La mar de** (ver entrada 421): Significa lo mismo que **Muy**, pero sólo se utiliza en contextos coloquiales y familiares.
*Es **la mar de** simpático. Ya verás cómo te cae bien.*

▸▸**Más bien** (ver entrada 452): Sirve para expresar que el objeto valorado tiene una tendencia hacia esa cualidad.
*Es una chica **más bien** rubia, castaña clara, muy clara.*

▸▸**Sumamente** (ver entrada 715): Sirve para expresar el punto de vista sobre algo, en general, positivo.
*Es una obra **sumamente** divertida. Yo te la recomiendo, si te gustan las comedias, claro.*

▸▸**Tan** (ver entrada 723): Matiza una valoración de forma subjetiva. Con **Muy** califica algo de forma subjetiva.
*Es un coche **muy** bonito, pero **tan** caro... Voy a mirar más.*

479

MUY DE MAÑANA = Se refiere a una hora muy temprana.

▸ *Ayer salí de casa muy de mañana.*
▸ *Si quieres llegar a la playa con tiempo para bañarte, sal muy de mañana.*

Gramática ▸ Expresión de tiempo.

480

MUY SEÑOR MÍO / MUY SEÑORA MÍA = Es la fórmula utilizada para iniciar una carta formalmente.

▸ *Muy señores míos:*
Por la presente...

Gramática ▸ Expresión para correspondencia formal.

Nada < *[res] nata* (lat.), [cosa] nacida.
Usos del pronombre, el adjetivo y la locución.
Entradas 481 a 483.

481

NADA = Se refiere a la no existencia de una cosa.

- ▸ *Lo siento, no tengo nada.*
- ▸ *No me queda nada en la nevera. Tengo que ir a la compra.*

Gramática ▸ Pronombre indefinido.
Estructura ▸ Si el pronombre va detrás del verbo, este va precedido del adverbio negativo *no*.

CONTRASTE CON OTROS INDEFINIDOS:

▸▸ **Algo** (ver entrada 71): Es la forma afirmativa. **Nada** es negativo.
*No sé **nada** de este tema. Y tú, ¿sabes **algo**?*

▸▸ **Nadie** (ver entrada 484): Se refiere a una persona, no a una cosa.
*No conozco a **nadie** que sea astronauta.*

▸▸ **Ninguno/a/os/as** (ver entrada 492): Se refiere a cosas, animales y personas de un grupo concreto.
*No tengo **ninguno** de los discos que me prestaste. Te los devolví todos.*

482

NADA + adjetivo = Expresa la ausencia de la cualidad señalada.

- ▸ *- ¿Qué te ha parecido?*
  • No es nada interesante, no te lo recomiendo.
- ▸ *- Alberto no estaba nada contento con el resultado de su examen.*
  • ¿Y suspendió?

Gramática ▸ Adverbio de cantidad.
Estructura ▸ Se utiliza seguido de un adjetivo calificativo.

CONTRASTE CON OTRAS EXPRESIONES DE VALORACIÓN:

▸▸ **Algo** + *adjetivo* (ver entrada 72), **Un tanto** (ver entrada 759) y **Un poco** (ver entrada 755): Dan un matiz negativo al adjetivo al que acompañan.
*Este jersey es bonito, pero **algo** llamativo para mi forma de ser, ¿no te parece?*

483

NADA MÁS = Presenta un acontecimiento como inmediatamente posterior a otro.

- ▸ *- Nada más llegar al hotel, me llamó.*
  • ¿Y qué tal hizo el viaje?
- ▸ *- Nada más salir las notas, te llamo. Te lo prometo.*
  • Te lo agradezco, estoy un poco nervioso por ese asunto.

Gramática ▸ Locución adverbial de tiempo.
Estructura ▸ Se utiliza seguido de un infinitivo y la frase principal en Indicativo.

▶▶ CONTRASTE CON **CUANDO**:

▶▶**Cuando** (ver entrada 186): Se utiliza para describir un momento sin prestar especial atención al tiempo que transcurre entre una acción y otra. Con **Nada más** expresamos que el acontecimiento ocurre inmediatamente después de la acción presentada por la expresión temporal.
- Te llamaré **cuando** llegue al hotel.
• No, no. **Nada más** llegar al hotel. Recuerda que me ponen muy nervioso los aviones, y si tardas mucho en llamar...

OTRAS EXPRESIONES SIMILARES:

▶▶**Apenas** + _acontecimiento_ (ver entrada 92), **Así que** (ver entrada 100), **En cuanto** (ver entrada 307), **No bien** (ver entrada 495) y **Tan pronto como** (ver entrada 725): Tienen el mismo significado, pero se utilizan seguidas de verbos conjugados.

484

NADIE = Se refiere a la no existencia de una persona.

▶ _No, no he visto a_ nadie _conocido en la fiesta._
▶ _¿_Nadie _sabe la respuesta?_

Gramática ▶ Pronombre indefinido.
Estructura ▶ Si el pronombre va detrás del verbo, este va precedido del adverbio negativo _no_.
▶ Puede ir seguido de _que_ + Subjuntivo.
No hay nadie _que hable cincuenta idiomas._

CONTRASTE CON **OTROS INDEFINIDOS**:

▶▶**Alguien** (ver entrada 74): Es la forma afirmativa. **Nadie** es negativo.
Conozco a **alguien** que habla cuatro idiomas, es Antonio; pero no conozco a **nadie** que hable más idiomas.

▶▶**Nada** (ver entrada 481): Se refiere a cosas, no a personas.
No tengo **nada** para ti. Lo siento.

▶▶**Ninguno/a/os/as** (ver entrada 492): Se refiere a cosas, animales y personas de un grupo concreto.
No tengo contacto con **ninguno** de mis amigos de la infancia.

485

NECESITAR = Expresa la necesidad de algo o de alguien.

▶ _Necesito **un bolígrafo. ¿Me puedes dejar el tuyo un momento?**_
▶ _Necesito **que envíes este fax urgentemente.**_

Gramática ▶ Verbo transitivo.
Origen ▶ **Necesitar** < _necessĭtas, -ātis._ (lat.)

▶▶

Estructura ▸ Se utiliza seguido de:

■ Infinitivo cuando la necesidad es de una acción. El sujeto de los dos verbos es el mismo.

Yo necesito (yo) salir un momento a tomar el aire, no me encuentro bien.

■ *Que* + Subjuntivo cuando el sujeto de los dos verbos es diferente.

Yo necesito que Marta y tú salgáis un momento de la habitación, tengo que hablar con Paco.

CONTRASTE CON DEBER / TENER QUE / HABER QUE:

▸▸ **Deber** + *infinitivo* (ver entrada 243) y **Tener que** + *infinitivo* (ver entrada 732): Expresan la obligación de hacer algo.

*Mira, **debes** tratar con más respeto a tu padre. Es mayor y...*

▸▸ **Haber que** + *infinitivo* (ver entrada 382): Expresa una obligación de forma impersonal.

*Para cocinar bien este plato **hay que** hacerlo a fuego lento.*

OTRAS EXPRESIONES SIMILARES:

▸▸ **Hacer falta** (ver entrada 390): Tiene un uso similar, pero en forma impersonal.

▸▸ **Ser necesario / Ser preciso** (ver entrada 670): Se utilizan en un contexto más culto y para referirse a la necesidad de hacer algo.

Ni < *nic* (lat.)
Usos de la conjunción. Entradas 486 a 491.

486

NI = Añade otro elemento negativo.

▸ *- ¿Qué te apetece comer, carne o pescado?*
  • *No quiero ni carne ni pescado. Hoy me apetece una ensalada.*
▸ *- Esto no es mío ni de mi mujer. ¿Tú sabes de quién es?*
  • *No. Tampoco es mío.*

Gramática ▸ Conjunción copulativa.

487

NI HABLAR = Expresa una respuesta negativa a una solicitud o propuesta.

▸ *- ¿Y si se lo compramos al niño?*
  • *Ni hablar. Ya tiene muchos juguetes.*
▸ *- ¿Vamos a dar un paseo?*
  • *Ni hablar. Hace mucho frío.*

Gramática ▸ Expresión de rechazo.
Uso   ▸ Se usa en registros coloquiales.

►►

OTRAS EXPRESIONES NEGATIVAS:

►►**Claro que no** (ver entrada 133) y **Desde luego que no** (ver entrada 265): Se utilizan para responder negativamente a una pregunta.

►►**De eso ni hablar** (ver entrada 224): Se utiliza para rechazar enérgicamente una propuesta, un plan o una petición.

►►**Ni se te ocurra** (ver entrada 490): Se utiliza para responder negativa y enérgicamente a una petición de permiso para hacer algo.

►►**No** (ver entrada 493): Es la negación más neutra, se utiliza en cualquier contexto.

►►**¡Qué va!** (ver entrada 614): Es una forma enérgica y coloquial de decir que no.

488

NI IDEA = Indica que no se sabe algo.

▶ - *¿Cuántos años tiene Raúl?*
   • *Ni idea. Pregúntaselo a él.*
▶ - *A mí me parece que los proparoxítonos se acentúan todos.*
   • *No tengo ni idea de lo que estás hablando. Explícamelo, por favor.*

Gramática ▶ Expresión para indicar desconocimiento.
Uso ▶ Se utiliza en contextos coloquiales y orales.

OTRA EXPRESIÓN SIMILAR:

►►**No saber** (ver entrada 505): Es la negación más neutra. **Ni idea** es más enérgica.

489

NI QUE = Compara algo con una situación extrema.

▶ - *¿Por qué has comprado tanta comida? Ni que fuéramos un ejército a comer.*
   • *Por si acaso.*
▶ - *No sé por qué te pones así, ni que fueras el único que tiene problemas.*
   • *No, pero esto es serio.*

Gramática ▶ Locución conjuntiva de comparación.
Estructura ▶ Se utiliza seguido de:
   ■ Imperfecto de Subjuntivo para referirse a una situación presente.
      Pon la música más baja. Ni que fueras sordo.

   ■ Pluscuamperfecto de Subjuntivo para referirse a una situación pasada.
      ¡Qué desordenada está tu habitación! Ni que hubiera pasado un tornado.
Uso ▶ Se utiliza en un registro coloquial.

CONTRASTE CON COMO SI:

►►**Como si** (ver entrada 139): Describe una sensación comparándola con algo similar.
*Me duele la cabeza **como si** me dieran golpes.*

490

NI SE TE OCURRA = Indica una respuesta negativa y enérgica a una petición de permiso para hacer algo.

▸ *- Mamá, ¿puedo ver la tele?*
    • *Ni se te ocurra. Es una película para mayores y, además, es muy tarde. A la cama.*
▸ *Ni se te ocurra salir sin abrigo. Hace mucho frío.*

Gramática	▸ Expresión de rechazo.
Uso	▸ Se usa en contextos coloquiales.

OTRAS EXPRESIONES NEGATIVAS:

▸▸**Claro que no** (ver entrada 133) y **Desde luego que no** (ver entrada 265): Se utilizan para responder negativamente a una pregunta.

▸▸**De eso ni hablar** (ver entrada 224) y **Ni hablar** (ver entrada 487): Se utilizan para rechazar una petición o solicitud de algo.

▸▸**No** (ver entrada 493): Es la negación más neutra, se utiliza en cualquier contexto.

▸▸**¡Qué va!** (ver entrada 614): Es una forma enérgica y coloquial de decir que no.

491

NI SIQUIERA = Expresa que no parece normal que no se haya producido algo.

▸ *Es un maleducado. No me ha dicho nada. Ni siquiera me ha saludado.*
▸ *En este viaje no he visto nada, ni siquiera el centro histórico.*

Gramática	▸ Locución adverbial de negación.
Uso	▸ Se utiliza para añadir una segunda negación.

CONTRASTE CON TAMPOCO:

▸▸**Tampoco** (ver entrada 721): Se utiliza también para añadir otra negación, pero sin introducir ningún valor subjetivo más. Con **Ni siquiera** se marca que es algo que rompe lo esperado y lo que se considera normal.

*No ha venido a vernos. **Tampoco** nos ha llamado. **Ni siquiera** nos ha avisado de que estaba aquí.*

492

NINGUNO / NINGUNA / NINGUNOS / NINGUNAS = Expresa la no existencia de una cosa o persona de un grupo concreto.

▸ *¿Un pastel? Ya no me queda ninguno.*
▸ *No ha venido ninguno de tus amigos a la fiesta. ¡Qué raro!*

Gramática	▸ Adjetivo o pronombre indefinido.
Origen	▸ **Ninguno** < *nec unus* (lat.), ni uno.
Estructura	▸ Concuerdan en género y número con el sustantivo al que acompañan o al que sustituyen.
	▸ Cuando el adjetivo masculino singular *ninguno* acompaña a un sustantivo, éste tiene la forma apocopada *ningún*.
Uso	▸ Las formas del plural se utilizan muy poco.

Contraste con OTROS INDEFINIDOS:

▸▸**Alguno/a/os/as** (ver entrada 76): Es la forma afirmativa. **Ninguno** es negativo.

*No he comprado **ninguno** de los libros que estaban de oferta, eran muy malos, solo **algunos** clásicos.*

▸▸**Nada** (ver entrada 481): Se refiere a la no existencia de una cosa en general. **Ninguno** habla de la no existencia de una persona o cosa de un grupo determinado.

*No me queda **ningún** caramelo en el bolsillo. Mira, no hay **nada**.*

▸▸**Nadie** (ver entrada 484): Se refiere a la no existencia de una persona en general. **Ninguno** se refiere a la no existencia de una persona o cosa de un grupo determinado.

*No conozco a **nadie** que pueda ayudarte, **ninguno** de mis amigos tiene ese libro que buscas.*

No < *non* (lat.)
Usos del adverbio. Entradas 493 a 511.

493

NO = Expresa una respuesta negativa.

▸ *- ¿Quieres un caramelo?*
  • *No.*
▸ *- ¿Ha venido ya Nati?*
  • *No, viene más tarde.*

▌Gramática ▸ Adverbio de negación.

Otras expresiones negativas:

▸▸**Claro que no** (ver entrada 133) y **Desde luego que no** (ver entrada 265): Se utilizan cuando es una confirmación de lo que ha dicho la otra persona.

▸▸**De eso ni hablar** (ver entrada 224) y **Ni hablar** (Ver entrada 487): Se utilizan para rechazar una petición o solicitud de algo.

▸▸**¡Qué va!** (ver entrada 614): Es una forma enérgica y coloquial de decir que no.

494

NO... ANTES BIEN = Sustituye un elemento por otro.

▸ *- ¡Qué bonito! Es de oro, ¿no?*
  • *No es de oro, antes bien de un metal dorado cualquiera.*
▸ *- Bueno, ¿aceptáis mi propuesta?*
  • *No aceptamos tu propuesta, antes bien la propuesta hecha por todo el equipo.*

▌Gramática ▸ Locución conjuntiva adversativa.
▌Uso ▸ Se utiliza en un registro culto y literario.

Otra expresión similar:

▸▸**No..., sino (que)** (ver entrada 508): Significa lo mismo. Se utiliza en todos los registros.

495

NO BIEN = Presenta un acontecimiento como inmediatamente posterior a otro.

> ▸ *No bien se detectó el robo, saltaron todas las alarmas.*
> ▸ *La ley entrará en vigor no bien sea promulgada.*

Gramática ▸ Locución conjuntiva de tiempo.
Estructura ▸ Se utiliza seguido de:
- ■ Presente de Indicativo cuando nos referimos a acontecimientos habituales o presentes.
  Pues yo, normalmente, no bien llego a casa, me quito los zapatos.
- ■ Indefinido en los dos verbos de la frase para referirnos a acontecimientos pasados. No se utiliza nunca el Imperfecto, ya que se trata de acontecimientos.
  La llamó por teléfono no bien se enteró de la noticia.
- ■ Presente de Subjuntivo para referirse a acontecimientos futuros.
  No bien terminemos esto, habrá que empezar con el nuevo proyecto.

OTRAS EXPRESIONES SIMILARES:

▸▸**Apenas** + *acontecimiento* (ver entrada 92): Significa lo mismo.
▸▸**Así que** (ver entrada 100), **En cuanto** (ver entrada 307) y **Tan pronto como** (ver entrada 725): Tienen un uso más frecuente y coloquial.
▸▸**Cuando** (ver entrada 186): Es la expresión de tiempo más general.

496

NO DEJES DE = Da un consejo sobre las intenciones futuras de alguien.

> ▸ *Si vas a Sevilla no dejes de visitar el Alcázar, es una maravilla.*
> ▸ *¿Que te vas de viaje en coche? No dejes de llamarme en cuanto llegues.*

Gramática ▸ Expresión de consejo.
Estructura ▸ Se utiliza seguido de un infinitivo.
Uso ▸ Se usa en registros coloquiales.

497

NO ES QUE = Rechaza una justificación posible.

> ▸ *Quiero tomarme unos días libres. No es que esté cansado, es que tengo unos asuntos pendientes.*
> ▸ *No voy a ir con Roberto. No es que me caiga mal, es que no puedo.*

Gramática ▸ Expresión negativa de causa.
Estructura ▸ Se utiliza seguido de un verbo en Subjuntivo.
Uso ▸ Se emplea en un registro coloquial.

498

NO LLEGAR A + infinitivo = Expresa las pocas posibilidades de que ocurra algo.

> ▸ *Está muy nublado, pero no creo que llegue a llover.*
> ▸ *A pesar de la crisis de la empresa, no llegaremos a cerrarla.*

▸▸ ▌Gramática ▸ Perífrasis verbal perfectiva.

OTRA EXPRESIÓN SIMILAR:

▸▸**No pasar de** + *infinitivo* (ver entrada 502): Se utiliza para expresar las pocas posibilidades de que ocurra algo más de lo que se dice.

---

499 **NO... MÁS** = Indica que ya no ocurre algo.

▸ *No voy más a ese gimnasio. Los horarios no me venían bien.*
▸ *Ya no salgo más con Beatriz, nos hemos separado.*

▌Gramática ▸ Expresión de tiempo.
▌Estructura ▸ Se utiliza con verbos de acción en Presente de Indicativo.
▌Uso ▸ Se utiliza en contextos informales y orales.

OTRAS EXPRESIONES SIMILARES:

▸▸**Dejar de** + *infinitivo* (ver entrada 251), **Parar de** + *infinitivo* (ver entrada 533) y **Ya no** (ver entrada 795): Significan lo mismo, pero son de uso más frecuente.

---

500 **NO... MÁS DE** = Indica una cantidad como algo inferior a la prevista.

▸ *En la conferencia no hubo más de quince personas.*
▸ *Estaban buenísimos, pero no me comí más de dos pasteles. Es que estoy a dieta.*

▌Gramática ▸ Expresión de cantidad.
▌Estructura ▸ Se utiliza con un número o una expresión de cantidad y un verbo en Indicativo.

CONTRASTE CON SÓLO:

▸▸**Sólo** + *cantidad* (ver entrada 709): Indica una cantidad pequeña como algo inferior a lo previsto, pero, además, hace énfasis en que es una cantidad baja.
*Fue decepcionante. **Sólo** vinieron a la reunión diez invitados.*

---

501 **¡NO ME DIGAS!** = Expresa sorpresa ante una información.

▸ *- He encontrado trabajo.*
  • *¡No me digas! Me alegro muchísimo. Esto hay que celebrarlo.*
▸ *- Carlos y Begoña van a tener otro hijo.*
  • *¡No me digas! Voy a llamarlos ahora mismo para felicitarlos.*

▌Gramática ▸ Expresión de sorpresa.
▌Uso ▸ Se utiliza en contextos familiares.

▸▸

➤➤**¿De veras?** / **¿De verdad?** (ver entrada 239): Significan lo mismo. Además solicitamos una confirmación a nuestro interlocutor, que no se espera en **¡No me digas!**

➤➤**No puede ser** (ver entrada 504): Tiene un matiz de rechazo.

➤➤**¡Qué pena!** / **¡Qué raro!** / **¡Qué suerte!** (ver entrada 613): Sirven para expresar sorpresa por algo que además se considera inusual.

➤➤**¿Sí?** + *indiferencia* (ver entrada 677): Expresa sorpresa e indiferencia.

502

NO PASAR DE + infinitivo = Expresa las pocas posibilidades de que ocurra algo más de lo que se dice.

▸ *No te preocupes por el perro. No pasa de ladrar.*
▸ *Aunque te encuentres mal, no pasará de tener fiebre y poco más.*

Gramática ▸ Perífrasis verbal perfectiva.

OTRA EXPRESIÓN SIMILAR:

➤➤**No llegar a** + *infinitivo* (ver entrada 498): Expresa las pocas posibilidades de que ocurra algo.

503

NO PORQUE..., SINO = Niega una causa posible y presenta la verdadera.

▸ *Este mes voy mal de dinero, no porque haya gastado mucho, sino porque gano poco.*
▸ *Teresa y Alfonso se han separado, no porque se llevaran mal, sino porque no se querían.*

Gramática ▸ Expresión negativa de causa.
Estructura ▸ Se utiliza seguido de un verbo en Subjuntivo.

504

NO PUEDE SER = Expresa rechazo ante algo.

▸ *¡Que te han despedido! ¡No puede ser! Si es que la situación está fatal.*
▸ *No puede ser que estemos esperando aquí más de tres horas y no venga nadie.*

Gramática ▸ Expresión coloquial de rechazo.
Estructura ▸ Puede ir seguido de *que* + Subjuntivo.
 No puede ser que haya tanta contaminación y los políticos no hagan nada.

OTRAS EXPRESIONES SIMILARES:

➤➤**¿De veras?** / **¿De verdad?** (ver entrada 239) y **¡No me digas!** (ver entrada 501): Sirven para expresar sorpresa. Son las expresiones más neutras y se utilizan en situaciones positivas y negativas. Con **¿De veras?** / **¿De verdad?**, además, solicitamos una confirmación a nuestro interlocutor, que no se espera en **¡No me digas!**

➤➤**¡Qué pena!** / **¡Qué raro!** / **¡Qué suerte!** (ver entrada 613): Sirven para expresar sorpresa por algo que además se considera inusual.

➤➤**¿Sí?** + *indiferencia* (ver entrada 677): Expresa sorpresa e indiferencia.

505

NO SABER = Indica una respuesta indicando desconocimiento.

> ▶ *- ¿Qué es esto?*
>   • *No sé.*
> ▶ *- ¿Vas a venir a cenar a casa?*
>   • *No lo sé. Depende del trabajo.*

Gramática ▶ Expresión para indicar desconocimiento.
Uso ▶ *No lo sé* se utiliza cuando se trata de un hecho puntual.

OTRA EXPRESIÓN SIMILAR:

↠**Ni idea** (ver entrada 488): Es más enérgica y se usa sólo en contextos coloquiales y orales.

506

NO SABER SI / NO SABER DÓNDE = Expresa duda sobre algo del futuro.

> ▶ *- Antonio, ¿sabes cuándo vendrá Elisa?*
>   • *No sé si vendrá hoy o mañana, no me lo dijo.*
> ▶ *No sé cuándo podré ir a Asturias.*

Gramática ▶ Expresión de duda.
Estructura ▶ Se utiliza seguido de un interrogativo: *si, qué, dónde, cuándo* + Indicativo.
  ▶ Se utiliza el verbo *Saber* en:
    • Presente cuando nos referimos a dudas sobre el futuro.
      No sé si mañana podré ir con vosotros de excursión.
    • Imperfecto cuando nos referimos a dudas en el pasado.
      Cuando te llamé, no sabía si podría ir con vosotros.

507

NO SEA QUE = Expresa que se desea que algo no ocurra.

> ▶ *Me voy, no sea que llegue tarde a la cita.*
> ▶ *Déjame algo de dinero, no sea que no me alcance para el pan.*

Gramática ▶ Locución conjuntiva condicional.
Estructura ▶ Se utiliza seguido de un verbo en Subjuntivo.

508

NO..., SINO (QUE) = Sustituye un elemento por otro.

> ▶ *No es mío, sino que es de Jesús. Dáselo a él.*
> ▶ *No me gusta el pescado, sino el marisco.*

Gramática ▶ Locución conjuntiva adversativa.
Estructura ▶ Se utiliza con la conjunción *que* cuando el elemento que sustituye es una frase, seguido de un verbo en Indicativo.
Uso ▶ Se emplea además para presentar el elemento que sustituye como una sorpresa. ▶▶

⏩ **OTRA EXPRESIÓN SIMILAR:**

⏩**No... antes bien** (ver entrada 494): Significa lo mismo. Se utiliza sólo en contextos cultos y literarios.

509

NO TAN... COMO PARA = Indica que una cualidad no es suficiente para que algo ocurra.

▸ *Ha cometido un error no tan grave como para que le despidamos, ¿no os parece?*
▸ *Mira, no eres tan inteligente como para no estudiar los verbos. Repásalos.*

Gramática ▸ Expresión de comparación.
Estructura ▸ Se utiliza con adjetivos calificativos que concuerdan en género y número con el sujeto; el adjetivo puede ir acompañado del verbo *ser* y seguido de:
■ Infinitivo cuando los sujetos de las dos frases son el mismo.
Pablo vale mucho, pero no es tan inteligente como para ser (él) el mejor de la clase.

■ *Que* + Subjuntivo cuando los sujetos de las dos frases son distintos. Es el uso más frecuente.
Pablo vale mucho, pero no es tan inteligente como para que (nosotros) se lo repitamos todo el día.

CONTRASTE CON OTRAS CONSTRUCCIONES COMPARATIVAS:

⏩**No... tanto como para** (ver entrada 510): Se utiliza para indicar que la intensidad que se emplea en una actividad no es suficiente para algo.
*No, no voy ir contigo al cine. Es que ya he visto la película y **no** me gustó **tanto como para** volverla a ver.*

⏩**No... tanto/a/os/as... como para** (ver entrada 511): Se utilizan para indicar que una cantidad de algo no es suficiente para hacer una actividad.
*A la fiesta **no** vendrán **tantos** invitados **como para** que no quepamos en la mesa.*

510

NO... TANTO COMO PARA = Indica que la intensidad que se emplea en una actividad no es suficiente para que algo ocurra.

▸ *No ha trabajado tanto como para que se merezca subir de puesto.*
▸ *Este libro no me ha gustado tanto como para que te lo recomiende, la verdad.*

Gramática ▸ Expresión de comparación.
Estructura ▸ Se utiliza seguido de:
■ Infinitivo cuando los sujetos de las dos frases son el mismo.
No me he confundido tanto como para avergonzarme, ¿no te parece?
■ *Que* + Subjuntivo cuando los sujetos de las dos frases son distintos
No me he confundido tanto como para que te avergüences de mí.
Uso ▸ El verbo de la actividad realizada va en Presente, en Perfecto o en Indefinido.

►►

Cᴏɴᴛʀᴀsᴛᴇ ᴄᴏɴ **OTRAS CONSTRUCCIONES COMPARATIVAS:**

►► **No tan... como para** (ver entrada 509): Se utiliza para indicar que una cualidad no es suficiente para algo.

*No está mal esta película, **no** es **tan** mala **como para** que no vayas a verla.*

►► **No... tanto/a/os/as... como para** (ver entrada 511): Se utilizan para indicar que una cantidad de algo no es suficiente para realizar una actividad.

*A la fiesta **no** vendrán **tantos** invitados **como para** que no quepamos en la mesa.*

511

NO... TANTO / NO TANTA / NO TANTOS / NO TANTAS... COMO PARA = Indica que una cantidad de algo no es suficiente para que ocurra un acontecimiento.

▶ *A la fiesta no vendrán tantos invitados como para que no quepamos en la mesa.*
▶ *La casa es muy grande, pero no hay tantas habitaciones como para que presumas así de ella.*

Gramática ▶ Expresión de comparación.
Estructura ▶ Se utiliza con sustantivos y seguido de:
  ■ Infinitivo cuando los sujetos de las dos frases son el mismo.
    Sé dónde están mis papeles. No (yo) tengo tantos documentos como para no saber (yo) dónde los pongo.

  ■ *Que* + Subjuntivo cuando los sujetos de las dos frases son distintos:
    Archívame tú estos documentos, que (yo) no tengo tantos papeles como para que (tú) no sepas dónde ponerlos.

Cᴏɴᴛʀᴀsᴛᴇ ᴄᴏɴ **OTRAS CONSTRUCCIONES COMPARATIVAS:**

►► **No tan... como para** (ver entrada 509): Se utiliza para indicar que una cualidad no es suficiente para algo.

*No está mal esta película, **no** es **tan** mala **como para** que no vayas a verla.*

►► **No... tanto como para** (ver entrada 510): Se utiliza para indicar que la intensidad que se emplea en una actividad no es suficiente para algo.

*No, no voy a ir contigo al cine. Es que ya he visto la película y **no** me gustó **tanto como para** volverla a ver.*

512

NOS = Pronombre personal objeto de primera persona del plural. Ver cuadro de pronombres personales.

513

NOSOTROS / NOSOTRAS = Pronombres personales de primera persona del plural. Ver cuadro de pronombres personales.

N

514 **NUESTRO / NUESTRA / NUESTROS / NUESTRAS** = Adjetivos y pronombres posesivos de primera persona del plural. Ver cuadro de posesivos.

515 **NUNCA** = Indica la nula frecuencia de una actividad o acontecimiento.

> ▸ *Nunca veo el teatro en la tele, me aburre.*
> ▸ *No como nunca carne. No me gusta y me sienta mal.*

Gramática ▸ Adverbio de tiempo.
Origen ▸ **Nunca** < *nunquam* (lat.)
Uso ▸ Es lo contrario de *siempre* (ver entrada 693).

CONTRASTE CON **OTRAS EXPRESIONES DE NULA FRECUENCIA:**

▸▸**En la vida / En mi vida** (ver entrada 312): Es de uso coloquial y hace énfasis en que no se hace algo a lo largo de la vida.
*No he participado en una actividad política **en mi vida**.*
▸▸**Jamás** (ver entrada 415): Significa lo mismo. Tiene un matiz más enfático.
***Jamás** he dicho eso.*

516

O = Indica una alternativa entre dos o varias posibilidades.

> ▶ *¿Quieres té o café?*
> ▶ *¿Lo viste o no lo viste?*

Gramática ▶ Conjunción disyuntiva.
Origen ▶ **O** < *aut* (lat.)
Uso ▶ Se utiliza *o bien* cuando queremos enfatizar las alternativas.
Tienes que elegir uno, este o bien el otro.

CONTRASTE CON U:

▶▶**U** (ver entrada 751): Se utiliza cuando la palabra del segundo elemento empieza por "o" o por "ho".
*¿Quieres este **u** otro?*

517

O SEA = Aclara algo que se acaba de decir añadiendo más detalles.

> ▶ *La situación de la empresa es muy buena, o sea, que este año se han aumentado las ventas y habrá buenos resultados económicos al final del año.*
> ▶ *Carlos y Miguel son uña y carne, o sea, íntimos amigos.*

Gramática ▶ Locución conjuntiva ilativa.
Estructura ▶ Se utiliza seguido de una frase introducida por *que* y un verbo en Indicativo.
- Carlos y Miguel son uña y carne, o sea íntimos amigos.
• *Sí, se llevan muy bien.*

CONTRASTE CON OTRAS EXPRESIONES ILATIVAS:

▶▶**Es decir** (ver entrada 332): Se utiliza, además, para formular explícitamente las consecuencias de lo que se acaba de decir.
*No se celebrará la reunión anual, **es decir,** hay que buscar otra fecha para vernos todos.*
▶▶**Esto es** (ver entrada 360): Significa lo mismo.
*Belén y yo ya no salimos juntos. **Esto es**, ya no es mi novia.*

518

O SEA, QUE = Expresa la consecuencia implícita de algo.

> ▶ *- Él le dijo que no podía vivir sin ella, que era lo mejor que le había pasado. O sea, que estaba locamente enamorado de ella.*
> • *Y ella, ¿qué dijo?*
> ▶ *- Estoy terriblemente ocupado. O sea, que no puedo ir con vosotros.*
> • *¡Vaya, lo siento!*

Gramática ▶ Locución conjuntiva de consecuencia.
Estructura ▶ Se utiliza seguido de un verbo en Indicativo.

▶▶ CONTRASTE CON **OTRAS EXPRESIONES DE CONSECUENCIA:**

> ▶▶**Así (es) que** (ver entrada 99): Se utiliza para expresar una consecuencia de cualquier tipo.
> *Todavía no lo he visto, **así que** no le he podido dar tu mensaje.*
>
> ▶▶**Entonces** + *consecuencia* (ver entrada 327): Se utiliza para expresar una consecuencia que se considera una información nueva, no implícita.
> *No vino a la reunión, **entonces** tuve que llamarle y explicárselo todo.*
>
> ▶▶**Luego** + *frase* (ver entrada 446): Presenta una deducción lógica.
> *Pienso, **luego** existo.*
>
> ▶▶**Por (lo) tanto** (ver entrada 578): Se utiliza para hacer énfasis en la relación de causa-efecto.
> *Han descendido los tipos de interés y **por lo tanto**, las hipotecas han bajado.*

519

OCURRÍRSELE = Expresa que se tiene una idea repentina.

> ▸ *Se me ha ocurrido que podíamos ir al cine. ¿Te apetece?*
> ▸ *Pasó por delante del escaparate de una agencia de viajes, se le ocurrió que podían ir a algún lugar y sin pensárselo más, compró los pasajes.*

Gramática ▸ Verbo pronominal.
Estructura ▸ Se utiliza con el pronombre impersonal *se* y el verbo en tercera persona del singular.

CONTRASTE CON **PENSAR:**

> ▶▶**Pensar que** + *verbo* (ver entrada 537): Implica una mayor reflexión. En cambio, **Ocurrírsele** indica una idea repentina.
> *No me gusta este libro y, la verdad, **pienso que** es bastante malo.*

520

OJALÁ = Expresa un deseo que no es fácil que se produzca.

> ▸ *Ojalá venga pronto.*
> ▸ *Es la tercera vez que se presenta a ese dichoso examen. Ojalá lo apruebe esta vez.*

Gramática ▸ Interjección.
Origen ▸ **Ojalá** < *Iaw šá lláh* (árabe hispano), si Dios quiere.
Estructura ▸ Se utiliza seguido de:
■ Presente de Subjuntivo cuando indica un deseo realizable en el futuro.
Ojalá me den vacaciones en Navidad.
■ Imperfecto de Subjuntivo cuando expresa un deseo improbable.
Ojalá pudiera ir a verte, pero estoy muy ocupado y...
■ Pluscuamperfecto de Subjuntivo cuando expresa un deseo imposible, que no se ha producido.
Ojalá hubiera venido a verme. Hace tanto tiempo que no la veo que la echo de menos.
▸ Puede ir seguido de *que.*

▶▶ CONTRASTE CON **OTRAS EXPRESIONES DE DESEO:**

▶▶**A ver si** (ver entrada 36): Indica la posibilidad de que algo conocido o pensado ocurra.

*No está muy bien hecho. **A ver si** la próxima vez te sale mejor.*

▶▶**Así** + *deseo* (ver entrada 98): Expresa un deseo negativo o una maldición.

*Es un imbécil. **Así** le parta un rayo.*

▶▶**Esperar** (ver entrada 340): Es la expresión de esperanza más general y se utiliza tanto para expresar los deseos de quien habla como de cualquier otra persona. Las otras formas sólo son expresiones de deseo de quien las dice.

*María **espera** que vayamos a comer. Así que vámonos.*

▶▶**Que** + *deseo* (ver entrada 600): Expresa deseos en situaciones determinadas y establecidas culturalmente.

*¿Ya te vas a dormir? Pues **que** descanses.*

▶▶**¡Quién!** (ver entrada 623): Más que una esperanza muestra una amargura por algo que no se tiene o no se es.

*¿Que te ha tocado la lotería? ¡Qué suerte! ¡**Quién** fuera tú!*

---

521 **OS** = Pronombre personal objeto de segunda persona del plural. Ver cuadro de pronombres personales.

---

522 **OTRA VEZ** = Expresa la repetición de una acción.

▶ *¿Sabes? Ayer estuve otra vez con Eduardo. Es un chico fantástico.*
▶ *Estamos pensando en ir otra vez de viaje a Acapulco. Nos encanta ese sitio.*

❚Gramática ▶ Expresión de reiteración.

OTRAS EXPRESIONES SIMILARES:

▶▶**De nuevo** (ver entrada 229): Significa lo mismo.
▶▶**Volver a** + *infinitivo* (ver entrada 775): Es muy usual en relatos.

---

523 **OTRO / OTRA / OTROS / OTRAS** = Se refieren a una persona o cosa distinta de la que se habla.

▶ *Necesito otro coche. El que tengo está muy viejo.*
▶ *Por favor, dame otros dos sellos. Con estos no es suficiente.*

Gramática ▶ Adjetivo o pronombre indefinido.
Origen ▶ **Otro** < *altĕrum*, acusativo de *alter* (lat.)
Estructura ▶ Se utiliza seguido de un sustantivo contable.
Uso ▶ En español es imposible utilizar el artículo indeterminado *un, una, unos, unas* con *otro, otra, otros, otras*. Se puede usar con el artículo determinado *el, la, los, las* y tiene la función de identificar algo o a alguien distinto.

Juan no es ese de barba, sino el otro, el que tiene un jersey a rayas.
Dame un kilo de naranjas, pero no de esas, de las otras.

Contraste con **MÁS:**

>> **Más** (ver entrada 450): Sirve para referirse a una cantidad mayor de sustantivos no contables. Con **Otro** siempre se refiere a sustantivos contables.

*Si te gusta la sopa, ponte **más** / ponte **otro** plato.*

524

OYE / OIGA = Llama la atención de alguien para iniciar una conversación.

▸ *Oiga, por favor, ¿la calle Preciados?*
▸ *Oye, ¿tienes hora?*

Estructura ▸ Expresión de llamada de atención.
Uso ▸ Se utiliza en cualquier contexto.

Otras expresiones similares:

>> **Disculpa / Disculpe** (ver entrada 275): Se utiliza cuando pensamos que podemos molestar al interlocutor.

>> **Perdón / Perdona / Perdone** (ver entrada 538): Se utilizan para llamar la atención a alguien, para pedirle o preguntarle algo.

Para < del antiguo *pora*.
Usos de la preposición. Entradas 525 a 532.

525

PARA + fecha = Señala el plazo en el que se tiene que producir un acontecimiento futuro.

> ▸ *Inaugurarán el tren rápido para el 2009, quizás antes.*
> ▸ *Le darán la respuesta para agosto.*

Gramática ▸ Preposición para indicar tiempo.
Estructura ▸ Se utiliza seguido del nombre del mes o de *el* y un número cardinal indicando el día o el año, o un sustantivo referido a un tiempo (estación del año, día, etc.).
Uso ▸ Marca un límite con respecto a una fecha concreta y hace hincapié en que el acontecimiento puede realizarse antes.
> *Dejaré todo aclarado para el 31, el día de mi marcha.*

CONTRASTE CON OTRAS EXPRESIONES DE TIEMPO:

▸▸**A más tardar** (ver entrada 26): Indica el límite temporal en el que un acontecimiento futuro debe ocurrir.
> *Tienen que entregar los informes **a más tardar** el 25.*

▸▸**Antes de** + *hora / fecha* (ver entrada 89): Marca un límite de tiempo.
> *Dejaré todo acabado **antes de** dejar mi puesto de trabajo.*

▸▸**De aquí a** (ver entrada 220): Marca el plazo para que se produzca un acontecimiento insistiendo en el desarrollo de un periodo.
> *Todavía me faltan cinco meses, pero **de aquí a** que deje mi puesto, iré solucionando todas las cosas pendientes.*

▸▸**Dentro de** + *tiempo* (ver entrada 257): Indica el tiempo que tiene que transcurrir para que ocurra un acontecimiento.
> *Me voy, que he quedado con Marga **dentro de** un cuarto de hora.*

CONTRASTE CON POR:

▸▸**Por** + *fecha* (ver entrada 556): Indica el tiempo aproximado en que ocurre un acontecimiento pasado o futuro.
> *Lo vi por primera vez **por** el 2000 o 2001, ya no me acuerdo.*

▸▸**Por** + *parte del día* (ver entrada 561): Sirve para situar un acontecimiento en una parte aproximada del día.
> *Ayer me lo encontré **por** la mañana, a eso de las nueve y media.*

526

PARA + finalidad = Expresa la finalidad que se quiere conseguir con algo.

> ▸ *Me compré este anorak para ir a esquiar.*
> ▸ *Toma esta foto para que te acuerdes de mí.*

Gramática ▸ Preposición y locución conjuntiva para indicar finalidad.
Estructura ▸ Se utiliza seguido de:
   ■ Infinitivo cuando el sujeto de los dos verbos es el mismo.
   > *Voy a llamarla para saber si está bien.*

⏩ ■ *Que* + Subjuntivo cuando el sujeto de las dos acciones es distinto.
Yo voy a llamarla para que ella sepa que estamos bien.

- Presente de Subjuntivo cuando nos referimos a finalidades habituales.
Yo suelo saludar a mi portera todos los días, para que sepa que me he ido y para que vigile la casa.

- Presente de Subjuntivo cuando nos referimos a finalidades futuras.
Te prometo que te mandaré una carta semanal para que sepas cómo estoy.

- Imperfecto de Subjuntivo cuando nos referimos a finalidades pasadas.
Se lo dije para que no se enfadara.

CONTRASTE CON **POR:**

⏩ **Por** + *causa* (ver entrada 555): Se indica la causa de algo. Con **Para** se expresa la finalidad, el objetivo que se espera conseguir con algo.
*Apagó la tele **por** el miedo que le daba la película / **para** no pasar miedo y tener pesadillas esa noche.*

⏩ **Por** + *finalidad* (ver entrada 557): En este caso se utiliza la preposición **Por** con el sentido de expresar el motivo que provoca una acción. La diferencia de expresar lo mismo con **Para** es que no se indica el motivo de una acción, sino lo que se quiere conseguir con ella.
*Es una ONG que lucha **por** el hambre / **para** que desaparezca el hambre en el mundo.*

OTRAS EXPRESIONES SIMILARES:

⏩ **A fin de** (ver entrada 17), **Con el objeto de** (entrada 154) y **Con vistas a** (ver entrada 163): Se utilizan principalmente en contextos formales y en el lenguaje escrito.

527

PARA + infinitivo = Matiza una cualidad.

▸ *Este chorizo es muy bueno para hacerlo con alubias.*
▸ *- Esta pantalla es imprescindible para proteger los ojos ante el ordenador.*
   • *Sí, es necesaria para que no te duelan los ojos.*

▌Gramática ▸ Preposición para indicar cualidad.

528

PARA + lugar = Indica una meta o el objetivo de un movimiento que se puede alcanzar o no.

▸ *- Nos vamos de viaje en coche para el norte. A ver hasta dónde llegamos.*
   • *Pues os aconsejo que vayáis hasta Santiago, es una ciudad preciosa.*
▸ *- Me voy para casa. Me espera Ramón.*
   • *Dale recuerdos. Dile que lo veo el domingo.*

▌Gramática ▸ Preposición para indicar movimiento.
▌Estructura ▸ Se utiliza seguido de un determinante y de un sustantivo.

CONTRASTE CON **OTRAS PREPOSICIONES DE MOVIMIENTO**:

▸▸**A** + *lugar* (ver entrada 6): Indica el destino de un movimiento.
Me voy a casa, que me están esperando.

▸▸**Hacia** + *lugar* (ver entrada 394): Indica la dirección de un movimiento.
*Para ir a Bustarcillas siga por la carretera C-41 **hacia** Bollullos y cinco kilómetros antes verá la desviación.*

▸▸**Hasta** + *lugar* (ver entrada 399): Indica el punto final de un movimiento.
*Este tren no va **hasta** Huesca, sólo **hasta** Zaragoza. Allí tendrá que tomar otro.*

CONTRASTE CON **POR**:

▸▸**Por** + *lugar* (ver entrada 558): Indica el tránsito, el camino a través del cual se realiza el movimiento.
*El ladrón entró **por** la ventana.*

▸▸**Por** + *lugar aproximado* (ver entrada 559): Indica una localización aproximada.
*¿Hay una farmacia **por** aquí cerca?*

529

PARA + opinión = Expresa la opinión de alguien.

▸ *Para mí, son un error las medidas que han adoptado.*
▸ *Para Enrique lo que hay que hacer es cambiarlo todo.*

Gramática ▸ Preposición para expresar opinión.
Estructura ▸ Se utiliza seguido de un pronombre personal o de un nombre propio de persona o un determinante y un sustantivo.

CONTRASTE CON **SEGÚN**:

▸▸**Según** + *alguien* (ver entrada 643): Expresa que una opinión la ha dicho o es de alguien.
***Según** Ignacio van a convocar una nueva reunión ahora.*

530

PARA + persona = Expresa el destinatario de una acción.

▸ *Toma, esto es para ti. ¡Feliz cumpleaños!*
▸ *Traigo este paquete para Fernando. Se lo manda una tal Mónica.*

Gramática ▸ Preposición para indicar destinatario.
Estructura ▸ Se utiliza seguido de un pronombre personal, de un nombre propio de persona o de un determinante y un sustantivo.

CONTRASTE CON **POR**:

▸▸**Por** + *persona* (ver entrada 562): Indica el agente de la voz pasiva.
*Este libro fue escrito **por** un profesor de español.*

▶▶ **Por** + *persona* (ver entrada 563): Expresa la sustitución de una persona por otra.
*Mañana no puedo venir. Acude tú a la reunión **por** mí.*

CONTRASTE CON **A**:

▶▶ **A** + *alguien / algo* (ver entrada 3): Se utiliza también para indicar el destinatario de algo. Con **Para** se quiere enfatizar el destinatario.
*Le he comprado un regalo **a** Alberto.*

531

PARA EL... QUE / PARA LA... QUE / PARA LO... QUE = Matiza una información dicha.

▶ *Está muy joven para la edad que tiene.*
▶ *No me parece que sea tan caro para las prestaciones que ofrece.*
▶ *Para lo mayor que es, está muy bien.*

‖ Gramática ▶ Expresión de relativo.

532

¿PARA QUÉ? = Pregunta por la finalidad de algo.

▶ *Y tú, ¿para qué quieres esto, si está todo roto?*
▶ *¿Para qué vamos a ir todos juntos si podemos ir más cómodos en dos coches?*

Gramática ▶ Expresión interrogativa de finalidad.
Estructura ▶ Se utiliza seguido de un verbo en Indicativo.
Uso ▶ Algunas veces la pregunta con *por qué* (ver entrada 583) también se responde con la finalidad (para que + Subjuntivo).

- *No lo entiendo. Entonces, ¿**por qué** quieres hablar con él si está enfadado contigo?*
• *Pues **para que** sepa que yo no tengo la culpa de nada.*

533

PARAR DE + infinitivo = Indica la interrupción de una acción.

▶ *Los vecinos ayer hicieron una fiesta y no pararon de hacer ruido hasta las tres.*
▶ *Como el niño no paraba de llorar, lo llevamos al médico, pero no tenía nada.*

‖ Gramática ▶ Perífrasis verbal perfectiva.
Uso ▶ Se utiliza en un registro familiar e informal.

CONTRASTE CON **DEJAR DE / YA NO**:

▶▶ **Dejar de** + *infinitivo* (ver entrada 251): Significa lo mismo. Se usa en todos los registros.
*He **dejado de** comerme las uñas.*

▶▶ **Ya no** (ver entrada 795): Hace más énfasis en la situación posterior a la interrupción que en la interrupción en sí.
*Desde el año pasado **ya no** vivo con Teresa. Apenas la veo.*

534

PARECERLE = Expresa la opinión de algo.

- ▶ *Me parece muy caro, la verdad.*
- ▶ *A María le parece que no debemos comprarnos esa casa, le parece muy cara. Pero a mí, no.*

Gramática ▶ Verbo intransitivo y defectivo.
Origen ▶ **Parecer** < *parēre* (lat.)
Estructura ▶ Se utiliza en tercera persona del singular o plural y adverbio de intensidad y un adjetivo y:
- Que + Indicativo, en forma afirmativa.
  Me parece que hay que conducir más despacio.
- Que + Subjuntivo cuando el verbo está negado.
  No me parece que tengas que conducir tan despacio.

CONTRASTE CON **CREER** / **PENSAR QUE** / **GUSTARLE** / **SER:**

▶▶**Creer** (ver entrada 177) y **Pensar que** + *verbo* (ver entrada 537): Significan lo mismo, pero se utilizan en más contextos.
  Creo que Antonio no va a llegar a tiempo.
▶▶**Gustarle** (ver entrada 378): Expresa los gustos, pero no la opinión sobre algo.
  Me gusta mucho este cantante, me parece muy bueno.
▶▶**Ser** + *adjetivo* (ver entrada 653): Se expresa algo como una realidad, no como una opinión o una idea subjetiva.
  Es un cuadro muy vanguardista. A mí me parece muy moderno.

535

PASADO MAÑANA = Se refiere al día después de mañana.

- ▶ *Hoy es lunes, ¿no? Bueno, pues nos vemos pasado mañana.*
- ▶ *Mañana es mi último día de trabajo. Pasado mañana me voy de vacaciones.*

Gramática ▶ Expresión de tiempo.

Pensar < *pensāre* (lat.)
Usos del verbo. Entradas 536 y 537.

536

PENSAR + infinitivo = Expresa la intención de hacer algo.

- ▶ *Este verano pienso irme a una playa y no hacer nada. Estoy cansado de tanto viajar.*
- ▶ *A ver, Eduardo. ¿Tú no piensas saludarme hoy? ¿Qué te pasa?*

Gramática ▶ Perífrasis verbal incoativa.

▶▶ CONTRASTE CON **IR A / QUERER**:

> ▶▶**Ir a** + *infinitivo* (ver entrada 412): Expresa una acción futura o la decisión de hacer algo en el futuro.
>
> *Mañana **voy a** cenar con Julia, ¿quieres venir con nosotros?*
>
> ▶▶**Querer** (ver entrada 622): Expresa el deseo de hacer algo en el futuro.
>
> ***Quiero** irme unos días de vacaciones, pero no sé cuándo.*

537

PENSAR QUE + verbo = Expresa la opinión.

> ▸ *A mí me gusta este libro y, la verdad, pienso que es bastante bueno.*
> ▸ *Jesús piensa que no debemos ir con Andrés a la excursión.*

Gramática ▸ Verbo transitivo.

Estructura ▸ Se utiliza seguido de:
- Indicativo cuando está en forma afirmativa.
  Pienso que este libro es muy interesante.

- Subjuntivo cuando está negado.
  No pienso que sea muy caro.

OTRAS EXPRESIONES SIMILARES:

▶▶**Creer** (ver entrada 177) y **Parecerle** (ver entrada 534): Significan lo mismo.

538

PERDÓN / PERDONA / PERDONE = Se utiliza para llamar la atención a alguien para pedirle o preguntarle algo.

> ▸ *- Perdona, ¿tienes hora?*
> • *Sí, son las ocho menos cuarto.*
> ▸ *- Perdone, por favor, ¿la oficina del Sr. Gutiérrez?*
> • *Sí, suba a la tercera planta. Es el despacho 359.*

Gramática ▸ Expresión para llamar la atención.

Uso ▸ Se usa en contextos familiares.
▸ Se emplea cuando pensamos que podemos molestar al interlocutor. Es más formal.

OTRAS EXPRESIONES SIMILARES:

▶▶**Disculpa / Disculpe** (ver entrada 275): Se utilizan cuando pensamos que podemos molestar al interlocutor, es formal.

▶▶**Oye / Oiga** (ver entrada 524): Son las expresiones más utilizadas en cualquier contexto.

Pero < *per hoc* (lat.)
Usos de la conjunción. Entradas 539 a 541.

539

PERO = Presenta un nuevo elemento que contrasta con otro anterior.

▸ *Tienes razón, pero no es posible hacer lo que dices.*
▸ *Me gusta, pero es muy caro.*

▍Gramática ▸ Conjunción adversativa.

Contraste con otras expresiones adversativas:

▸▸**Ahora bien** (ver entrada 60): Se utiliza sólo en los razonamientos y tiene un matiz culto.

Ya hemos dado los primeros pasos; **ahora bien**, *tenemos que seguir trabajando.*

▸▸**Mas** (ver entrada 449): Tiene un claro matiz culto, literario y arcaizante.

Es muy difícil, **mas** *no imposible.*

540

PERO BUENO = Presenta una desaprobación.

▸ *- Mamá, hoy vendré tarde.*
  • *Pero bueno, ¿otra vez?*
▸ *- Necesito que alguien me ayude. Pero bueno, ¿es que nadie va a echarme una mano?*
  • *Un momento, ahora subo.*

▍Gramática ▸ Expresión de desaprobación.
▍Uso ▸ Se utiliza en contextos informales y familiares.

Otras expresiones similares:

▸▸**Bueno, bueno, bueno** (ver entrada 119): Significa lo mismo, pero es menos frecuente.

▸▸**Si** + *contradicción* (ver entrada 682): Recuerda una información que es contradictoria con algo.

541

PERO SI = Señala un dato que es contradictorio con lo dicho o hecho por quien escucha.

▸ *- Mañana llegaré un poco más tarde.*
  • *Pero si mañana es la reunión de fin de mes, no puedes faltar.*
▸ *- Pero si tú me dijiste que no vendrías. ¿Qué haces aquí?*
  • *He acabado antes de lo previsto.*

▍Gramática ▸ Expresión de reproche.
▍Estructura ▸ Se utiliza seguido de un verbo en Indicativo.
▍Uso ▸ Se emplea en registros coloquiales.

Otras expresiones similares:

▸▸**Mira que** (ver entrada 473) y **Si** + *contradicción* (ver entrada 682): Significan lo mismo.

542

PESE A = Expresa que un acontecimiento ocurre aunque hay un impedimento para ello.

- ▸ *Pese a las protestas, la ley siguió su curso.*
- ▸ *Pese al cansancio, conseguimos terminar el trabajo a tiempo.*

Gramática ▸ Locución preposicional concesiva.
Estructura ▸ Se utiliza seguido de un determinante y de un sustantivo.
Uso ▸ Se emplea en situaciones formales y registros cultos.

OTRAS EXPRESIONES SIMILARES:

▸▸**A pesar de** (ver entrada 33) y **Aunque** (ver entrada 107): Se utilizan en contextos más generales y seguidas de un verbo en forma conjugada.

543

PÉSIMO = Superlativo de *malo*. Ver cuadro de comparativos.

Poco < *paucus* (lat.)
Usos del adjetivo y el adverbio. Entradas 544 a 547.

544

POCO = Matiza un verbo disminuyendo su intensidad.

- ▸ *Mis abuelos han viajado poco.*
- ▸ *A mí me gusta poco el fútbol, prefiero el baloncesto.*

Gramática ▸ Adverbio de cantidad.

CONTRASTE CON MUCHO:

▸▸**Mucho** (ver entrada 476): Matiza un verbo aumentando su intensidad.
*Esta película me gusta **mucho**.*

545

POCO / POCA / POCOS / POCAS = Indica cantidades bajas de una forma imprecisa.

- ▸ - *Tengo muy poco dinero. Vamos al cajero.*
  - • *No te preocupes, te dejo yo.*
- ▸ - *Hay muy poca comida y somos muchos. ¿Preparamos algo más?*
  - • *Vale, mete los pollos en el horno.*

Gramática ▸ Adjetivo indefinido.
Estructura ▸ Se utiliza seguido de sustantivos contables y no contables.

CONTRASTE CON **OTRAS EXPRESIONES DE VALORACIÓN:**

▸▸**Algo** + *adjetivo* (ver entrada 72), **Demasiado** (ver entrada 255), **Un poco** (ver entrada 755) y **Un tanto** (ver entrada 759): Dan un matiz negativo al adjetivo al que acompañan.

*Este jersey es bonito, pero **algo** llamativo para mi forma de ser, ¿no te parece?*

▸▸**Bastante** + *adjetivo* (ver entrada 111): Se utiliza para valorar positivamente una cualidad sin expresar entusiasmo.

*La fiesta fue **bastante** divertida, pero, si lo sé, no voy.*

▸▸**Más bien** (ver entrada 452): Sirve para expresar que el objeto valorado tiene una tendencia hacia esa cualidad.

*Es una chica **más bien** rubia, castaña clara, muy clara.*

▸▸**Nada** + *adjetivo* (ver entrada 482): Indica la ausencia expresada por el verbo.

*No me gusta, no es **nada** atractivo, la verdad.*

OTRA EXPRESIÓN SIMILAR:

▸▸**Un poco** (ver entrada 755): Se utiliza para referirse a una cantidad baja de un sustantivo no contable.

546

POCO A POCO = Presenta una acción como progresiva.

▸ *Si repasas todos los días las palabras, las irás aprendiendo poco a poco.*
▸ *Poco a poco se fue acostumbrando a la gran ciudad.*

Gramática ▸ Locución adverbial de modo.
Estructura ▸ Puede ir delante o detrás del verbo.

547

POCO MENOS DE = Presenta una cantidad aproximada, aunque menor a la expresada.

▸ *Este coche gasta poco menos de 6,5 litros a los 100 kilómetros.*
▸ *Me ha costado poco menos de 2 euros.*

Gramática ▸ Locución adverbial de cantidad.
Estructura ▸ Se utiliza seguida de un número cardinal.

CONTRASTE CON **OTRAS EXPRESIONES DE CANTIDAD:**

▸▸**A lo sumo** (ver entrada 23), **Como mucho** (ver entrada 138) y **Todo lo más** (ver entrada 742): Presentan una cantidad mayor de lo que es en realidad.

*La verdad es que fuimos muy pocos a la conferencia. **Como mucho** doce.*

▸▸**Casi** + *cantidad* (ver entrada 127): Señala una cantidad que es inferior a la realidad.

*Vinieron **casi** trescientas personas a la boda.*

▸▸**Cerca de** + *cantidad* (ver entrada 129): Presenta una cantidad como valoración subjetiva de un número menor al dicho.

*No sé cuántos estábamos. Seríamos **cerca de** veinte personas.*

Poder < *potĕre* (lat.)
Usos del verbo. Entradas 548 a 550.

548

PODER + infinitivo = Expresa la posibilidad o el permiso para hacer algo.

▸ *Mañana no puedo ir contigo de compras, tengo cita en el dentista.*
▸ *¿Puedo pasar? Es que tengo que hablar contigo.*

Gramática ▸ Perífrasis verbal de obligación.
Estructura ▸ Se utiliza en:
   ■ Presente o Condicional para pedir permiso. Se utiliza en Condicional en situaciones de más cortesía o cuando lo que se pide puede ser molesto para la otra persona.
     ¿Puedo usar un momento tu teléfono? El mío está estropeado y es urgente.
     ¿Podría utilizar su cuarto de baño?
     • También es frecuente esta estructura para pedir a alguien que haga algo.
       ¿Puedes venir un momento, por favor?
       ¿Podrías prestarme 50 euros hasta la semana que viene?

CONTRASTE CON **SABER**:

▸▸**Saber** (ver entrada 633): Se utiliza en español para referirse a las capacidades o conocimientos de alguien. No se usa nunca el verbo **Poder**, como en otros idiomas.
Sé francés, inglés y un poco de alemán.

549

PODER INCLUSO QUE = Presenta una hipótesis como remota, aunque posible.

▸ *El hombre del tiempo ha dicho que tal vez lloverá y que puede incluso que nieve.*
▸ *Seguro que viene a cenar esta noche. Puede incluso que venga con algún amigo.*

Gramática ▸ Locución conjuntiva de hipótesis.
Estructura ▸ Se utiliza el verbo *poder* en tercera persona del singular del Presente de Indicativo o del Condicional.
   ▸ Se usa seguido de un verbo en Subjuntivo.
     No le llames a estas horas, estará descansando. Puede incluso que esté durmiendo.

CONTRASTE CON **OTRAS EXPRESIONES DE HIPÓTESIS**:

▸▸**A lo mejor** (ver entrada 22): Expresa una hipótesis posible.
A lo mejor me voy de vacaciones a la playa este verano.

▸▸**Deber de** + *infinitivo* (ver entrada 244) y **Seguro que / Seguramente** (ver entrada 647): Expresan lo que se considera probable, muy próximo a la realidad, casi seguro.
*No sé qué hora es, pero **deben de** ser las tres y cuarto, hace un rato he oído las campanadas del reloj.*

***Seguramente** Celia llegará enseguida, es muy puntual.*

▸▸**Igual** (ver entrada 407): Expresa una hipótesis que se considera posible, pero de ser cierta, sería una sorpresa.
***Igual** me dan la plaza de subsecretario en la nueva delegación que van a abrir.*

▸▸**Poder ser que** (ver entrada 550): Expresa una hipótesis posible.

*No ha venido Mariano, **puede ser que** esté enfermo.*

▸▸**Quizá(s)** (ver entrada 627) y **Tal vez** (ver entrada 718) + *Indicativo*: Expresan lo que se considera posible, pero con una gran duda.

*¡Qué raro que no haya llegado! **Quizá** le ha pasado algo. Suele ser muy puntual.*

*En la reunión de mañana **tal vez** eligen al próximo delegado. Ya se rumorean varios nombres.*

▸▸**Quizá(s)** (ver entrada 627) y **Tal vez** (ver entrada 718) + *Subjuntivo*: Mencionan una posibilidad remota, una conjetura, sin tener datos objetivos.

*Mañana tengo una reunión y **tal vez** llegue tarde a casa. No sé cuánto va a durar.*

550

PODER SER QUE = Expresa una hipótesis posible.

▸ *No ha venido Mariano. Puede ser que esté enfermo. Ayer se fue con mala cara.*
▸ *Puede ser que las cosas no me vayan bien. De lo que estoy seguro es de que no me van a ir peor que aquí.*

Gramática ▸ Locución conjuntiva de hipótesis.
Estructura ▸ Se utiliza seguido de un verbo en Subjuntivo.

CONTRASTE CON **OTRAS EXPRESIONES DE HIPÓTESIS:**

▸▸**A lo mejor** (ver entrada 22): Expresa una hipótesis posible.

***A lo mejor** me voy de vacaciones a la playa este verano.*

▸▸**Deber de** + *infinitivo* (ver entrada 244) y **Seguro que / Seguramente** (ver entrada 647): Expresan lo que se considera probable, muy próximo a la realidad, casi seguro.

*No sé qué hora es, pero **deben de** ser las tres y cuarto, hace un rato he oído las campanadas del reloj.*

***Seguramente** Celia llegará enseguida, es muy puntual.*

▸▸**Igual** (ver entrada 407): Expresa una hipótesis que se considera posible, pero de ser cierta, sería una sorpresa.

***Igual** me dan la plaza de subsecretario en la nueva delegación que van a abrir.*

▸▸**Poder incluso que** (ver entrada 549): Presenta una eventualidad remota, aunque posible.

*Tal vez no tengamos suficiente dinero allá. **Puede incluso que** pasemos hambre, pero eso no importa. Hemos decidido irnos y nos vamos.*

▸▸**Quizá(s)** (ver entrada 627) y **Tal vez** (ver entrada 718) + *Indicativo*: Expresan lo que se considera posible, pero con una gran duda.

*¡Qué raro que no haya llegado! **Quizá** le ha pasado algo. Suele ser muy puntual.*

*En la reunión de mañana **tal vez** eligen al próximo delegado. Ya se rumorean varios nombres.*

▸▸**Quizá(s)** (ver entrada 627) y **Tal vez** (ver entrada 718) + *Subjuntivo*: Mencionan una posibilidad remota, una conjetura, sin tener datos objetivos.

*Mañana tengo una reunión y **tal vez** llegue tarde a casa. No sé cuánto va a durar.*

551

¿PONER + algo? = Expresa una petición de algo a otra persona.

▸ *¿Me pone un café, por favor?*
▸ *¿Nos pone dos bocadillos de tortilla?*

Gramática ▸ Verbo pronominal.
Uso ▸ Se utiliza en un bar o en un restaurante.

CONTRASTE CON **OTRAS EXPRESIONES DE PETICIÓN**:

▸▸ **¿Dar** + *algo*? (ver entrada 197): Se utiliza para pedir cosas que no se pueden devolver (una aspirina, un vaso de agua, un caramelo...) o que no pensamos devolver, lo pedimos como regalo.
  ¿Me das un vaso de agua, por favor?

▸▸ **¿Dejar** + *algo*? (ver entrada 249): Cuando se pide algo que pensamos devolver.
  ¿Me dejas un jersey? Es que tengo frío.

552

PONERSE = Se refiere a un cambio rápido e instantáneo y de poca duración experimentado por una persona.

▸ *Ayer me puse muy nervioso en la entrevista.*
▸ *¿Pero de verdad te has puesto colorado porque te ha dicho eso?*

Gramática ▸ Verbo pronominal.
Estructura ▸ Se utiliza seguido de un adjetivo de estado físico o anímico.

CONTRASTE CON **OTROS VERBOS DE CAMBIO**:

▸▸ **Convertirse en** (ver entrada 176) y **Transformarse en** (ver entrada 745): Se refieren a cambios radicales en una persona.
  Ese convento lo han convertido en una discoteca de moda.

▸▸ **Llegar a** y **Llegar a ser** (ver entradas 427 y 428): Se refieren a cambios progresivos.
  Con mucho esfuerzo mi padre llegó a ser el subdirector de su empresa.

▸▸ **Hacerse** (ver entrada 392): Expresa los cambios definitivos experimentados por una persona como consecuencia de la evolución natural o resultado de una decisión propia.
  ¡Cómo ha cambiado tu hija! El año pasado era una niña y ya se ha hecho una mujer.

▸▸ **Quedarse** + *cambio* (ver entrada 619): Se refiere a cambios como el resultado de una situación o acción anterior.
  Voy a ponerme un jersey. Me he quedado frío de estar cenando en el jardín.

▸▸ **Volverse** (ver entrada 776): Se refiere a transformaciones rápidas pero definitivas.
  Jerónimo se ha vuelto muy callado. Con lo charlatán que era antes. ¿Qué le habrá pasado?

553

PONERSE A + infinitivo = Expresa el comienzo repentino de algo.

▸ *Tenía tanto interés que se puso a trabajar en el proyecto desde el primer momento.*
▸ *Estaba tan nervioso que se puso a gritar y no hubo forma de callarle durante un buen rato.*

Gramática ▸ Perífrasis verbal incoativa.
Estructura ▸ Se suele utilizar en:
  ■ Indefinido, ya que es una construcción muy utilizada para hablar de acontecimientos pasados.
    El 25 se puso a nevar y no paró en tres días.
  ■ También es frecuente su uso en Presente con la idea de expresar la intención inmediata de empezar a hacer algo.
    Yo te ayudo, no te preocupes. Enseguida me pongo a recoger.

CONTRASTE CON **ECHARSE A:**

▸▸**Echar(se) a** + *infinitivo* (ver entrada 284): Indica un comienzo repentino y con ímpetu.
  *Como no le hacían caso, el bebé **se echó a** llorar.*

Por < *pro* (lat.)
Usos de la preposición. Entradas 554 a 587.

554

POR + algo / alguien = Indica el causante de un sentimiento, una actitud o un estado mental.

▸ *Cómprale este CD. Está loco por la música. Seguro que le gusta.*
▸ *Siento una profunda admiración por las personas de fuertes convicciones políticas.*

Gramática ▸ Preposición para indicar causante.

CONTRASTE CON **OTRAS PREPOSICIONES DE USOS SIMILARES:**

▸▸**Con** + *alguien / algo* (ver entrada 148): Expresa un sentimiento o sensación que se tiene con algo o alguien.
  *Me he enfadado **con** Cristina. Sinceramente, es insoportable.*
▸▸**Hacia** + *persona* (ver entrada 395): Expresa el destinatario de un sentimiento.
  *Siento un gran respeto **hacia** ella.*

555

POR + causa = Expresa la causa o el motivo de algo.

▸ *Se ha separado de su mujer por su dedicación al trabajo.*
▸ *Suspendió por no saberse todas las respuestas bien.*

Gramática ▸ Preposición para indicar causa.
Estructura ▸ Se utiliza seguido de un determinante y de un sustantivo o de un infinitivo.

P

▶▶

CONTRASTE CON **DE**:

▶▶ **De** + *causa* (ver entrada 208): Más que una causa define un tipo de acción.
*Estoy llorando **de** alegría, me haces muy feliz.*

CONTRASTE CON **PARA**:

▶▶ **Para** + *finalidad* (ver entrada 526): Expresa la finalidad que se quiere conseguir con algo, el objetivo. Con **Por** se expresa la causa, el motivo deseado o no deseado.
*Se puso crema protectora **por** el sol tan fuerte / **para** no quemarse con el sol.*

556

POR + fecha = Indica el tiempo aproximado en que se produce un acontecimiento.

▸ *Por noviembre o diciembre suele empezar a nevar en esta comarca.*
▸ *Me casé por el 98 ó 99, ya no me acuerdo.*

Gramática ▸ Preposición para indicar tiempo.
Estructura ▸ Se utiliza seguido de un nombre de mes, de año o artículo y de un número de año.
Uso ▸ También se utiliza *por ahí, por...* para intensificar la idea de tiempo aproximado.
    *Nos vimos **por ahí, por** 1998. Yo todavía estaba en la escuela.*

CONTRASTE CON **OTRAS EXPRESIONES DE TIEMPO**:

▶▶**A eso de la(s)** (ver entrada 16): Indica una hora aproximada.
*Vendrán después de comer, **a eso de las** tres.*
▶▶**Ahí por / Allá por** + *fecha* (ver entrada 58): Sitúa un acontecimiento en una fecha aproximada.
*Iré a veros **allá por** Navidad.*
▶▶**Alrededor de** + *tiempo* (ver entrada 80): Sitúa un acontecimiento en una hora o fecha aproximada.
*Vendrán del viaje **alrededor del** fin de semana.*
▶▶**Hacia la(s)** + *hora* (ver entrada 396): Indica una hora o un día de la semana aproximado.
*Estará terminado **hacia las** cinco. Pero llame antes de venir, por si acaso.*
▶▶**Por** + *parte del día* (ver entrada 561): Sitúa un acontecimiento en una parte aproximada del día.
*Te llamo **por** la mañana y hablamos.*
▶▶**Sobre** + *tiempo* (ver entrada 706): Indica una hora aproximada o la duración (cantidad de tiempo) aproximada.
*Ahora tengo trabajo. **Sobre** las tres habré terminado. Ven a verme entonces.*

CONTRASTE CON **PARA**:

▶▶**Para** + *fecha* (ver entrada 525): Señala el plazo en que se tiene que producir un acontecimiento futuro.
*Déjame 50 euros y **para** el fin de semana te los devuelvo. Te lo prometo.*

557

POR + finalidad = Indica el motivo que provoca una acción.

> ▸ *Es un idealista. Vive por la igualdad de los seres humanos.*
> ▸ *Es una organización que trabaja por erradicar el hambre en el mundo.*

Gramática ▸ Preposición para indicar finalidad.
Estructura ▸ Se utiliza seguido de un determinante y de un sustantivo o de un infinitivo.

CONTRASTE CON **PARA**:

▸▸ **Para** + *finalidad* (ver entrada 526): Se indica lo se quiere conseguir con una acción. Con este uso de **Por** se señala el motivo de la acción.
*Es una ONG que lucha **por** el hambre / **para** que desparezca el hambre en el mundo.*

558

POR + lugar = Indica el tránsito, el camino a través del cual se realiza el movimiento.

> ▸ *El ladrón entró por la ventana de la cocina.*
> ▸ *Para ir a la farmacia, pasa por el parque, es más rápido que dar la vuelta.*

Gramática ▸ Preposición para indicar movimiento.
Estructura ▸ Se utiliza seguido de un determinante y de un sustantivo.

CONTRASTE CON **OTRAS PREPOSICIONES DE MOVIMIENTO**:

▸▸ **A** + *lugar* (ver entrada 6): Indica el destino de un movimiento.
*Me voy **a** casa, que me están esperando.*

▸▸ **Hacia** + *lugar* (ver entrada 394): Indica la dirección de un movimiento.
*Para ir a Bustarcillas siga por la carretera C-41 **hacia** Bollullos y cinco kilómetros antes verá la desviación.*

▸▸ **Hasta** + *lugar* (ver entrada 399): Indica el punto final de un movimiento.
*Este tren no va **hasta** Huesca, sólo **hasta** Zaragoza. Allí tendrá que tomar otro.*

CONTRASTE CON **A TRAVÉS DE**:

▸▸ **A través de** (ver entrada 35): Tiene el mismo significado, aunque un uso menor, e indica mayor dificultad, violencia o hace más énfasis en que se trata de un tránsito.
*Como perdí las llaves de casa tuve que entrar por la ventana, pero de verdad, **a través de** la ventana, o sea, rompiéndola.*

CONTRASTE CON **PARA**:

▸▸ **Para** + lugar (ver entrada 528): Indica una meta y el objetivo de un movimiento que se puede alcanzar o no.
*Me voy **para** el bosque, a ver si llego. ¿Vienes conmigo?*

559

POR + lugar aproximado = Indica una localización aproximada.

▸ *Ayúdame a buscar los billetes, que no sé dónde están. Mira por ahí, por los cajones.*
▸ *Ya no me acuerdo muy bien de cómo se iba, pero creo que está por detrás del Ayuntamiento.*

Gramática ▸ Preposición para indicar lugar.
Estructura ▸ Se utiliza seguido de un determinante y de un sustantivo o de un adverbio de lugar.

CONTRASTE CON **PARA:**

▸▸**Para** + *lugar* (ver entrada 528): Indica el destino de un movimiento.
*Me voy **para** casa de Matías, que vive **por** detrás de la estación, creo.*

560

POR + medio / instrumento = Indica el canal por el que se hace algo.

▸ *Me llamó por teléfono.*
▸ *¡Fíjate! Vi a Eduardo por televisión.*

Gramática ▸ Preposición para indicar medio.
Estructura ▸ Se utiliza seguido de un sustantivo que indica el medio o instrumento.

561

POR + parte del día = Sitúa un acontecimiento en una parte aproximada del día.

▸ *¿Tú te duchas por la mañana? Pues yo prefiero por la noche. Me ayuda a relajarme.*
▸ *Te llamo mañana por la mañana y hablamos, ¿de acuerdo?*

Gramática ▸ Preposición para indicar tiempo.
Estructura ▸ Se utiliza seguido de *la mañana, la tarde* o *la noche.*

CONTRASTE CON **OTRAS EXPRESIONES DE TIEMPO:**

▸▸**A eso de la(s)** (ver entrada 16): Expresa una hora aproximada.
*Llegó **a eso de la** una, creo yo.*

▸▸**Ahí por / Allá por** + *fecha* (ver entrada 58): Sitúa un acontecimiento en una fecha aproximada.
*Iré a veros **allá por** Navidad.*

▸▸**Alrededor de** + *tiempo* (ver entrada 80): Sitúa un acontecimiento en una hora o fecha aproximada.
*Vendrán después de comer, **alrededor de** las tres.*

▸▸**De** + *parte del día* (ver entrada 216): Sitúa una hora con respecto a una parte del día.
*Pero, ¿nos vemos a las nueve **de** la mañana o **de** la noche? No me entero.*

▸▸**Hacia la(s)** + *hora* (ver entrada 396): Indica una hora o un día de la semana aproximado.
*Estará terminado **hacia las** cinco. Pero llame antes de venir, por si acaso.*

▸▸**Por** + *fecha* (ver entrada 556): Indica el tiempo aproximado en que se produce un acontecimiento.

> *Me compré el coche **por** marzo o abril.*

▸▸**Sobre** + *tiempo* (ver entrada 706): Indica una hora aproximada o la duración (cantidad de tiempo) aproximada.

> *Ahora tengo trabajo. **Sobre** las tres habré terminado. Ven a verme entonces.*

562

POR + persona = Expresa el agente de la pasiva.

▸ *Los delincuentes fueron detenidos por la policía municipal.*
▸ *La penicilina fue descubierta por Pasteur.*

Gramática	▸ Preposición para indicar el agente.
Estructura	▸ Se utiliza seguido de un determinante y de un sustantivo de persona o de un nombre propio de persona o de un pronombre personal.
Uso	▸ En español la voz pasiva tiene un uso muy reducido y un carácter bastante culto (ver entrada 661).

CONTRASTE CON PARA:

▸▸**Para** + *persona* (ver entrada 530): Expresa el destinatario de una acción.

> *Toma, esto es **para** ti. ¡Feliz cumpleaños!*

563

POR + persona = Expresa la sustitución de una persona por otra.

▸ *Jesús, yo no puedo ir a la reunión del colegio. Vete tú por mí, por favor.*
▸ *Se hizo pasar por su hermano gemelo y así aprobó el examen.*

Gramática	▸ Preposición para indicar sustitución.
Estructura	▸ Se utiliza seguido de un determinante y de un sustantivo referido a una persona o un nombre propio de persona o de un pronombre personal.

CONTRASTE CON PARA:

▸▸**Para** + *persona* (ver entrada 530): Expresa el destinatario de una acción.

> *Toma, esto es **para** ti. ¡Feliz cumpleaños!*

564

POR + precio = Indica el precio que se ha pagado en una compra.

▸ *Era carísimo, pero, con el descuento lo he comprado por 15 euros.*
▸ *Lo compré por 1.000 euros y lo voy a vender por el doble.*

Gramática	▸ Preposición para indicar precio.
Estructura	▸ Se utiliza seguido de un número cardinal y una moneda, con verbos de compra o intercambio para indicar el precio final de algo.

▶▶

Contraste con A / EN:

> ▸▸**A** + *precio* (ver entrada 12): Se hace referencia al precio de algo, un precio que cambia.
> *Pues verás, este coche lo vendía **a** 60.000, pero yo lo compre **por** 40.000.*
>
> ▸▸**En** + *precio* (ver entrada 299): Indica una estimación de lo que puede costar algo.
> *Quería vender la casa y la tasaron **en** 10 millones. Por supuesto, no la vendí.*
>
> ▸▸En otros contextos no se utiliza ninguna preposición para indicar el precio de algo.
> *Las patatas cuestan 1 euro el kilo.*

565

POR + unidad de tiempo = Indica la frecuencia o periodicidad con la que se realiza algo.

> ▸ *Yo suelo ir a esquiar dos o tres veces por año.*
> ▸ *Tiene que tomarse esta pastilla dos veces por semana.*

Gramática ▸ Preposición para indicar frecuencia.
Estructura ▸ Se utiliza seguido de un sustantivo referido a una unidad temporal, como *día, semana, mes, año...*

Contraste con AL:

> ▸▸**A + el / A la** + *tiempo* (ver entrada 14): Significa lo mismo.
> *Voy al gimnasio dos veces **a** la semana.*
> *Nos vemos una vez **al** año.*

566

POR + tiempo superado = Indica el tiempo que ha transcurrido de algo y que no deseábamos.

> ▸ *Cuando llegué a la ventanilla para entregar los papeles me di cuenta de que por dos días ya había pasado el plazo.*
> ▸ *En la carrera, el equipo contrario ganó por dos segundos.*

Gramática ▸ Preposición para indicar tiempo.
Estructura ▸ Se utiliza seguido de un número cardinal y un sustantivo referido a una unidad temporal, como *hora, día, semana, mes, año...*

567

POR AHORA = Marca un momento temporal provisional.

> ▸ *No sé cuántos vamos a ir a la excursión. Por ahora estamos apuntados veinte.*
> ▸ *Eso es todo por ahora. Mañana os contaré más.*

Gramática ▸ Locución adverbial de tiempo.
Estructura ▸ Se utiliza seguido de un verbo en Indicativo.

OTRA EXPRESIÓN SIMILAR:

▸▸ **De momento** (ver entrada 228): Significa lo mismo.

568

POR CIENTO = Expresa un porcentaje.

▸ *Un 15 por ciento de los españoles no ve nunca la televisión.*
▸ *El 90 por ciento de los entrevistados se considera feliz.*

Gramática	▸ Locución adverbial de cantidad.
Estructura	▸ Se utiliza seguido de un sustantivo.
	▸ Algunas veces el porcentaje se establece con relación a *mil* y no a *cien*.
	*Con estas medidas quieren que solo un 4 **por mil** sea afectado.*
Uso	▸ Se representa con el signo %.

569

POR CIERTO = Se refiere a algo que ha mencionado el interlocutor de pasada y nos interesa tratarlo en profundidad.

▸ *- Eugenio y Marisa se han ido de vacaciones con Sofía.*
   • *Por cierto, ¿qué tal está la madre de Sofía?*
▸ *- Ayer fui a Grandes Almacenes, que tiene camisas muy baratas, y me encontré con Juan, que me preguntó por ti.*
   • *Por cierto, ¿cuánto costaban las camisas? A lo mejor voy a comprarme una.*

Gramática	▸ Locución adverbial ilativa.
Estructura	▸ Se utiliza con un verbo en Indicativo.
Uso	▸ También se utiliza *a propósito* con el mismo uso.

OTRAS EXPRESIONES SIMILARES:

▸▸ **Con respecto a** (ver entrada 160): Presenta un tema que se había olvidado tratar antes.
▸▸ **Hablando de** (ver entrada 384): Introduce una información que se había olvidado dar antes.
▸▸ **Por lo que respecta a** (ver entrada 577): Presenta un tema que está relacionado o implícito en lo que se está diciendo.

570

POR CULPA DE = Presenta la causa de algo como algo mal aceptado.

▸ *- ¿Cómo es que suspendió el examen de conducir?*
   • *Por culpa de los nervios.*
▸ *- Y al final no le contrataron, ¿no?*
   • *No, no le dieron el trabajo por culpa de que no tenía mucha experiencia.*

Gramática	▸ Locución preposicional y conjuntiva de causa.
Estructura	▸ Se utiliza seguido de un sustantivo o *que* y verbo en Indicativo.
Uso	▸ Es la expresión contraria a *gracias a* + causa (ver entrada 376).

▸▸

⏵⏵

> ⏵ **A fuerza de** (ver entrada 18), **De puro** (ver entrada 231) y **De tanto** (ver entrada 233): Presentan la causa como el resultado de la insistencia o continuidad de algo.
> *A fuerza de trabajar consiguió lo que se proponía.*
>
> ⏵ **Debido a** (ver entrada 245): Se utiliza sólo en contextos formales y en lengua escrita.
> *Debido a la falta de acuerdos no se firmó el convenio.*
>
> ⏵ **Es que** (ver entrada 334): Presenta la causa como un pretexto o una justificación.
> *Me voy. Es que me duele muchísimo la cabeza.*
>
> ⏵ **Lo que pasa es que** (ver entrada 439): Presenta la causa de un problema.
> *No le han dado el crédito que pedía. Lo que pasa es que no tiene aval.*
>
> ⏵ **Por** + *causa* (ver entrada 555): Presenta la causa con una connotación negativa.
> *Ha perdido la cartera por despistado.*

571

POR EL CONTRARIO = Presenta una información que se opone a otra.

> ⏵ *No podemos firmar el acuerdo. Por el contrario, estamos obligados a aceptar la decisión.*
> ⏵ *Las películas violentas no me gustan nada. Por el contrario, siento pasión por las románticas.*

Gramática ⏵ Locución conjuntiva adversativa.
Estructura ⏵ Se utiliza seguido de un verbo en Indicativo.

Otras expresiones similares:

⏵ **Contrariamente a lo** (ver entrada 175) y **En contra de lo que** (ver entrada 306): Tienen el mismo significado, pero se utilizan en la misma frase las dos informaciones que se oponen.

572

POR ESO = Expresa en un razonamiento la consecuencia de algo.

> ⏵ *Nadie lo quería. Por eso, hicimos un sorteo. Y me tocó a mí.*
> ⏵ *No creo que sea bueno comer tanta carne. Por eso, vamos a intentar comer más variado.*

Gramática ⏵ Locución conjuntiva de consecuencia.
Uso ⏵ *Por lo que* y *por consiguiente* significan lo mismo.

Contraste con **otras expresiones de consecuencia**:

> ⏵ **Así (es) que** (ver entrada 99): Se utiliza para expresar una consecuencia de cualquier tipo.
> *Todavía no lo he visto, así que no le he podido dar tu mensaje.*
>
> ⏵ **Entonces** + *consecuencia* (ver entrada 327): Se utiliza para expresar una consecuencia que se considera como una información nueva, no implícita.
> *No vino a la reunión, entonces tuve que llamarle y explicárselo todo.*

> ▸▸**O sea, que** (ver entrada 518): Se utiliza para expresar una consecuencia que se supone implícita, que se puede deducir de lo ya dicho.
>
> *Estoy cansadísimo, **o sea, que** me voy a la cama.*
>
> ▸▸**Por (lo) tanto** (ver entrada 578): Se utiliza para hacer énfasis en la relación de causa-efecto.
>
> *Han descendido los tipos de interés y **por lo tanto**, las hipotecas han bajado.*

573

POR FAVOR = Indica una petición de algo de forma amable.

▸ - *Pásame el pan, por favor.*
  • *Toma.*

▸ - *Por favor, ¿me puede decir la hora?*
  • *Sí, son las doce y media.*

▌Gramática ▸ Expresión de cortesía.

574

¡POR FIN! = Señala que algo esperado se ha producido.

▸ - *¡Hola!*
  • *¡Hombre! ¿Ya estáis aquí? ¡Por fin!*

▸ - *¡Por fin! Llegó la carta. Tres meses esperándola.*
  • *A ver, déjame leerla.*

▌Gramática ▸ Locución adverbial.

CONTRASTE CON **DE UNA VEZ POR TODAS**:

> ▸▸**De una vez por todas** (ver entrada 238): Presenta un acontecimiento como algo que puede ocurrir después de una situación de incertidumbre, impaciencia o repetición.
>
> *A ver si **de una vez por todas** apruebas el carné de conducir.*

575

POR LO GENERAL = Se refiere a una actividad habitual o que se produce regularmente.

▸ *Nosotros, por lo general, pasamos las vacaciones en casa de mis padres.*
▸ - *Tiene una memoria buenísima. Le haces cualquier pregunta y, por lo general, sabe la respuesta.*
  • *Es verdad, siempre se acuerda de todo.*

▌Gramática ▸ Locución adverbial de frecuencia.

OTRAS EXPRESIONES SIMILARES:

▸▸**Generalmente** (ver entrada 372) y **Soler** (ver entrada 707): Significan lo mismo.

576

POR LO MENOS = Presenta algo como lo mínimo que se puede decir.

> ▸ *Se fue por lo menos **treinta días de vacaciones** y vino como nuevo.*
> ▸ *En la boda de Daniel había por lo menos **quinientas personas**.*

▌Gramática ▸ Locución adverbial de cantidad.

CONTRASTE CON **OTRAS EXPRESIONES DE CANTIDAD:**

▸▸**Al menos** (ver entrada 66): Significa lo mismo.
   *Tiene **por lo menos** / **al menos** veinte años.*

▸▸**Algo más de** (ver entrada 73) y **Un poco más de** (ver entrada 756): Presentan una cantidad menor a la realidad. Con **Por lo menos** se indica, además, que gustaría que la cantidad fuera más alta.
   *Tiene **algo más de** dos maletas y una bolsa. Por eso creo que cabrá todo en el maletero.*

▸▸**Siquiera** (ver entrada 701): Indica que la cantidad mencionada es evidente, obvia. No tiene una connotación negativa como **Por lo menos**.
   *Llevas todo el día en casa estudiando. Date un paseo, **siquiera** una hora, y descansa.*

577

POR LO QUE RESPECTA A = Presenta un tema que está relacionado o implícito en lo que se está diciendo.

> ▸ *Contestaré a todas las preguntas profesionales que me hagan. Por lo que respecta a mi vida personal, no diré nada.*
> ▸ *Se reunieron todos los miembros del comité para tomar una decisión, pero por lo que respecta a nuestra solicitud, no llegaron a un acuerdo.*

▌Gramática ▸ Locución preposicional ilativa.
▌Uso ▸ Se utiliza también *por lo que concierne a*, *por lo que se refiere a*.

OTRAS EXPRESIONES SIMILARES:

▸▸**Con respecto a** (ver entrada 160): Presenta un tema que se había olvidado presentar antes.
▸▸**Hablando de** (ver entrada 384): Introduce una información que se había olvidado dar antes.
▸▸**Por cierto** (ver entrada 569): Se refiere a algo que se ha mencionado de pasada y que nos interesa tratar para profundizar más.

578

POR (LO) TANTO = Expresa la consecuencia de algo.

> ▸ *Han descendido los tipos de interés y, por lo tanto, las hipotecas han bajado.*
> ▸ *Ha habido cambios en el consejo administrativo. Por lo tanto, nos cambian de departamento.*

▌Gramática ▸ Locución conjuntiva de consecuencia.
▌Estructura ▸ Se utiliza seguido de un verbo en Indicativo.

CONTRASTE CON **OTRAS EXPRESIONES DE CONSECUENCIA:**

▶▶**Así (es) que** (ver entrada 99): Se utiliza para expresar una consecuencia de cualquier tipo.

*Todavía no lo he visto, **así que** no le he podido dar tu mensaje.*

▶▶**Entonces** + *consecuencia* (ver entrada 327): Se utiliza para expresar una consecuencia que se considera una información nueva, no implícita.

*No vino a la reunión, **entonces** tuve que llamarle y explicárselo todo.*

▶▶**Luego** + *frase* (ver entrada 446): Presenta una deducción lógica.

*Pienso, **luego** existo.*

▶▶**O sea, que** (ver entrada 518): Se utiliza para expresar una consecuencia que se supone implícita, que se puede deducir de lo ya dicho.

*Estoy cansadísimo, **o sea, que** me voy a la cama.*

579

POR LO VISTO = Presenta una información como incierta.

▶ *Por lo visto **mañana va a nevar.***
▶ *No estoy muy seguro pero, por lo visto, esto no es así.*

Gramática ▶ Expresión de hipótesis.
Estructura ▶ Se utiliza con un verbo en Indicativo.
Uso ▶ También se utiliza *dicen que, parece ser que, según dicen, según parece.*

OTRAS EXPRESIONES SIMILARES:

▶▶**Al parecer** (ver entrada 68) y **Según** + *algo* (ver entrada 642): Significan lo mismo.

580

POR MÁS QUE / POR MUCHO QUE = Expresan que un acontecimiento no se produce aunque se insista en ello.

▶ *Él quería aprobar, pero, por más que estudiaba, no lo consiguió hasta que tomó clases particulares.*
▶ *Por mucho que insistas, no lo hará.*

Gramática ▶ Locuciones conjuntivas concesivas.
Estructura ▶ Se utiliza seguido de:
■ Indicativo cuando la insistencia en hacer algo es conocida y experimentada.
Por más que lo intentamos no conseguimos montar este armario.

■ Subjuntivo cuando la insistencia en hacer algo no es conocida ni experimentada.
Por mucho que lo intentemos no vamos a conseguir montar este armario.

CONTRASTE CON **OTRAS EXPRESIONES CONCESIVAS:**

▶▶**A pesar de** (ver entrada 33) y **Aunque** (ver entrada 107): Son las expresiones concesivas más generales.

***Aunque** hace calor me voy a poner un jersey. No quiero resfriarme.*

▶▶ **Por muy... que** (ver entrada 581): Se utiliza igual que **Por más que / Por mucho que**, pero se refiere a la insistencia de una actitud. Va siempre acompañado de un adjetivo o de un adverbio.

> *Por muy listo que seas, no conseguirás descubrir esto. Te lo aviso.*

581

POR MUY... QUE = Señala que un acontecimiento no se produjo a pesar de una característica favorable.

› *Por muy listo que seas, no conseguirás aprobar si no estudias.*
› *Por muy interesante que te parezca, no te conviene salir con Raúl.*

Gramática › Expresión concesiva.
Estructura › Se utiliza seguido de un adjetivo calificativo o de un adverbio y de:
  ■ Indicativo cuando se acepta como cierta la característica.
   Por muy atento que estuve en la conferencia, no conseguí entender nada.

  ■ Subjuntivo cuando no se expresa ni se acepta la característica porque no importa.
   No me importa si estás cansado o no. Por muy cansado que estés, tienes que terminar esto antes de acostarte.
Uso › Es mucho más frecuente con Subjuntivo.

Contraste con otras expresiones concesivas:

▶▶ **A pesar de** (ver entrada 33) y **Aunque** (ver entrada 107): Son las expresiones concesivas más generales.

> *Aunque hace calor me voy a poner un jersey. No quiero resfriarme.*

▶▶ **Por más que / Por mucho que** (ver entrada 580): Tienen los mismos usos que **Por muy... que**, pero se refieren a la insistencia de una acción.

> *Por mucho que insistas, no me vas a convencer. Déjalo ya.*

582

POR POCO = Señala que un acontecimiento finalmente no se produjo.

› *Llego tarde, lo sé. Pero es que por poco me olvido de la cita.*
› *Aprobé, pero por poco me suspenden. En el último momento me di cuenta de un error y lo corregí.*

Gramática › Locución adverbial.
Estructura › Se utiliza generalmente seguido de un verbo en Presente de Indicativo o Indefinido.

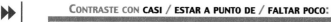
CONTRASTE CON CASI / ESTAR A PUNTO DE / FALTAR POCO:

▸▸**Casi** (ver entrada 126): Señala que no se realizó algo. Con **Por poco** se hace además hincapié en los aspectos negativos que se podían haber producido.

Casi me compro un coche, pero me di cuenta de que no tenía suficiente dinero.

Por poco me compro un coche que era bastante malo.

▸▸**Estar a punto de** (ver entrada 350) y **Faltar poco** (ver entrada 365): Indican que una acción va a ocurrir o que una acción casi ocurre.

Pisé un plátano y faltó poco para caerme.

583

¿POR QUÉ? = Pregunta por la causa de algo.

▸ *¿Por qué te fuiste tan pronto ayer?*
▸ *Tú sabes que no es verdad. ¿Por qué dices eso?*

Gramática ▸ Locución adverbial interrogativa.
Estructura ▸ Se utiliza seguido de un verbo en Indicativo.
Uso ▸ *Por qué* es la pregunta más general y directa para preguntar por la causa. Se utiliza en muchos contextos y con diferentes funciones, por ejemplo, para proponer una actividad, hacer una sugerencia, hacer una pregunta indirecta, etc.
¿Por qué no vamos al cine esta noche?

CONTRASTE CON CÓMO ES QUE:

▸▸**¿Cómo es que?** (ver entrada 143): Sólo se utiliza para preguntar por una causa de forma cortés. También se usa como una pregunta motivada por una sorpresa.

- *Voy a cambiar de trabajo.*
• *¿Ah, sí? ¿Cómo es que dejas una empresa tan buena?*

OTROS INTERROGATIVOS:

▸▸Para preguntar por una cantidad utilizamos **Cuánto** (ver entrada 193); por un lugar, **Adónde** (ver entrada 53) y **Dónde** (ver entrada 279); por un modo, **Cómo** (ver entrada 140); por un momento, **Cuándo** (ver entrada 188); por una persona, **Quién/es** (ver entrada 624) o **Cuál/es** (ver entrada 180) y por algo, **Qué** (ver entrada 605) o **Cuál/es**.

584

¿POR QUÉ NO? = Propone una actividad.

▸ *¿Por qué no vienes al cine con nosotros?*
▸ *Si te encuentras mal, ¿por qué no te acuestas?*

Gramática ▸ Locución adverbial interrogativa.
Estructura ▸ Se utiliza seguido de un verbo en Indicativo.

➤➤ **CONTRASTE CON OTRAS EXPRESIONES DE PROPUESTAS:**

➤➤**A ver si** (ver entrada 36): Expresa una invitación para hacer algo, un reto que cumplir.

*No nos vemos nunca. **A ver si** quedamos un día con más tiempo.*

➤➤**¿Y si?** (ver entrada 789): Significa lo mismo.

*¿**Y si** llamamos a Susana y nos vamos a dar un paseo?*

585

POR SI ACASO = Justifica una precaución.

▸ *No sé cuántos vamos a ser para comer. Por si acaso voy a comprar más pan.*
▸ *No quería que se enfadara y, por eso, aunque no tenía que hacerlo, le llamé por si acaso.*

Gramática ▸ Locución conjuntiva y adverbial condicional-causal.
Estructura ▸ Se utiliza seguido de un verbo en Indicativo.
Uso ▸ También se usa en contextos familiares y coloquiales *por si las moscas.*
  *Preparé más comida **por si las moscas**, por si éramos más a comer.*

586

POR SI NO = Señala la justificación de decir algo para que la otra persona lo sepa.

▸ *Por si no lo sabes, me han despedido. Así que es mi último día aquí.*
▸ *Por si no te habías enterado, quiero informarte de que me caso con tu ex-mujer.*

Gramática ▸ Expresión de justificación.
Estructura ▸ Precede a los verbos *saber* o *enterarse* y se utiliza seguido de:
  ■ Indicativo, cuando se presupone que quien escucha probablemente no sabe la información.
  Creo que eres al único al que no se lo he contado y, por si no lo sabes, me voy.

  ■ Subjuntivo cuando se considera que la otra persona muy probablemente ya conoce la información que se le va a transmitir.
  En la oficina no se habla de otra cosa, pero, por si no lo supieras, me voy a la competencia.

Uso ▸ Se usa en contextos coloquiales.

587

POR ÚLTIMO = Presenta el último elemento de una lista.

▸ *Pasa por la panadería y compra dos barras; por el supermercado y tráete dos litros de leche y, por último, por Correos y echa esta carta.*
▸ *Primero gira a la derecha, luego sigue recto unos cien metros y, por último, gira a la izquierda.*

Gramática ▸ Locución adverbial de orden.

PORQUE = Explica la causa de algo.

> ▶ *No lo compré porque estaba muy caro.*
> ▶ *Se fue al médico porque estaba muy enfermo.*

Gramática ▶ Conjunción de causa.

Origen ▶ **Porque** < de *por* y de *que*.

Uso ▶ Es la expresión de la causa más general y explícita. Con otras expresiones, del tipo *como, ya que, puesto que, es que*, etc., se dan matices a la causa.

CONTRASTE CON **OTRAS EXPRESIONES DE CAUSA**:

1. Explicar la causa como una situación previa (las oraciones causales preceden a la principal):

▶▶ **Al** + *infinitivo* (ver entrada 63): Se utiliza cuando en el contexto ya se ha mencionado la causa.
  - ¿Qué tal Alberto?
  - • *Al haberle operado, está todavía débil.*

▶▶ **Como** + *causa* (ver entrada 135): La situación previa es presentada como una información que da el hablante.
  Como no tengo paraguas, me voy antes de que empiece a llover.

▶▶ **En vista de** (ver entrada 319): Similar a la anterior, pero de uso en un contexto más formal y literario.
  En vista de su tardanza, decidimos marcharnos.

▶▶ **Puesto que** (ver entrada 595) y **Ya que** (ver entrada 796): La situación previa es presentada como una aceptación de lo dicho por el interlocutor o no propia del hablante.
  - Me voy al mercado.
  - • Oye, *ya que* vas, compra un litro de leche, por favor.

2. Explicar explícitamente la causa de algo (normalmente la causa se expresa después del acontecimiento):

▶▶ **A fuerza de** (ver entrada 18), **De puro** (ver entrada 231) y **De tanto** (ver entrada 233): Presentan la causa como el resultado de la insistencia o continuidad de una acción.
  A fuerza de trabajar consiguió lo que se proponía.

▶▶ **Debido a** (ver entrada 245): Se utiliza sólo en contextos formales y en lengua escrita.
  Debido a la falta de acuerdos no se firmó el convenio.

▶▶ **Es que** (ver entrada 334): Presenta la causa como un pretexto o una justificación.
  Me voy. Es que me duele muchísimo la cabeza.

▶▶ **Gracias a** + *causa* (ver entrada 376): Presenta la causa como algo bien aceptado.
  *Pudo solucionar el problema **gracias a** tu ayuda.*

▶▶ **Lo que pasa es que** (ver entrada 439): Presenta la causa de un problema.
  *No le han dado el crédito que pedía. **Lo que pasa es que** no tiene aval.*

▶▶ **Por** + causa (ver entrada 555): Presenta la causa con una connotación negativa.
  *Ha perdido la cartera **por** despistado.*

589

POSIBLEMENTE = Expresa la probabilidad de una acción.

▸ *Ya son las diez. Ya no vendrá. Posiblemente esté reunido o tenga algo mejor que hacer.*
▸ *No sé, pero posiblemente este año volvemos a Galicia de vacaciones.*

Gramática ▸ Adverbio.
Estructura ▸ Se utiliza seguido de un verbo en Indicativo o Subjuntivo.

CONTRASTE CON OTRAS EXPRESIONES DE HIPÓTESIS:

▸▸**A lo mejor** (ver entrada 22): Informa de lo que se considera muy posible.
   ***A lo mejor** me voy de vacaciones a la playa este verano.*
▸▸**Deber de** + *infinitivo* (ver entrada 244), **Seguro que / Seguramente** (ver entrada 647):
   Expresan lo que se considera probable, muy próximo a la realidad.
   *No sé qué hora es, pero **deben de** ser las tres y cuarto, hace un rato he oído las campanadas del reloj.*
▸▸**Quizá(s)** (ver entrada 627) y **Tal vez** (ver entrada 718) + *Indicativo*: Expresan lo que se considera posible, pero con una gran duda.
   *¡Qué raro que no haya llegado! **Quizá** le ha pasado algo. Suele ser muy puntual.*
▸▸**Quizá(s)** (ver entrada 627) y **Tal vez** (ver entrada 718) + *Subjuntivo*: Mencionan una posibilidad.
   *Mañana tengo una reunión y **quizá** llegue tarde a casa. No sé cuánto va a durar.*

OTRA EXPRESIÓN SIMILAR:

▸▸**Probablemente** (ver entrada 591): Significa lo mismo.

590

PRECISAMENTE = Presenta una información que confirma o está relacionada con algo dicho anteriormente.

▸ *- Ayer vi a Juan.*
   • Precisamente te iba a preguntar si sabías algo de él. ¿Qué tal está?
▸ *- No podemos arriesgarnos en una inversión tan alta porque hay crisis en el sector.*
   • Precisamente porque hay crisis es cuando tenemos que hacer inversiones grandes.

Gramática ▸ Adverbio.
Estructura ▸ Se utiliza con un verbo en Indicativo.

591

PROBABLEMENTE = Expresa la probabilidad de una acción.

▸ *Le estoy llamando y no contesta. Seguro que ha salido o, si no, probablemente está en la ducha.*
▸ *Luis y yo hemos pedido el mismo puesto. Probablemente me lo darán a mí, tengo más probabilidades porque llevo más tiempo en la empresa.*

Gramática ▸ Adverbio.
Estructura ▸ Se utiliza con un verbo en Indicativo o Subjuntivo.

⏩ CONTRASTE CON **OTRAS EXPRESIONES DE HIPÓTESIS**:

> ⏩**A lo mejor** (ver entrada 22): Informa de lo que se considera muy posible.
> *A lo mejor me voy de vacaciones a la playa este verano.*
>
> ⏩**Deber de** + *infinitivo* (ver entrada 244), **Seguro que / Seguramente** (ver entrada 647): Expresan lo que se considera probable, muy próximo a la realidad.
> *No sé qué hora es, pero **deben de** ser las tres y cuarto, hace un rato he oído las campanadas del reloj.*
>
> ⏩**Quizá(s)** (ver entrada 627) y **Tal vez** (ver entrada 718) + *Indicativo*: Expresan lo que se considera posible, pero con una gran duda.
> *¡Qué raro que no haya llegado! **Quizá** le ha pasado algo. Suele ser muy puntual.*
>
> ⏩**Quizá(s)** (ver entrada 627) y **Tal vez** (ver entrada 718) + *Subjuntivo*: Mencionan una posibilidad.
> *Mañana tengo una reunión y **tal vez** llegue tarde a casa. No sé cuánto va a durar.*

OTRA EXPRESIÓN SIMILAR:

⏩**Posiblemente** (ver entrada 589): Significa lo mismo.

592

PROPIO = Hace énfasis en la identidad o la posesión de alguien.

> ▸ *Fue el propio ministro, no su asesor, el que hizo esas declaraciones.*
> ▸ *Que cada uno se encargue de su propio equipaje. Yo no puedo ayudaros a todos.*

▮Gramática　▸ Adjetivo.

Pues < *post* (lat.)
Uso de la conjunción. Entradas 593 y 594.

593

PUES = Señala algo relacionado con lo dicho antes.

> ▸ *- Yo hablo cuatro idiomas.*
> 　● *Pues yo también.*
> ▸ *- No salgas, que va a llover.*
> 　● *Pues me llevo un paraguas.*

▮Gramática　▸ Conjunción continuativa.

594

PUES + causa = Indica la causa de una acción.

> ▸ *Me voy ya a casa, pues no tengo más dinero.*
> ▸ *- Dejó de trabajar con Pedro, pues ya no le tenía confianza.*
> 　● *¡Qué lástima! Espero que le vaya bien en su próximo proyecto.*

▮Gramática　▸ Conjunción de causa.

595

PUESTO QUE = Expresa que lo dicho por quien escucha es la causa de algo.

▸ - *No quiero hacer este trabajo.*
  • *Puesto que no quieres, se lo doy a Benjamín. Luego no protestes, ¿eh?*
▸ - *Pues, mira, no estoy de acuerdo contigo. Creo que es mejor comer antes de salir.*
  • *Puesto que no estás de acuerdo, vete con Isidro. Yo me voy ya.*

Gramática ▸ Locución conjuntiva de causa.
Estructura ▸ Se utiliza seguido de un verbo en Indicativo.

CONTRASTE CON **OTRAS EXPRESIONES DE CAUSA:**

▸▸**Al** + *infinitivo* (ver entrada 63): Se utiliza cuando en el contexto ya se ha mencionado la causa.
  - *¿Qué tal Alberto?*
  • *Al haberle operado, está todavía débil.*

▸▸**Como** + *causa* (ver entrada 135): La situación previa es presentada como una información que da el hablante.
  Como no tengo paraguas, me voy antes de que empiece a llover.

▸▸**En vista de** (ver entrada 319): Similar a la anterior, pero se utiliza en un contexto más formal y literario.
  En vista de su tardanza, decidimos marcharnos.

▸▸**Gracias a** + *causa* (ver entrada 376): Presenta la causa como algo bien aceptado.
  Pudo solucionar el problema gracias a tu ayuda.

▸▸**Ya que** (ver entrada 796): La situación previa es presentada como una aceptación de lo dicho por el interlocutor o no propia del hablante.
  - *Me voy al mercado.*
  • *Oye, ya que vas, tráeme un litro de leche, por favor.*

Que y Qué < *quid* (lat.)
Usos del pronombre y de la conjunción. Entradas 596 a 614.

596

QUE = Introduce una información adicional sobre alguien o algo mencionado en la frase.

▸ *Ayer estuve con María, que, por cierto, está enferma.*
▸ *El disco que me regalaste es buenísimo.*

Gramática ▸ Pronombre relativo.
Estructura ▸ Se utiliza seguido de:
■ Indicativo cuando nos referimos a personas o cosas de las que tenemos experiencia.
Tengo un secretario que habla tres idiomas.

■ Subjuntivo cuando nos referimos a personas en términos generales.
Necesito un secretario que hable, al menos, tres idiomas.

• Cuando hablamos de una personas o cosa que no conocemos.
No conozco a nadie que hable tres idiomas perfectamente.

Uso ▸ Nunca se puede iniciar una frase con *que* cuando introduce una oración relativa.

CONTRASTE CON OTROS PRONOMBRES RELATIVOS:

▸▸**Cuyo/a/os/as** (ver entrada 195): Introduce una información adicional indicando la propiedad sobre alguien o algo mencionado en la frase. Se utiliza sólo en contextos cultos y como relativo posesivo.
*Mira, ese es Raúl, **cuyo** padre es el gerente de la empresa.*

▸▸**El / La cual, Los / Las cuales** (ver entrada 287): Significan lo mismo, aunque tienen un carácter culto o formal. **Que** es más general.
*He visto un libro de gramática, **el cual** te puede servir para tu clase.*

▸▸**El / La que, Los / Las que** (ver entrada 288): Se refieren a una persona o cosa que no especificamos antes porque ya está claro en el contexto o no interesa. **Que** es el relativo más general y se utiliza cuando especificamos antes la persona o cosa a la que nos referimos.
__El que__ te puede ayudar es un amigo mío.

▸▸**Quien/es** (ver entrada 625): Se utilizan igual pero sólo para referirse a personas, nunca a cosas. Es más usual en contextos cultos.
__Quien__ bien te quiere, te hará llorar.

597

QUE = Introduce el segundo término de la comparación.

▸ *Este coche me gusta más que el otro.*
▸ *A mí me parece que este piso es menos luminoso que el de ayer, ¿no?*

Gramática ▸ Conjunción comparativa.

CONTRASTE CON TAN... COMO / TANTO COMO:

▸▸**Tan... como** (ver entrada 724) y **Tanto como** (ver entrada 727): Se utilizan para las comparaciones de igualdad, y el segundo elemento de la comparación no va introducido por **Que**, sino por **Como**.
*Este pantalón es **tan** bonito **como** el otro, pero es más caro.*

598

QUE = Introduce las frases subordinadas.

▸ *Es evidente que cada año perdemos poder adquisitivo.*
▸ *No es verdad que se haya firmado el convenio.*

Gramática ▸ Conjunción subordinante.
Estructura ▸ Se utiliza en las frases para expresar:
- Actividad mental: **Darse cuenta de** (ver entrada 203), **Estar seguro de** (ver entrada 356), **Ocurrírsele** (ver entrada 519), **Parecerle** (ver entrada 534), etc.
- Causa y consecuencia: **De ahí** (ver entrada 221), **Debido a** (ver entrada 245), **En vista de** (ver entrada 319), **Gracias a** + *causa* (ver entrada 376), etc.
- Consejo: **Aconsejar** (ver entrada 44), etc.
- Constataciones: **Estar claro que** (ver entrada 351), **Ser evidente / Ser verdad / Ser cierto** (ver entradas 668), etc.
- Deseos: **Esperar** (ver entrada 340), **Ojalá** (ver entrada 520), etc.
- Finalidad: **A fin de** (ver entrada 17), **Con el objeto de** (ver entrada 154), **Con vistas a** (ver entrada 163), **Para** + *finalidad* (ver entrada 526), etc.
- Necesidad: **Hacer falta** (ver entrada 390), **Necesitar** (ver entrada 485), **Ser necesario / Ser preciso** (ver entradas 670), etc.
- Sentimientos: **Alegrarse de** (ver entrada 70), **Dar** + *sentimiento* (ver entrada 198), **Dar igual** (ver entrada 199), **Encantarle** (ver entrada 320), **Gustarle** (ver entrada 378), etc.
- Tiempo: **Antes de** + *acontecimiento* (ver entrada 90), **Después de** + *acontecimiento* (ver entrada 268), etc.
- Y otras como: **A pesar de** (ver entrada 33), **En lugar de** (ver entrada 313), **En vez de** (ver entrada 318), **No... tanto como para** (ver entradas 509, 510 y 511), **De aquí a** (ver entrada 220), etc.

599

QUE + causa = Expresa la causa de una petición.

▸ *Enciende la luz, que no veo nada.*
▸ *Péinate, que estás muy feo.*

Gramática ▸ Conjunción de causa.
Estructura ▸ Se utiliza precedido de Imperativo y con un verbo en Indicativo.
Uso ▸ Se emplea en contextos coloquiales y familiares.

600

QUE + deseo = Expresa deseos en situaciones determinadas culturalmente.

▸ *Bueno, pues adiós. Y que tengáis buen viaje.*
▸ *Que aproveche.*

Gramática ▸ Expresión de deseo.
Estructura ▸ Se utiliza seguido de un verbo en Subjuntivo.
Uso ▸ Se emplea en contextos coloquiales.

▶▶

▶▶**A ver si** (ver entrada 36): Expresa una invitación para hacer algo, un reto que cumplir.

A ver si vamos a ver a Jesús. El pobre está enfermo y...

▶▶**Así** + *deseo* (ver entrada 98): Expresa un deseo negativo o una maldición.

*Me cae fatal. **Así** le despidan y se vaya de la empresa.*

▶▶**Esperar** (ver entrada 340): Es la expresión de esperanza más general y se utiliza tanto para expresar los deseos de quien habla como de cualquier otra persona. Las otras formas sólo son expresiones de deseo de quien las dice.

*María **espera** que vayamos a comer, así que vámonos.*

▶▶**Ojalá** (ver entrada 520): Expresa un deseo de difícil realización. Tiene un sentido de esperanza.

__Ojalá__ me den vacaciones en Navidad.

▶▶**¡Quién!** (ver entrada 623): Más que una esperanza muestra una cierta amargura por algo que no se tiene o no se es.

¿Que te ha tocado la lotería? ¡Qué suerte! ¡__Quién__ fuera tú!

601

QUE + finalidad = Expresa la finalidad de una petición.

▶ *A ver, ven que te vea de cerca.*
▶ *Cómprate un traje nuevo para la boda, que te vean bien guapo.*

Gramática ▶ Conjunción de finalidad.
Estructura ▶ Se utiliza precedido de Imperativo y con un verbo en Subjuntivo.
Uso ▶ Se emplea en contextos coloquiales y familiares.

602

QUE + lo dicho antes = Indica una repetición de lo que se ha dicho anteriormente.

▶ *- ¿Puedes venir un momento?*
  • ¿Qué?
  - Que vengas un momento.
▶ *Miguel dice que esto está mal, que hay que repetirlo.*

Gramática ▶ Conjunción para introducir el estilo indirecto.
Estructura ▶ Se utiliza con:
  ■ Indicativo cuando se repite una información.
    Luis me ha dicho que viene mañana a vernos.
    Ha llamado Guillermo, que te volverá a llamar más tarde.

  ■ Subjuntivo cuando se repiten órdenes, sugerencias o peticiones.
    Te llama el jefe, que vayas a su despacho.
    Te ha llamado Guillermo, que le llames.

▶▶

Uso ▶ Uso de los tiempos verbales:

■ Presente de Indicativo cuando repetimos informaciones presentes y actuales.
Juan no viene, que está enfermo.

■ Imperfecto de Indicativo para transmitir informaciones que ya no son actuales.
Juan no vino, (dijo) que estaba enfermo, en la cama.

■ Cualquier tiempo del pasado para transmitir informaciones pasadas y todavía actuales.
Alberto está muy cansado, que estuvo toda la noche trabajando.

■ Pluscuamperfecto de Indicativo para transmitir informaciones pasadas que ya no son actuales.
Anteayer me dijo Alberto que estaba muy cansado, que había estado toda la noche anterior trabajando.

■ Cualquier expresión de futuro (*ir a* + infinitivo, *pensar* + infinitivo o el verbo en forma futura) cuando repetimos informaciones futuras y actuales. Se utilizan las perífrasis anteriores en Imperfecto de Indicativo o el verbo en Condicional para transmitir informaciones futuras que ya no son actuales.
No te preocupes que, aunque tarde, vendrá, me lo prometió.
No vino a la cita, y eso que me prometió que vendría.

■ Presente de Subjuntivo para transmitir influencias actuales. Se utiliza el Imperfecto de Subjuntivo para transmitir influencias que ya no son actuales.
Oye, que hables con el jefe, que te está esperando.
El jefe está enfadado porque te dijo que le llamaras y no lo hiciste, y parece que era algo urgente.

OTRAS EXPRESIONES SIMILARES:

▶▶ Para transmitir lo que se ha dicho, se puede introducir también con un verbo de habla + **Que**. Por ejemplo: *decir que* (ver entrada 246), *pedir, contar, informar, confirmar, sugerir, narrar, explicar*, etc.

603

QUE SI / QUE DÓNDE / QUE CUÁNDO / QUE CÓMO = Repite una pregunta.

▶ *He estado con Ana, que si quieres venir con nosotros esta noche.*
▶ *He visto a tu hermana, que cuándo puedes ir a verla.*

Gramática ▶ Expresión interrogativa indirecta.
Uso ▶ Se utiliza *que si* cuando en la pregunta no existe ningún pronombre interrogativo.
▶ *Que sí* (con tilde) se utiliza para transmitir una respuesta afirmativa. Con *que si* (sin tilde) introducimos una pregunta indirecta.

604

QUE SÍ / QUE NO = Repite una respuesta.

▶ *He visto a Elena. Que no, que no viene con nosotros.*
▶ *- ¿Tienes hambre?*
  • *Sí, mucha.*
  - ¿Qué?
  • *Que sí.*

Gramática ▶ Expresión de afirmación o negación.
Uso ▶ Se utiliza en registros coloquiales.

605

¿QUÉ? = Pregunta por algo.

▶ *- ¿Qué hacemos?*
  • *No sé, lo que quieras.*
▶ *- ¿Qué es esto?*
  • *Una comida típica de mi país.*

Gramática ▶ Pronombre interrogativo.
Estructura ▶ Se utiliza seguido de un verbo en Indicativo.

CONTRASTE CON **CUÁL**:

▶▶**Cuál/es** (ver entrada 180): Se utiliza para identificar algo entre varios de un grupo determinado. Con **Qué** simplemente pedimos una identificación de algo, sin referirnos a un grupo determinado.
  *- ¿**Qué** quieres?*
  • *Un libro.*
  *- ¿**Cuál**?*
  • *El último de Vargas Llosa.*

OTROS INTERROGATIVOS:

▶▶Para preguntar por una cantidad utilizamos **Cuánto** (ver entrada 193); por un modo, **Cómo** (ver entrada 140); por un lugar, **Adónde** (ver entrada 53) y **Dónde** (ver entrada 279); por un momento, **Cuándo** (ver entrada 188); por un motivo, **Por qué** (ver entrada 583); por una persona, **Quién/es** (ver entrada 623) o **Cuál/es** (ver entrada 180).

606

¡QUÉ + algo! = Expresa una exclamación sobre una persona o una cosa.

▶ *¡Qué coche! Es precioso.*
▶ *¡Qué hombre más raro!*

Gramática ▶ Pronombre exclamativo.
Estructura ▶ Se utiliza seguido de un sustantivo.
Uso ▶ Es una expresión bastante ambigua, no se sabe si es positiva o negativa. Por eso hay que aclararlo en el contexto.
  - ¡Qué vestido!
  • *¿Qué pasa, no te gusta?*
  - No, no, al revés. Me parece muy bonito.

607

¡QUÉ + cualidad! = Expresa una exclamación sobre una cualidad.

▶ *¡Qué bonito! Me gusta mucho.*
▶ *¿Vienes con nosotros? ¡Qué bien! Me alegro mucho.*

Gramática ▶ Pronombre exclamativo.
Estructura ▶ Se utiliza seguido de un adjetivo o de un adverbio.

608

¡QUÉ + IR A! = Rechaza algo enérgicamente.

- ▸ *- El hombre del tiempo dice que esta noche llueve.*
  • ¡Qué va a llover! Si hace un día buenísimo.
- ▸ *- Yo creo que se equivocó.*
  • ¡Qué se iba a equivocar! Lo que pasa es que las cosas no salieron como pensaba.

Gramática	▸ Expresión de rechazo.
Estructura	▸ Se utiliza seguido de un infinitivo.
	▸ Se utiliza el verbo *ir* en Presente para rechazar una idea futura o presente.
	▸ Se utiliza en Imperfecto para rechazar una idea pasada.
Uso	▸ Se emplea en contextos familiares e informales.
	▸ También es frecuente el uso de *¡cómo + ir a...!* con el mismo valor.

609

QUÉ BIEN = Expresa satisfacción o alegría.

- ▸ *- Me voy de vacaciones con Enrique.*
  • ¡Qué bien! Me alegro.
- ▸ *Qué bien que no tengas que trabajar hoy, así estaremos juntos todo el día.*

Gramática	▸ Expresión de alegría.
Estructura	▸ Puede ir seguido de *que* + verbo en Subjuntivo.

CONTRASTE CON ALEGRARSE / ALEGRARSE DE:

▸▸**Alegrarse** (ver entrada 69): Expresa satisfacción por algo que le sucede a otra persona.

- *- Me voy a casar.*
- *• ¡Me alegro! ¡Me alegro mucho por vosotros!*

▸▸**Alegrarse de** (ver entrada 70): Indica satisfacción por lo que hace uno mismo o lo que hace otra persona especificando qué produce alegría.

Me alegro mucho de que te vayas a casar.

610

¡QUÉ DIGO! = Corrige una información recién dada o corrige la forma de expresarla.

- ▸ *Mañana le pido al jefe las vacaciones. ¡Qué digo!, voy ahora mismo.*
- ▸ *¡Qué coche más bonito! Jesús se quería comprar uno igual. ¡Qué digo!, se lo compró.*

Gramática	▸ Expresión de rectificación.
Uso	▸ Se utiliza en contextos coloquiales o familiares.

OTRA EXPRESIÓN SIMILAR:

▸▸**Mejor dicho** (ver entrada 459): Es de uso más frecuente.

611

QUÉ LE VAMOS A HACER = Expresa resignación.

> ▶ - *No nos ha tocado la lotería.*
>   • *¡Qué le vamos a hacer!*
> ▶ - *Se ha roto el jarrón de la abuela.*
>   • *Vaya, qué le vamos a hacer.*

Gramática ▶ Expresión de resignación.
Uso ▶ Se utiliza en contextos coloquiales o familiares.

612

¡QUÉ MÁS DA! = Expresa indiferencia cuando nos informan de algo que no era lo que esperábamos.

> ▶ - *No puedo ir mañana, así que nos vemos el lunes.*
>   • *¡Qué más da!*
> ▶ - *No vamos a comer paella. Voy a poner cocido.*
>   • *¡Y qué más da!*

Gramática ▶ Expresión de indiferencia.
Uso ▶ Se utiliza en registros familiares e informales.

CONTRASTE CON **DAR IGUAL / TOTAL**:

▶▶ **Dar igual** (ver entrada 199): Se utiliza para expresar indiferencia ante una elección.
  - *¿Cuál te gusta?*
  • *Da igual, los dos son bonitos. Compra uno y vámonos.*
  - *Bueno, pues me llevo este.*

▶▶ **Total** (ver entrada 743): Expresa indiferencia ante una situación, y además, si se hiciera otra cosa, supondría un esfuerzo mayor.
  - *Me encuentro fatal.*
  - *¿Por qué no vas al médico?*
  • *Total, ya sé lo que me va a decir, que me tome unos antibióticos y a la cama.*

613

QUÉ PENA / QUÉ RARO / QUÉ SUERTE = Expresa una reacción con sorpresa, mostrando un sentimiento.

> ▶ - *No voy a poder ir a tu fiesta.*
>   • *¡Qué pena!*
> ▶ *Qué raro que no esté ya aquí, si es muy puntual.*
> ▶ - *Agustín ha encontrado un trabajo muy bueno.*
>   • *¡Qué suerte! Hoy en día es difícil encontrar trabajo.*

Gramática ▶ Expresión de sentimiento.
Estructura ▶ Se utilizan con sustantivos referidos a sentimientos: *pena, suerte, rabia, dolor,* etc. y pueden ir seguidos de *que* y un verbo en Subjuntivo.

614

¡QUÉ VA! = Responde negativamente de forma enérgica.

▶ *- ¿Tú crees que vendrá Antonio?*
  • *¡Qué va!*
▶ *- ¿Se lo has dicho?*
  • *¡Qué va! Hoy está enfadado y no se puede hablar con él.*

Gramática ▶ Expresión de rechazo.
Uso ▶ Se utiliza en registros familiares.

OTRAS EXPRESIONES SIMILARES:

▸▸**Claro que no** (ver entrada 133) y **Desde luego que no** (ver entrada 265): Se utilizan para indicar una respuesta negativa a una pregunta.

▸▸**¡Cómo que!** (ver entrada 145): Expresa desacuerdo sobre lo que otro ha dicho.

▸▸**Ni hablar** (ver entrada 487): Sirve para rechazar una petición o solicitud de algo.

▸▸**No** (ver entrada 493): Es la negación más neutra. Se utiliza en cualquier contexto.

Quedar < *quietāre* (lat.), sosegar, descansar.
Usos del verbo. Entradas 615 a 621.

615

QUEDAR + participio = Expresa una acción ya terminada.

▶ *¿Ha quedado decidida la decoración de la nueva tienda?*
▶ *Después de la reunión quedó resuelto el conflicto. Mañana empezamos a trabajar.*

Gramática ▶ Perífrasis verbal terminativa.
Uso ▶ No es muy frecuente en la lengua oral y tiene un carácter literario y culto en la lengua escrita.

616

QUEDAR EN = Ponerse de acuerdo.

▶ *Al final de la reunión quedaron en que el departamento de contabilidad haría un informe sobre los gastos.*
▶ *Hemos quedado en que vengas tú a vernos y no en que nosotros vayamos a verte.*

Gramática ▶ Verbo preposicional.
Estructura ▶ Se utiliza seguido de:
  ■ Infinitivo cuando el sujeto de los dos verbos es el mismo.
    Quedamos en vernos el sábado por la noche.

  ■ *Que* + Indicativo cuando el acuerdo es sobre una información.
    Quedamos en que la cita era hoy, no mañana.

  ■ *Que* + Subjuntivo cuando el acuerdo es que la otra persona tiene que hacer algo.
    Quedamos en que tú vinieras a mi casa, no en que yo fuera a la tuya.

617

QUEDAR POR / QUEDAR SIN + infinitivo = Presenta la necesidad de hacer algo que está pendiente.

▸ *Ya he preparado la comida. Sólo queda por hacer el postre. ¿Qué te apetece?*
▸ *Antonio ha pintado la casa y sólo le queda sin pintar el pasillo.*

Gramática ▸ Perífrasis verbal resultativa.
Estructura ▸ El verbo *quedar* va en singular o plural dependiendo del sustantivo al que se refiere.
Me queda un cuarto por pintar / Me quedan tres cuartos por pintar.

OTRA EXPRESIÓN SIMILAR:

▸▸**Estar sin** + *infinitivo* (ver entrada 357): Significa lo mismo.

618

QUEDARLE BIEN / QUEDARLE MAL = Indica el resultado de una actividad.

▸ *Ya he preparado la comida. He hecho macarrones y me han quedado muy bien.*
▸ *Mira qué cuadro. ¿A que me ha quedado bien en esta habitación?*

Gramática ▸ Expresión de valoración.
Uso ▸ Esta expresión se utiliza a menudo cuando alguien se está probando ropa:
- *¿Qué tal me queda?*
•*Muy bien, te queda muy bien.*

619

QUEDARSE + cambio = Se refiere a un cambio como resultado de una situación o de una acción anterior.

▸ *Era tan antipático que se quedó solo, sin amigos.*
▸ *Se quedó mudo de la impresión al verle. Hacía mucho tiempo que no lo veía.*

Gramática ▸ Verbo reflexivo.
Estructura ▸ Se utiliza seguido de un adjetivo.

CONTRASTE CON OTROS VERBOS DE CAMBIO:

▸▸**Convertirse en** (ver entrada 176) y **Transformarse en** (ver entrada 745): Se refieren a cambios radicales en una persona o cosa.
Ese convento lo han convertido en una discoteca de moda.

▸▸**Hacerse** (ver entrada 392): Expresa los cambios definitivos experimentados por una persona como resultado de la evolución natural o resultado de su propia decisión.
¡Cómo ha cambiado tu hija! El año pasado era una niña y ya se ha hecho una mujer.

▸▸**Llegar a** y **Llegar a ser** (ver entradas 427 y 428): Se refieren a cambios progresivos.
Con mucho esfuerzo mi padre llegó a ser el subdirector de su empresa.

▶▶ **Ponerse** (ver entrada 552): Se refiere a un cambio rápido e instantáneo y de poca duración.

*Me **he puesto** muy nervioso, pero ya se me ha pasado.*

▶▶ **Volverse** (ver entrada 776): Se refiere a transformaciones rápidas pero definitivas.

*Jerónimo **se ha vuelto** muy callado. Con lo charlatán que era antes. ¿Qué le habrá pasado?*

620

QUEDARSE + gerundio = Expresa la consecuencia producida por una acción anterior. El sujeto es pasivo.

▶ *Después de la reunión Carlos se quedó pensando que las decisiones tomadas no eran las correctas.*
▶ *Está tan cansado que se ha quedado durmiendo un poco más.*

▌Gramática ▶ Perífrasis verbal perfectiva.

621

QUEDARSE + participio = Expresa la consecuencia producida por una acción anterior. El sujeto es activo.

▶ *Me he quedado helado de estar durmiendo a la sombra.*
▶ *Después de la reunión Manuel se ha quedado apesadumbrado. No se esperaba esa reacción del jefe, la verdad.*

▌Gramática ▶ Perífrasis verbal perfectiva.

622

QUERER = Expresa un deseo.

▶ *Mamá, quiero comer.*
▶ *Yo no quiero ese coche, no me gusta.*
▶ *Quiero que vuelvas a mi lado.*

▌Gramática ▶ Verbo transitivo.
Origen ▶ **Querer** < *quaerĕre* (lat.), tratar de, obtener.
Uso ▶ Se utiliza seguido de:
■ Sustantivo:
Quiero un café con leche, por favor.

■ Infinitivo cuando el sujeto de las dos acciones es el mismo, es decir, cuando se expresa el deseo de una persona de hacer algo.
Quiero ir a la playa.

■ *Que* + Subjuntivo cuando el sujeto de las dos acciones es diferente, es decir, cuando se expresa el deseo de una persona de que otra haga algo.
Quiero que vengas conmigo.

■ Imperfecto de Indicativo o Condicional y un objeto para pedir algo en una tienda o en un restaurante.

Quería un litro de leche, por favor.

■ Muchas veces se utiliza el verbo *querer* en Imperfecto o en Pluscuamperfecto de Subjuntivo para expresar la intención de hacer algo que finalmente no ha sido posible.

Hubiera querido llamarte, pero no encontré un teléfono cerca.

OTRAS EXPRESIONES SIMILARES:

▸▸**Hacer ilusión** (ver entrada 391): Expresa el deseo de algo poco importante.

▸▸**Tener ganas de** (ver entrada 731): Se utiliza la voluntad o el deseo de hacer algo.

623

¡QUIÉN! = Expresa una amargura por algo que no se tiene o no se es.

▸ *No tengo ni un euro en el bolsillo. ¡Quién fuera millonario!*
▸ *¿Te vas tres meses de vacaciones? ¡Quién pudiera!*

Gramática ▸ Pronombre exclamativo.
Origen ▸ **Quién** < *quĕm* (lat.)
Estructura ▸ Se utiliza seguido de un verbo en Imperfecto de Subjuntivo.

CONTRASTE CON OTRAS EXPRESIONES DE DESEO:

▸▸**A ver si** (ver entrada 36): Expresa una invitación para hacer algo, un reto que cumplir.

A ver si vamos a ver a Jesús. El pobre está enfermo y...

▸▸**Así** + *deseo* (ver entrada 98): Expresa un deseo negativo o una maldición.

Me cae fatal. Así le despidan y se vaya de la empresa.

▸▸**Esperar** (ver entrada 340): Es la expresión de esperanza más general y se utiliza tanto para expresar los deseos de quien habla como de cualquier otra persona. Las otras formas sólo son expresiones de deseo de quien las dice.

María espera que vayamos a comer. Así que vámonos.

▸▸**Ojalá** (ver entrada 520): Expresa un deseo de difícil realización. Tiene un sentido de esperanza.

Ojalá me den vacaciones en Navidad.

▸▸**Que** + *deseo* (ver entrada 600): Expresa deseos en despedidas y situaciones determinadas y establecidas culturalmente.

¿Te vas a dormir? Pues que descanses.

624

¿QUIÉN? / ¿QUIÉNES? = Pregunta por alguien.

▸ *- ¿Quién es Ramón?*
  • Ese de ahí.
▸ *- ¿De quién es esto?*
  • Es mío.

⏩ Gramática ▸ Pronombre interrogativo.
Origen ▸ **Quién** < *quĕm* (lat.)
Estructura ▸ Se utiliza seguido de un verbo en Indicativo.

CONTRASTE CON **CUÁL**:

⏩**Cuál/es** (ver entrada 180): Se utiliza para identificar algo entre varios de un grupo determinado, mientras que cuando simplemente pedimos una identificación de alguien, sin referirnos a un grupo determinado, utilizamos **Quién**.

- *¿**Cuál** de los tres es Alberto?*
- • *El alto.*
- *¿**Quién**, el que lleva un traje gris?*
- • *Sí, ese.*

OTROS INTERROGATIVOS:

⏩Para preguntar por una cantidad utilizamos **Cuánto** (ver entrada 193); por un modo, **Cómo** (ver entrada 140); por un lugar, **Adónde** (ver entrada 53) y **Dónde** (ver entrada 279); por un momento, **Cuándo** (ver entrada 188); por un motivo, **Por qué** (ver entrada 583); por una persona, **Cuál/es** (ver entrada 180) y por algo, **Qué** (ver entrada 605) o **Cuál/es**.

625

QUIEN / QUIENES = Introduce una información adicional sobre alguien mencionado en la frase.

▸ *Ayer estuve con Serafín, de quien te hablé el otro día.*
▸ *Quienes sepan la respuesta que levanten la mano.*

Gramática ▸ Pronombre relativo.
Estructura ▸ *Quien* concuerda con antecedentes en singular; *quienes*, en plural.
▸ Se utiliza seguido de:
▪ Indicativo cuando nos referimos a personas de las que tenemos experiencia.
Conozco a quien te puede ayudar en esta materia.
▪ Subjuntivo cuando nos referimos a personas en términos generales o que no conocemos.
Quien sepa de informática, que me ayude, por favor.

CONTRASTE CON **OTROS PRONOMBRES RELATIVOS**:

⏩**Cuyo/a/os/as** (ver entrada 195): Introducen una información adicional indicando la propiedad sobre alguien o algo mencionado en la frase. Se utiliza sólo en contextos cultos y como relativo posesivo.
*Mira, ese es Raúl, **cuyo** padre es el gerente de la empresa.*

▸▶**El / La cual, Los / Las cuales** (ver entrada 287): Introducen una información adicional sobre alguien o algo mencionado en la frase.
*He visto un libro de gramática, **el cual** te puede servir para tu clase.*

▸▶**El / La que, Los / Las que** (ver entrada 288): Se refieren a una persona o cosa que no especificamos antes porque ya está claro en el contexto o no interesa.
***El que** te puede ayudar es Pedro Fernández.*

▸▶**Que** (ver entrada 596): Es el relativo más general y se utiliza cuando especificamos antes la persona o cosa a la que nos referimos. **Quien/es** se utilizan igual, pero sólo para referirse a personas, nunca a cosas y es más usual en contextos más cultos.
*Tengo un amigo **que** te puede ayudar.*

626

QUIENQUIERA QUE / QUIENESQUIERA QUE = Define a una persona indeterminada.

▸ *Luis, salgo un momento. No abras la puerta quienquiera que llame.*
▸ *Quienesquiera que hayan hecho esto, tienen que recogerlo.*

Gramática ▸ Pronombre indeterminado.
Origen ▸ **Quienquiera** < del relativo *quien* y la tercera persona del Presente de Subjuntivo del verbo *querer*.
Estructura ▸ Se utiliza seguido de:
■ Subjuntivo.
Ya verás cómo quienquiera que venga a la fiesta, te trae un regalo.
Uso ▸ Es más frecuente escuchar la forma simple: *quien* + Subjuntivo.

OTRAS EXPRESIONES SIMILARES:

▸▶Para describir un modo, **Comoquiera que** (ver entrada 146); para describir a alguien, **Cualquiera que** (ver entrada 184); para describir un momento, **Cuandoquiera que** (ver entrada 190) y para describir un lugar, **Dondequiera que** (ver entrada 281).

627

QUIZÁ(S) = Expresa la posibilidad de una acción.

▸ *¿Sabes? Quizá me destinen a Barcelona.*
▸ *No sé, no sé. Quizás estoy equivocado, pero creo que no es así.*

Gramática ▸ Adverbio de duda.
Origen ▸ **Quizá** < *qui sapit* (lat.), quién sabe.
Estructura ▸ Se utiliza seguido de:
■ Indicativo cuando expresa lo que se considera posible.
Mañana tengo una reunión y quizás llegaré un poco tarde. No me esperes.

■ Subjuntivo cuando menciona una posibilidad remota, una conjetura, sin tener datos objetivos.
¿No ha llegado todavía? Quizás no sepa dónde vivimos.

CONTRASTE CON OTRAS EXPRESIONES DE HIPÓTESIS:

▸▸**A lo mejor** (ver entrada 22): Expresa una hipótesis posible.

A lo mejor me voy de vacaciones a la playa este verano.

▸▸**Deber de** + *infinitivo* (ver entrada 244) y **Seguro que / Seguramente** (ver entrada 647): Expresan lo que se considera probable, muy próximo a la realidad, casi seguro.

No sé qué hora es, pero deben de ser las tres y cuarto, hace un rato he oído las campanadas del reloj.

Seguramente Celia llegará enseguida, es muy puntual.

▸▸**Igual** (ver entrada 407): Expresa una hipótesis que se considera posible, pero de ser cierta, sería una sorpresa.

Igual me dan la plaza de subsecretario en la nueva delegación que van a abrir.

▸▸**Poder incluso que** (ver entrada 549): Presenta una hipótesis como remota, aunque posible.

Seguro que viene a cenar esta noche. Puede incluso que venga con algún amigo.

▸▸**Poder ser que** (ver entrada 550): Expresa una hipótesis posible.

No ha venido Mariano, puede ser que esté enfermo.

OTRA EXPRESIÓN SIMILAR:

▸▸**Tal vez** (ver entrada 718): Significa lo mismo.

628

RARAMENTE = Expresa las pocas ocasiones en las que se realiza una actividad.

> ▶ *No me gusta mucho el tenis y, por eso, raramente lo practico.*
> ▶ *Aurora casi nunca ve el fútbol y muy raramente viene conmigo al estadio.*

Gramática ▶ Adverbio de modo.
Estructura ▶ Se utiliza seguido de un verbo en Indicativo, en Presente o en Imperfecto.

CONTRASTE CON **OTRAS EXPRESIONES DE ESCASA FRECUENCIA:**

▶▶**Apenas** (ver entrada 91): Indica que una actividad casi no se practica.
Apenas *voy al cine. En cambio, antes iba todas las semanas.*

▶▶**Casi nunca** (ver entrada 128): Indica la escasa frecuencia con la que se realiza una actividad. **Raramente** es más propio de un lenguaje cuidado.
Él y yo **casi nunca** *estamos de acuerdo, somos muy diferentes.*

629

REALMENTE = Matiza una valoración sorprendente o insólita.

> ▶ *- La última película de Amenábar es realmente buena.*
> • *Sí, es verdad, buenísima.*
> ▶ *- Se comporta de una forma peculiar, realmente rara cuando está en grupo.*
> • *Es que es muy tímido, ¿no?*

Gramática ▶ Adverbio de modo.
Estructura ▶ Se utiliza seguido de un adjetivo calificativo.

CONTRASTE CON **OTRAS EXPRESIONES DE VALORACIÓN:**

▶▶**Bastante** + *adjetivo* (ver entrada 111): Se utiliza para valorar positivamente una cualidad sin expresar entusiasmo.
La fiesta fue **bastante** *divertida, pero, si lo sé, no voy.*

▶▶**Especialmente** (ver entrada 339) y **Verdaderamente** (ver entrada 773): Sirven para expresar el punto de vista sobre algo que se considera insólito o sorprendente.
Este niño es **verdaderamente** *listo para su edad. Sólo tiene cuatro años y habla de maravilla.*

▶▶**Más bien** (ver entrada 452): Sirve para expresar que el objeto valorado tiene una tendencia hacia esa cualidad, se acerca a eso.
Es una chica **más bien** *rubia, castaña clara, muy clara.*

▶▶**Sumamente** (ver entrada 715): Sirve para expresar el punto de vista sobre algo, en general, positivo.
Es una obra **sumamente** *divertida. Yo te la recomiendo, si te gustan las comedias, claro.*

630

RECOMENDAR = Da un consejo.

▸ *Te recomiendo comer en el restaurante "El Asador", los postres son buenísimos.*
▸ *Me han recomendado que me vacune antes de viajar.*

Gramática ▸ Verbo transitivo.
Estructura ▸ Se utiliza seguido de:
  ■ Un sustantivo cuando se aconseja sobre algo.
    Te recomiendo este libro, es muy bueno.
  ■ Infinitivo cuando se dan consejos generales.
    La guía recomienda visitar primero el centro de la ciudad.
  ■ *Que* + Subjuntivo cuando se da un consejo a otra persona distinta de quien da el consejo, los sujetos son diferentes.
    Te recomiendo que pruebes ese plato, es excelente.

OTRAS EXPRESIONES SIMILARES:

▸▸**Aconsejar** (ver entrada 44): Se utiliza para dar un consejo general.
▸▸**Sugerir** (ver entrada 714): Indica más una propuesta que un consejo presentado de forma modesta. Tienen la misma estructura y usos. **Recomendar** indica un consejo sobre algo cotidiano o poco importante.

631

RECORDAR = Indica que una información está en la memoria.

▸ *Lo he leído antes, pero no recuerdo dónde.*
▸ *No sé muy bien dónde fue, pero recuerdo que, la primera vez que te vi, llevabas un vestido naranja.*

Gramática ▸ Verbo transitivo.
Origen ▸ **Recordar** < *recordāri* (lat.)
Estructura ▸ Se utiliza seguido de un sustantivo, un verbo en infinitivo o la conjunción *que* y un verbo en Indicativo.

CONTRASTE CON ACORDARSE DE:

▸▸**Acordarse de** (ver entrada 46): Indica un acto voluntario o repentino de la memoria.
*No **me acuerdo de** su nombre. ¿Cómo se llamaba?*

632

RESULTA DIFÍCIL = Expresa que algo es difícil.

▸ *En este tema, me resulta difícil tomar una decisión.*
▸ *Me resulta muy difícil acordarme de tu nombre. ¿Por qué será?*

Gramática ▸ Expresión impersonal.
Estructura ▸ Se utiliza seguido de un infinitivo.
Uso ▸ *Me cuesta* y *es difícil* significan lo mismo.

Saber < *sapĕre* (lat.)
Usos del verbo. Entradas 633 y 634.

633

SABER = Expresa que se tiene una información.

▸ *Hombre, Manolo. ¡Cuánto tiempo! Ya sé que te has casado.*
▸ *Pues yo sé inglés y francés.*

Gramática ▸ Verbo transitivo.
Uso ▸ También se utiliza para expresar que se tienen conocimientos o habilidades adquiridas.
Sé hablar inglés / Sé nadar muy bien / Sé conducir.

CONTRASTE CON **CONOCER**:

▸▸**Conocer** (ver entrada 168): Expresa que se tiene experiencia o contacto con algo o alguien. Con **Saber** indicamos que tenemos una información, aunque no necesariamente por experiencia directa.
Conozco *un restaurante buenísimo por aquí. Estuve cenando allí con Mario.*
Sé *de un restaurante muy bueno por aquí. Juana estuvo cenando con Mario en él y me dijeron que estaba muy bien.*

634

¿SABER SI? / ¿SABER CUÁNDO? = Hace una pregunta de forma indirecta.

▸ *Antonio, ¿sabes cuándo llega Elisa?*
▸ *¿Ustedes saben si podemos ir a verle al hospital?*

Gramática ▸ Expresión interrogativa.
Estructura ▸ Se utiliza seguido de una conjunción o pronombre interrogativo: *si, qué, dónde, cuándo...*, y un verbo en Indicativo.

635

SALIR + estado = Expresa el estado de alguien o algo como resultado de un acontecimiento o de un proceso.

▸ *Tuvo un accidente muy grave, pero salió ileso, sin una sola herida.*
▸ *No me ha gustado nada la reunión. He salido completamente desconcertado.*

Gramática ▸ Verbo transitivo.
Origen ▸ **Salir** < *salīre* (lat.), saltar, brotar.
Estructura ▸ Se utiliza seguido de un participio o gerundio, o de un adjetivo o adverbio.

Salvo < *salvus* (lat.)
Usos de la preposición y la locución. Entradas 636 y 637.

636

SALVO = Excluye un elemento de una lista o una información previamente dada.

▸ *Para la reunión de mañana están convocados todos los jefes de departamento, salvo el de Finanzas, que está de viaje.*
▸ *Ya he leído todos los libros de este autor, salvo el primero, que no lo encuentro en ninguna biblioteca.*

▸▸

▮Gramática ▸ Adverbio.

OTRA EXPRESIÓN SIMILAR:

▸▸**Excepto** (ver entrada 363): Significa lo mismo. Se utiliza más frecuentemente. **Salvo** se utiliza en contextos cultos.

637

SALVO QUE = Expresa lo único que podría ocurrir para que no se produzca algo.

▸ *Entonces nos vemos la semana que viene, salvo que tenga que ir a París.*
▸ *Hoy comemos juntos, salvo que la reunión se demore, ¿de acuerdo?*

Gramática ▸ Locución conjuntiva condicional.
Estructura ▸ Se utiliza seguido de:
■ Presente o Imperfecto de Subjuntivo. Se refiere a la posibilidad remota de que no se produzca la acción si ocurre u ocurriera una eventualidad presente o futura que no esperamos.
Salvo que cambie la situación, cosa que no parece, mañana no podemos ir de acampada porque va a hacer muy mal tiempo.
■ Perfecto o Pluscuamperfecto de Subjuntivo. Se refiere a la posibilidad remota de que no se produzca la acción si ha ocurrido en el pasado una eventualidad que no esperamos.
Salvo que hayan llegado ya y no nos hayan avisado, como prometieron que harían, mis padres no vuelven de su viaje hasta mañana.
■ Con el Presente o con el Perfecto presentamos eventualidades que, aunque no esperables, sí son más posibles. Con el Imperfecto y el Pluscuamperfecto expresamos eventualidades no sólo inesperadas, sino además, remotas.

CONTRASTE CON OTRAS EXPRESIONES CONDICIONALES:

▸▸**Con que** (ver entrada 158), **Con sólo** (ver entrada 161), **Con tal de que** (ver entrada 162), **Siempre que** + *condición* (ver entrada 695), **Sólo con** (ver entrada 710) y **Sólo si** (ver entrada 711): Expresan una condición que se considera mínima, imprescindible.
Te dejo el dinero con tal de que me prometas devolvérmelo pronto.

▸▸**Como** + *condición* (ver entrada 136): Expresa una advertencia.
Como sigas sin ir a clase, vas a suspender.

▸▸**En caso de que** (ver entrada 304): Presenta una eventualidad, una posibilidad remota de que algo ocurra.
Deja un recado en caso de que no esté en la oficina, pero suele estar.

OTRAS EXPRESIONES SIMILARES:

▸▸**A menos que** (ver entrada 29), **A no ser que** (ver entrada 31) y **Excepto que** (ver entrada 364): Tienen los mismos usos.

638

SE = Pronombre reflexivo de tercera persona. Ver cuadros de pronombres personales y reflexivos.

639

SE + verbo = Expresa la pasiva de forma impersonal.

▶ *Se detuvo al ladrón pocos minutos después del robo.*
▶ *Al final se hicieron las camisetas en aquella tienda.*

Gramática ▶ Pronombre personal.
Estructura ▶ Se utiliza seguido de un verbo en tercera persona del singular o del plural según el sujeto.
   Se vende piso / Se venden pisos.

▶ Si el sujeto es una persona, se utiliza el verbo en forma singular y con la preposición *a*, para distinguirla de oraciones recíprocas.
   Se echa de menos a los amigos cuando se van / Se echan de menos los amigos (entre ellos).

Uso ▶ Se utiliza en sustitución de la voz pasiva (ver entrada 661), que es muy poco frecuente en español, cuando no se especifica el agente.

CONTRASTE CON SER:

▶▶ **Ser** + *participio* (ver entrada 661): Es propiamente la forma de la voz pasiva, pero sólo se utiliza en contextos cultos y formales.
"El Quijote" **fue** *escrito en 1605 / **Se** escribió "El Quijote" en 1605.*

640

SE + verbo + complemento = Presenta una información de forma general, impersonal.

▶ *En México se nota perfectamente la herencia maya y azteca.*
▶ *Aquí se duerme muy bien, es un buen hotel.*

Gramática ▶ Pronombre personal.
Estructura ▶ Se utiliza seguido de un verbo en tercera persona del singular.

CONTRASTE CON GENTE / TODO EL MUNDO:

▶▶ **Gente** (ver entrada 373): Tiene un valor parecido, pero con **Gente** se excluye a la persona que habla y con **Se** no se indica ningún sujeto.
*La **gente** no puede entrar sin permiso en esta sala / No **se** puede entrar sin permiso en esta sala.*

▶▶ **Todo el mundo** (ver entrada 741): Significa lo mismo, pero tiene un carácter de universalismo.
***Todo el mundo** necesita un poco de cariño.*

641

SEGUIR + gerundio = Expresa la continuidad de una actividad.

▸ *El niño sigue durmiendo. Ha pasado muy mala noche.*
▸ *A pesar de que ya no es estudiante, Juan sigue participando en las actividades de la universidad.*

Gramática ▸ Perífrasis verbal durativa.
Origen ▸ **Seguir** < *sequĭre*, de *sequi*, con la t de *ire* (lat.)

OTRA EXPRESIÓN SIMILAR:

↦ **Continuar** + *gerundio* (ver entrada 172): Significa lo mismo.

Según < *secundum* (lat.)
Usos de la preposición y el adverbio. Entradas 642 a 646.

642

SEGÚN + algo = Remite a una fuente de información.

▸ - *Según los últimos sondeos la oposición ganará las elecciones.*
 • *Sí, eso parece.*
▸ - *Mira, según este folleto los lunes están cerrados los museos.*
 • *Es verdad, aquí lo pone.*

Gramática ▸ Preposición para indicar procedencia.
Estructura ▸ Se utiliza seguido de un determinante y un sustantivo.

OTRAS EXPRESIONES SIMILARES:

↦ **Al parecer** (ver entrada 68) y **Por lo visto** (ver entrada 579): Significan lo mismo.

643

SEGÚN + alguien = Expresa que una opinión la ha dicho o es de alguien.

▸ - *Según Ignacio mañana hay una nueva reunión.*
 • *¡Ah!, ¿sí? No lo sabía.*
▸ - *O sea, que según tú, debemos ir todos a ver a María. Pues yo creo que no.*
 • *Y, ¿por qué no?*

Gramática ▸ Preposición para expresar opinión.
Estructura ▸ Se utiliza seguido de un nombre propio de persona o de un pronombre personal.

CONTRASTE CON PARA:

↦ **Para** + *opinión* (ver entrada 529): Indica la opinión de una persona. Con **Según** hacemos hincapié en que el origen de una idea es una persona ajena a nosotros. No se puede utilizar **Según** con un pronombre de primera persona.
Para Enrique lo que hay que hacer es cambiarlo todo.

644

SEGÚN + modo = Expresa la manera de realizarse un acontecimiento.

  ▸ *Lo haremos según nos han explicado.*
  ▸ *Hazlo según sepas.*

Gramática ▸ Adverbio relativo de modo.
Estructura ▸ Se utiliza con:
  ■ Indicativo cuando nos referimos a una manera de realizar las cosas que conocemos.
    Lo hizo según indicaba el prospecto.
  ■ Subjuntivo para referirnos a la forma de hacer algo de la que no tenemos experiencia.
    Hazlo según indique el prospecto.
Uso ▸ Siempre va después de la oración principal.

OTRAS EXPRESIONES SIMILARES:

▸▸**Como** + *modo* (ver entrada 137) y **Conforme** + *modo* (ver entrada 166): Significan lo mismo.

645

SEGÚN + variación = Expresa las distintas variaciones o condiciones de algo.

  ▸ *Una habitación te puede costar entre 60 y 100 euros, según la temporada.*
  ▸ *Formaremos grupos según el nivel.*

Gramática ▸ Preposición para indicar variación.
Estructura ▸ Se utiliza seguido de un determinante y de un sustantivo (referido a tiempo, estadio, momento, etc.)
Uso ▸ También se utiliza *depende de*.

646

SEGÚN + verbo = Presenta dos acontecimientos como progresivos y paralelos.

  ▸ *Según fue creciendo, fue engordando.*
  ▸ *Por favor, entreguen los exámenes según vayan terminando.*

Gramática ▸ Adverbio relativo de tiempo.
Estructura ▸ Se utiliza seguido de:
  ■ Indicativo cuando nos referimos a una acción habitual o a una acción pasada. En este último caso es muy frecuente el Indefinido, ya que se trata de un acontecimiento.
    Según se duermen los niños, termino de recoger la casa.

    Ayer, según se fueron durmiendo, fui recogiendo la casa.

  ■ Subjuntivo cuando nos referimos a una acción futura.
    El presidente aseguró que, según aumenten los precios, subirán las pensiones.
Uso ▸ Es muy frecuente este uso con la perífrasis *ir* + gerundio (ver entrada 411).

OTRAS EXPRESIONES SIMILARES:

▸▸**A medida que** (ver entrada 27) y **Conforme** + *acción* (ver entrada 165): Son de uso más formal y culto.

647

SEGURO QUE / SEGURAMENTE = Expresa la probabilidad de una acción.

> ▸ *No ha venido José. Seguramente está enfermo, ayer tenía muy mala cara.*
> ▸ *Si no te ha devuelto el dinero hoy, seguro que te lo dará mañana. Es muy serio para esas cosas.*

Gramática ▸ Locución de hipótesis / Adverbio.
Estructura ▸ Se utiliza seguido de un verbo en Indicativo.

CONTRASTE CON **OTRAS EXPRESIONES DE HIPÓTESIS:**

▸▸**A lo mejor** (ver entrada 22) e **Igual** (ver entrada 407): Expresan una hipótesis posible.
A lo mejor me voy de vacaciones a la playa este verano.

▸▸**Deber de** + *infinitivo* (ver entrada 244): Expresa lo que se considera probable.
*No sé qué hora es, pero **deben de** ser las tres y cuarto, hace un rato he oído las campanadas del reloj.*

▸▸**Quizá(s)** (ver entrada 627) y **Tal vez** (ver entrada 718) + *Indicativo*: Expresan lo que se considera posible, pero con una gran duda.
*¡Qué raro que no haya llegado! **Quizá** le ha pasado algo. Suele ser muy puntual.*

▸▸**Quizá(s)** (ver entrada 627) y **Tal vez** (ver entrada 718) + *Subjuntivo*: Mencionan una posibilidad remota, una conjetura, sin tener datos objetivos.
*Mañana tengo una reunión y **quizás** llegue tarde a casa. No sé cuánto va a durar.*

OTRAS EXPRESIONES SIMILARES:

▸▸**Posiblemente** (ver entrada 589) y **Probablemente** (ver entrada 591): Significan lo mismo.

648

SENDOS / SENDAS = Expresa que hay algo para cada miembro de un grupo previamente mencionado.

> ▸ *Mis padres tienen sendos coches (= uno cada uno).*
> ▸ *Os he traído sendas copias de los artículos que necesitáis (= una para cada uno).*

Gramática ▸ Adjetivo plural.
Origen ▸ **Sendos** < *singŭlos* (lat.)
Estructura ▸ Se utiliza seguido de un adjetivo en plural.
Uso ▸ Sólo se utiliza en un registro culto.

Sentir < *sentīre* (lat.)
Usos del verbo. Entradas 649 a 651.

649

SENTIR = Expresa una sensación o un sentimiento ante algo.

> ▸ *Siento llegar tarde, es que se me ha estropeado el auto.*
> ▸ *Sentimos muchísimo que no hayáis podido venir a la cena.*

Gramática ▸ Verbo transitivo.
Estructura ▸ Se utiliza seguido de:
▪ Infinitivo cuando el sujeto de los dos verbos es el mismo.
  *Siento **no ir a tu fiesta de cumpleaños.***

- • Se utiliza con infinitivo simple cuando nos referimos a situaciones cotidianas o futuras.
  *Siento **no poder venir mañana.***

- • Se utiliza con infinitivo compuesto cuando nos referimos a acciones pasadas.
  *Siento **haber llegado tarde, pero es que había mucho tráfico.***

▪ *Que* + Subjuntivo cuando el sujeto es distinto, y reaccionamos ante lo que otro hace.
  *Siento **mucho que no vengas a mi fiesta de cumpleaños.***

650

SENTIR + información = Constata una realidad, una información.

▸ *Siento **que hace calor aquí, ¿abrimos un poco la ventana?***
▸ *Mira, no soy insensible. Siento **el mal ambiente de la empresa, pero no puedo hacer nada por mejorarlo.***

Gramática ▸ Verbo transitivo.
Estructura ▸ Se utiliza seguido de:
▪ Un sustantivo.
  *Siento **una corriente de aire. ¿Están bien cerradas las ventanas?***

▪ *Que* + Indicativo.
  *Ella decía que sentía **que había una presencia rara en al casa, o sea, fantasmas. Por eso, se mudó.***

CONTRASTE CON SENTIR:

▸▸**Sentir** (ver entrada 649): Expresa un sentimiento o describe algo que se percibe, no constata una realidad.
*Mira, **siento** que estás enfadado conmigo, lo noto en tu forma de hablarme y, la verdad, lo **siento** mucho, nunca he querido herirte.*

651

SENTIR LO DE = Menciona el motivo de una sensación o sentimiento.

▸ *Siento **lo de** tu padre. ¿Cómo está después del accidente?*
▸ *Siento **lo de** tu fiesta, pero es que me fue imposible ir.*

Gramática ▸ Expresión de sentimiento.

652

SEÑOR / SEÑORA = Indica una persona en relaciones formales.

▸ *Señora García, le presento al señor Martínez, un compañero de trabajo.*

Gramática ▸ Adjetivo.
Origen ▸ **Señor/a** < *senior, -ōris* (lat.)
Estructura ▸ Se utiliza seguido de apellidos propios de persona.
Uso ▸ Se utiliza sin artículo cuando nos dirigimos a la persona y con artículo cuando hablamos de ella, no con ella.

OTRA EXPRESIÓN SIMILAR:

▸▸ **Don / Doña** (ver entrada 276): Se utiliza con el nombre.

Ser < *seer*
Usos del verbo. Entradas 331 a 334 y 653 a 672.

653

SER + adjetivo = Describe algo o a alguien de forma objetiva.

▸ *Alberto es alto, es moreno y es muy simpático.*
▸ *Es verde, pero con esta luz parece azul.*

Gramática ▸ Verbo intransitivo.
Estructura ▸ Se utiliza seguido de un adjetivo calificativo.
Uso ▸ Es una construcción muy frecuente para describir el carácter o el físico de una persona o de un animal.

CONTRASTE CON ESTAR:

▸▸ **Estar** + *adjetivo* (ver entrada 341): Se utiliza para hacer una valoración de forma subjetiva; no queremos describir a alguien o algo, sino que queremos dar una valoración sobre esa persona o cosa.
Sí, sí, es joven, pero está muy mayor. Tiene el pelo blanco, arrugas...

654

SER + fecha = Expresa una fecha.

▸ *Por fin, hoy es viernes.*
▸ *Fue en septiembre de 1996, cuando me casé.*

Gramática ▸ Verbo intransitivo.
Estructura ▸ Se utiliza seguido de un sustantivo (de tiempo) o la preposición *en* y el nombre del mes, año, etc.

CONTRASTE CON ESTAR:

▸▸ **Estar** + *fecha* (ver entrada 342): Nos sitúa temporalmente en una fecha exacta.
Estamos ya en Navidad. ¡Cómo pasa el tiempo! Este año se me ha hecho muy corto.

655

SER + hora = Expresa la hora.

▸ *- ¿Qué hora es?*
  • *Son las tres en punto.*
▸ *Son las diez y media de la noche.*

Gramática ▸ Verbo intransitivo.
Estructura ▸ Se utiliza seguido de un artículo determinado y de un número cardinal.
Uso ▸ Se utiliza en singular con *la una*. El resto de las horas se utiliza en plural.

656

SER + identidad = Identifica algo o a alguien.

▸ *- ¿Quién es?*
  • *Soy yo, abuela.*
▸ *Mira, esto es un plato típico de mi región.*

Gramática ▸ Verbo intransitivo.
Estructura ▸ Se utiliza seguido de un sustantivo o de un pronombre personal.

657

SER + lugar = Expresa el lugar en el que ocurre un acontecimiento.

▸ *La conferencia será en la sala magna.*
▸ *¿Dónde es el examen?*

Gramática ▸ Verbo intransitivo.
Estructura ▸ Se utiliza seguido de la preposición *en* y de un sustantivo o adverbio de lugar.

CONTRASTE CON **ESTAR**:

▸▸**Estar** + *lugar* (ver entrada 344): Sirve para expresar el lugar donde se ubica algo o alguien. Pero cuando queremos dar las coordenadas espaciales de un acontecimiento, de algo que ocurre, se utiliza **Ser**.
*El profesor **está** ya en el aula cinco. Es que la clase **es** hoy allí.*

658

SER + material = Describe el material del que está hecho algo.

▸ *Mi despertador es metálico.*
▸ *El jersey es de lana, de pura lana.*

Gramática ▸ Verbo intransitivo.
Estructura ▸ Se utiliza seguido de un adjetivo referido a un material o de la preposición *de* y un sustantivo (nombre de un material).
Uso ▸ Se utiliza *estar hecho de* + material cuando hacemos hincapié en la manufactura de algo.

*Este abrigo **está hecho de** lana de vicuña / **Es** un abrigo **de** lana de vicuña.*

659

SER + número = Informa del número de miembros en una situación.

> ▸ *Mamá, voy con unos amigos a comer. Somos tres.*
> ▸ *¿Podemos ir en tu coche? Sólo somos dos.*

Gramática ▸ Verbo intransitivo.
Estructura ▸ Se utiliza seguido de un número cardinal.

660

SER + origen = Expresa la procedencia, el origen o la nacionalidad de alguien o algo.

> ▸ *Mi mujer y yo somos colombianos, de Medellín.*
> ▸ *Es de un pequeño pueblo de la provincia de Murcia.*

Gramática ▸ Verbo intransitivo.
Estructura ▸ Se utiliza seguido de un adjetivo gentilicio o de la preposición *de* y un nombre propio de país, región, o ciudad.

661

SER + participio = Expresa la pasiva.

> ▸ *Como faltaba mucho, el estudiante fue expulsado del colegio.*
> ▸ *El ladrón fue detenido pocos minutos después del robo.*

Gramática ▸ Perífrasis verbal perfectiva.
Uso ▸ En español no es muy frecuente el uso de la voz pasiva, que se siente como muy literaria y formal.

CONTRASTE CON **ESTAR / SE**:

▸▸ **Estar** + *participio* (ver entrada 345): Indica el resultado de un proceso.
Estoy cansado, muy cansado. Me voy a dormir.
▸▸ **Se** + *verbo* + *complemento* (ver entrada 640): Expresa la pasiva de forma impersonal. Es más frecuente.
Se detuvo al ladrón pocos minutos después del robo.

662

SER + precio = Indica el precio total de una compra.

> ▸ *- ¿Cuánto es?*
>   • *Son 6 euros.*
> ▸ *- Camarero, por favor, ¿qué le debo?*
>   • *Son dos cafés y una botella de agua... Son 3,10 euros, por favor.*

Gramática ▸ Verbo intransitivo.
Estructura ▸ Se utiliza seguido de un número cardinal y de una moneda.

CONTRASTE CON **ESTAR A**:

▸▸ **Estar a** + *precio* (ver entrada 346): Indica que un precio es cambiante.
*El kilo de manzanas **está a** 15 pesos.*

663

SER + profesión u ocupación = Expresa la profesión u ocupación de alguien.

▶ *María es bióloga.*
▶ *Bueno, yo ahora soy estudiante de español.*

Gramática ▶ Verbo intransitivo.
Estructura ▶ Se utiliza seguido de un sustantivo (de profesión u ocupación).

CONTRASTE CON **ESTAR DE**:

▶▶**Estar de** (ver entrada 352): Sirve para referirse a que se está realizando una actividad profesional de forma temporal.
*Aunque soy el subdirector, ahora **estoy de** director hasta que Manuel García se recupere de su enfermedad.*

664

SER + pertenencia = Expresa la propiedad.

▶ *¿De quién es esto?*
▶ *No sé, no es mío. Creo que es de Pedro.*

Gramática ▶ Verbo intransitivo.
Estructura ▶ Se utiliza seguido de la preposición *de* y del nombre de una persona o de un pronombre posesivo.

665

SER + valoración = Valora un hecho o un dato de forma objetiva.

▶ *Mira qué reloj me han regalado. ¡Es precioso!*
▶ *Es una película muy buena, te la recomiendo.*

Gramática ▶ Verbo intransitivo.
Estructura ▶ Se utiliza seguido de:
▪ Un adjetivo.
Me gusta mucho este cuadro que has pintado. Es muy bonito.

▪ *Que* + Subjuntivo cuando explicamos qué es lo que nos produce esa valoración.
Me gusta mucho este cuadro. Es muy bonito que nos haya pintado a todos juntos.

666

SER ALGO = Da una valoración global a lo que se acaba de decir o explicar.

▶ *El paro está aumentando de forma alarmante. Es algo horrible.*
▶ *El traje de Maruja es feísimo. Es algo de un mal gusto tremendo.*

Gramática ▶ Expresión de valoración.
Estructura ▶ Se utiliza seguido de un adjetivo calificativo o de *de un* y un adjetivo o de *de lo más* y un adjetivo.
Uso ▶ Se emplea en un registro coloquial.

667

SER EL / SER LA = Identifica a alguien.

> ▸ *Enrique es el dueño de este bar.*
> ▸ *Yo soy el profesor de matemáticas. ¡Buenos días!*

Gramática ▸ Expresión de identificación.
Estructura ▸ Se utiliza seguido de un sustantivo, de un adjetivo, de la preposición *de* y rasgo de ropa o color o del pronombre relativo *que* + Indicativo.
Uso ▸ *Este* (ver entrada 358), *ese* (ver entrada 335) o *aquel* (ver entrada 93): Se utilizan cuando, además de identificar, señalamos a la persona, utilizamos los demostrativos o deícticos en lugar del artículo determinado.
Marisa es esa del vestido azul.

668

SER EVIDENTE / SER VERDAD / SER CIERTO = Constata una realidad.

> ▸ *Hay cosas que no se pueden negar. Es evidente que la empresa va bien. Acéptalo.*
> ▸ *¿Es verdad que no puedes venir con nosotros?*
> ▸ *Vale, lo reconozco. Me ha tocado la lotería. Es cierto.*

Gramática ▸ Expresión impersonal de constatación.
Estructura ▸ Se utilizan con un adjetivo de constatación y seguido de *que* + Indicativo.
▸ Si esta construcción se emplea en forma negativa, el verbo va en Subjuntivo.
No es evidente que le tengamos que dar las gracias, ¿no te parece?

CONTRASTE CON ESTAR CLARO:

▸▸**Estar claro que** (ver entrada 351): Sirve también para constatar la realidad, pero haciendo énfasis en que ese conocimiento es producto de la experiencia.
*Mira, lo he analizado con detenimiento y, para mí, **está claro que** es así.*

669

SER MEJOR = Da un consejo.

> ▸ *Es mejor salir pronto para no encontrar caravana.*
> ▸ *Mira, es mejor que hables con él personalmente. ¿No te parece?*

Gramática ▸ Expresión de consejo.
Estructura ▸ Se utiliza seguido de:
■ Infinitivo cuando se dan consejos o recomendaciones de forma general, sin especificar el sujeto.
Es mejor aprender idiomas.

■ *Que* + Subjuntivo cuando se dan consejos de forma personalizada.
Es mejor que ella te mande los papeles, para ir adelantando los trámites.

OTRAS EXPRESIONES SIMILARES:

▸▸**Aconsejar** (ver entrada 44), **Recomendar** (ver entrada 630) y **Sugerir** (ver entrada 714): Se utilizan de forma más personal. **Ser mejor** presenta un consejo como una valoración objetiva.

670

SER NECESARIO / SER PRECISO = Expresa la necesidad de hacer algo.

▸ *Es necesario terminar este trabajo pronto. Así que, por favor, todos a trabajar.*
▸ *Para ese puesto es preciso hablar varios idiomas.*

Gramática ▸ Expresión de valoración.
Estructura ▸ Se utiliza seguido de:
  ■ Infinitivo cuando hablamos de forma impersonal.
    Es necesario llevar una vida sana.

  ■ *Que* + Subjuntivo cuando nos referimos a una necesidad personalizada.
    Es necesario que te cuides. Tienes una salud muy delicada.

OTRAS EXPRESIONES SIMILARES:

▸▸**Hacer falta** (ver entrada 390): Se utiliza en forma impersonal en contextos coloquiales.
▸▸**Necesitar** (ver entrada 485): Se utiliza de forma más general para referirse a cualquier tipo de necesidad. **Ser necesario / Ser preciso** se utilizan en un contexto más culto.

671

SER UN / SER UNA + adjetivo = Expresa un insulto a alguien.

▸ *Eres un torpe. Trae, que lo hago yo.*
▸ *Miguel es un grosero, no tiene modales en la mesa.*

Gramática ▸ Expresión de insulto.
Estructura ▸ Se utiliza seguido de:
  ■ Un adjetivo positivo cuando tiene un sentido irónico.
    O sea, que tú no hiciste cola como los demás. Eres un listo.

  ■ Un adjetivo negativo en su sentido literal.
    Eres un inútil. ¡Mira que mal ha quedado esto que has hecho! Repítelo.
Uso ▸ Se emplea en un registro coloquial y familiar.

672

¡SERÁ POSIBLE! = Expresa sorpresa y rechazo ante algo.

▸ *- Ha vuelto a suspender.*
  • *¡Será posible! Si se lo sabía muy bien.*
▸ *- No ha parado de criticar a los demás.*
  • *¡Será posible lo chismoso que es!*

Gramática ▸ Expresión de sorpresa.
Estructura ▸ Se utiliza el verbo *ser* en tercera persona del singular en Futuro. Puede ir seguido de *que* + Subjuntivo.
Uso ▸ Se usa en un registro coloquial y familiar.

OTRAS EXPRESIONES SIMILARES:

▸▸**¡Desde luego!** (ver entrada 264) y **¡Hay que ver!** (ver entrada 404): Sirven sólo para expresar escándalo.

Sí < *sibi* dativo de *sui* (lat.)
Usos del adverbio. Entradas 673 a 680.

673 **SÍ** = Pronombre reflexivo de tercera persona. Ver cuadro de pronombres.

674 **SÍ** = Responde afirmativamente a una pregunta.

▶ - *¿Tú eres Alberto?*
 • *Sí.*
▶ - *¿Puedo abrir la ventana? Hace mucho calor.*
 • *Sí, claro, ábrela.*

Gramática ▶ Adverbio de afirmación.
Uso ▶ Es la afirmación más neutra, se utiliza en cualquier contexto.

OTRAS EXPRESIONES DE AFIRMACIÓN:

»**Bueno** (ver entrada 117): Expresa una afirmación, pero con una cierta duda.
»**Claro** (ver entrada 132) y **Desde luego** (ver entrada 263): Se utilizan cuando la respuesta es una confirmación de lo que ha dicho la otra persona.
»**Evidentemente** (ver entrada 362): Indica una respuesta afirmativa a una pregunta, mostrando que es la única respuesta posible.

675 **SÍ + verbo** = Afirma algo después de una negación.

▶ *Últimamente no hago nada de deporte. Sí, ando un poco, pero nada más.*
▶ *¡Hombre, Raúl! No te veo nunca. Sí veo a tu hermana, pero a ti no. ¿Cómo estás?*

Gramática ▶ Adverbio de afirmación.
Estructura ▶ Se utiliza seguido de un verbo en Indicativo.

676 **¿SÍ?** = Expresa una respuesta de alguien que reclama nuestra atención.

▶ - *¡Perdón!*
 • *¿Sí?*
 - *¿La calle Peligros, por favor?*
▶ - *Oiga, por favor.*
 • *¿Sí?*
 - *¿Un banco por aquí?*

Gramática ▶ Adverbio de afirmación.

OTRA EXPRESIÓN SIMILAR:

»**Diga / Dígame** (ver entrada 274): Significan lo mismo. Son muy utilizadas cuando se responde al teléfono.

677

¿SÍ? + indiferencia = Expresa sorpresa e indiferencia ante una información.

▶ *- Ayer vi a Ramón.*
  • *¿Sí? Muy bien. Oye, ¿vamos al cine esta tarde?*
▶ *- ¿Sabes? Me voy a casar.*
  • *¿Ah, sí? Cuando yo me casé vinieron todos mis primos.*

▌Gramática ▶ Adverbio de afirmación.

OTRAS EXPRESIONES SIMILARES:

➤ **¿De veras? / ¿De verdad?** (ver entrada 239) y **¡No me digas!** (ver entrada 501): Sirven para expresar sorpresa. Son las expresiones más neutras y se utilizan en situaciones positivas y negativas. Con **¿De veras / De verdad?** además, en general, solicitamos una confirmación a nuestro interlocutor, que no se espera en **¡No me digas!**

➤ **No puede ser** (ver entrada 504): Expresa un rechazo.

➤ **¡Qué pena! / ¡Qué raro! / ¡Qué suerte!** (ver entrada 613): Sirven para expresar sorpresa por algo que además se considera inusual.

678

SÍ, QUIZÁS SÍ = Expresa acuerdo, aunque con dudas.

▶ *- ¿Vais a venir?*
  • *Sí, quizás sí. Depende de Mario.*
▶ *- Le va a gustar este regalo. Es una blusa muy clásica.*
  • *Sí, quizás sí, pero a ella le gustan las cosas diferentes.*

▌Gramática ▶ Expresión de afirmación.

OTRAS EXPRESIONES SIMILARES:

➤ **Conforme** (ver entrada 164): Se utiliza también ante una propuesta, pero en contextos más serios y formales.

➤ **De acuerdo** (ver entrada 219) y **Estar de acuerdo** (ver entrada 353): Se utilizan para mostrar acuerdo ante una propuesta o ante una opinión.

➤ **Vale** (ver entrada 766): Se utiliza para aceptar una propuesta de manera informal.

679

SÍ, SÍ = Concede permiso ante una petición.

▶ *- ¿Puedo pasar?*
  • *Sí, sí, claro. Pasa, pasa.*
▶ *- ¿Me dejas el periódico un momento?*
  • *Sí, sí, toma.*

▌Gramática ▶ Expresión de permiso.
 Uso   ▶ En español, para conceder permiso es importante insistir en nuestra respuesta afirmativa. Por eso, como mínimo, es necesario decir dos veces la respuesta. En muchas ocasiones, como en el primer ejemplo, además se repite el verbo en Imperativo.

680

SÍ QUE = Afirma algo que la persona que escucha acaba de negar.

▸ - *No sé si vamos a poder llegar a tiempo a la fiesta.*
  • *O sea, que no vais a venir, ¿no?*
  - *Sí que vamos a ir, pero llegaremos más tarde.*
▸ - *Esto no es nada bueno.*
  • *Sí que es bueno. Lo que pasa es que a ti no te gusta. Nada más.*

Gramática ▸ Expresión de énfasis.
Estructura ▸ Se utiliza seguido de una frase en Indicativo.
Uso ▸ Se usa en registros coloquiales.

Si < *si* (lat.)
Usos de la conjunción. Entradas 681 a 692.

681

SI + condición = Expresa una condición para hacer algo.

▸ *Si este verano tenemos tiempo, iremos a visitarte.*
▸ *Si pudiera, me iría ahora mismo de aquí.*
▸ *Me compraré ese coche si me hacen un descuento grande.*

Gramática ▸ Conjunción condicional.
Estructura ▸ Las oraciones condicionales pueden ser:

1. **Reales. Si + Presente de Indicativo.**
   Expresan una condición futura que se considera posible. Pueden ser de tres tipos:
   ■ **Si** + Presente de Indicativo, Futuro. Expresan una condición en el futuro.
     Si puedo, iré a verte después del trabajo.

   ■ **Si** + Presente de Indicativo, Presente. Expresan una condición habitual.
     Si empieza a nevar, dejo el coche en el garaje y me voy en autobús.

   ■ **Si** + Presente de Indicativo, Imperativo. Da un consejo o hace una recomendación.
     Si te encuentras mal, vete al médico.

2. **Irreales. Si + Imperfecto de Subjuntivo + Condicional.**
   Puede ser de dos tipos:
   ■ Expresan una condición de difícil realización.
     Si acabáramos hoy este trabajo, nos podríamos ir de vacaciones. Así que venga, a darnos prisa.

   ■ Expresan una condición imposible.
     Si yo fuera tú, no haría eso.

3. **Imposibles. Si + Pluscuamperfecto de Subjuntivo.**
   Expresan una condición que no se puede realizar porque no ocurrió algo en el pasado. Pueden ser de dos tipos:
   ■ **Si** + Pluscuamperfecto de Subjuntivo, Condicional Perfecto o Pluscuamperfecto de Subjuntivo. Expresan que no se ha producido algo en el pasado porque no se ha cumplido una condición previa.
     Si me lo hubiera dicho ayer, habría venido a verte.

▶▶

■ **Si** + Pluscuamperfecto de Subjuntivo, Condicional Simple. Expresan que no se puede producir algo en el presente o en el futuro porque no se ha cumplido una condición previa en el pasado.

Si me hubieras avisado, tendría una entrada para ti y podrías venir con nosotros al cine. Pero ya he comprado las entradas y no hay más. Lo siento.

OTRAS EXPRESIONES CONDICIONALES:

▸▸**Como** + *condición* (ver entrada 136): Expresa una advertencia.

▸▸**Con que** (ver entrada 158), **Con sólo** (ver entrada 161), **Con tal de que** (ver entrada 162), **Siempre que** + *condición* (ver entrada 695), **Sólo con** (ver entrada 710) y **Sólo si** (ver entrada 711): Expresan una condición que se considera mínima.

▸▸**En caso de que** (ver entrada 304): Presenta una eventualidad, una posibilidad remota de que algo ocurra.

▸▸**A menos que** (ver entrada 29), **A no ser que** (ver entrada 31), **Excepto que** (ver entrada 364) y **Salvo que** (ver entrada 637): Expresan la única eventualidad que podría ocurrir para que no se produzca algo.

682

SI + contradicción = Recuerda una información que es contradictoria con lo dicho o hecho por quien escucha.

▸ *- Mamá, me voy a dar un paseo.*
  • *¡Si estás enfermo, hijo! Quédate en casa, mejor.*

▸ *- Me voy de vacaciones.*
  • *¡Si te fuiste el mes pasado! Me parece que tú tienes muchas vacaciones, ¿no?*

Gramática ▸ Conjunción condicional.
Estructura ▸ Se utiliza seguido de un verbo en Indicativo.
Uso ▸ Se utiliza en un registro coloquial.

OTRA EXPRESIÓN SIMILAR:

▸▸**Pero si** (ver entrada 541): Es mucho más frecuente.

683

SI + pregunta = Hace una pregunta indirecta.

▸ *Ayer me preguntó Miriam por ti. Si sabía qué tal estabas y todo eso.*
▸ *Te ha llamado Enrique. Que si vas a ir a su fiesta.*

Gramática ▸ Conjunción condicional.
Estructura ▸ Se utiliza seguido de un verbo en Indicativo.
Uso ▸ Es frecuente su uso precedido de *que* y el estilo indirecto.

684

SI ACASO = Propone una solución por si se produce un problema inesperado.

▸ *No sé cuántos vamos a ser para cenar. Compra como para siete y, si acaso somos más, freímos unos huevos y ya está.*
▸ *Vamos a intentar enviárselo por correo mañana mismo. Y, si acaso nos retrasamos, le enviaríamos un mensajero.*

▶▶

Gramática ▸ Locución conjuntiva condicional.
Estructura ▸ Se utiliza seguido de un verbo en Indicativo.

OTRAS EXPRESIONES SIMILARES:

▸▸**En última instancia / En último término** (ver entrada 316): Se utilizan sólo en contextos cultos.

685

SI BIEN ES CIERTO QUE = Expresa una objeción a la realización de algo, pero no lo impide.

▸ *Si bien es cierto que **sus ideas están bien fundadas**, decidimos no seguir sus consejos.*
▸ *Si bien es cierto que **han anunciado lluvias**, iniciaron el ascenso.*

Gramática ▸ Locución conjuntiva concesiva.
Estructura ▸ Se utiliza seguido de un verbo en Indicativo.
Uso ▸ Se emplea en contextos cultos.

OTRAS EXPRESIONES SIMILARES:

▸▸**Aun** (ver entrada 104): Significa lo mismo y se utiliza también en un contexto culto.
▸▸**Aunque** (ver entrada 107): Se utiliza más frecuentemente y en todos los contextos.

686

SI ES POSIBLE = Expresa la posibilidad de un plan o de un acontecimiento futuro.

▸ *- Te traeré un recuerdo de mi viaje, si es posible, típico de allí.*
  • Sí, por favor.
▸ *- Nos veremos mañana, si es posible, a las diez.*
  • Te llamo antes para confirmar la hora.

Gramática ▸ Locución adverbial condicional.

OTRAS EXPRESIONES SIMILARES:

▸▸**A poder ser** (ver entrada 34): Se utiliza en contextos más cultos.
▸▸**Si puede ser** (ver entrada 689): Significa lo mismo, aunque es más frecuente para expresar un favor.

687

SI (ES QUE) = Expresa una justificación de un rechazo enérgico de algo.

▸ *- Ven con nosotros a esquiar.*
  • ¡Cómo voy a ir a esquiar, si es que no sé!
▸ *- ¿Vamos a verle a su casa?*
  • ¡Qué vamos a ir! Si ni siquiera sabemos su dirección.

Gramática ▶ Locución conjuntiva de causa.
Estructura ▶ Se utiliza seguido de un verbo en Indicativo.
Uso ▶ Suele acompañar a la estructura *¡qué + ir a!* (ver entrada 608).
▶ Se utiliza en contextos informales o familiares.

OTRA EXPRESIÓN SIMILAR:

▶▶**Lo que pasa es que** (ver entrada 439): Se presenta también la causa de un problema que se considera no conocida. Con **Si es que** se presenta una causa que se supone conocida por todos.

688

SI (YO) ESTUVIERA EN TU LUGAR / SI (YO) ESTUVIERA EN SU LUGAR = Da un consejo poniéndose en el lugar del otro.

▶ *Comprendo que esté preocupado. Por eso, si yo estuviera en su lugar, hablaría con ella para saber qué ha pasado.*
▶ *¿Que te vas de vacaciones? Si yo estuviera en tu lugar, esperaría a terminar el trabajo.*

Gramática ▶ Expresión de consejo.
Estructura ▶ Se utiliza seguido de una frase en primera persona del Condicional.

OTRAS EXPRESIONES SIMILARES:

▶▶**En tu lugar / En su lugar** (ver entrada 315) y **Si yo fuera tú / Si yo fuera usted** (ver entrada 692): Significan lo mismo.
▶▶**Yo que tú / Yo que usted** (ver entrada 799): Se utilizan en contextos informales.

689

SI PUEDE SER = Expresa de forma muy amable una petición de un servicio o un favor.

▶ *¿Me podrían arreglar el coche, si puede ser, antes del viernes? Es que lo necesito el fin de semana.*
▶ *Pásame este texto al ordenador, por favor. Si puede ser, esta misma tarde.*

Gramática ▶ Locución adverbial condicional.

OTRAS EXPRESIONES SIMILARES:

▶▶**A poder ser** (ver entrada 34): Se utiliza en contextos más cultos.
▶▶**Si es posible** (ver entrada 686): Significa lo mismo, aunque es más frecuente para expresar una condición a planes y proyectos futuros.

690

SI SE MIRA BIEN = Presenta una deducción como resultado del análisis que cambia una primera opinión.

▶ *Parece poca cosa, pero, si se mira bien, no está tan mal.*
▶ *Éste es más caro que el otro, pero si se mira bien, es más rentable.*

Gramática ▸ Locución conjuntiva ilativa.
Estructura ▸ Se utiliza seguido de un verbo en Indicativo.

OTRAS EXPRESIONES SIMILARES:

▸▸**Bien mirado** (ver entrada 115) y **Mirándolo bien** (ver entrada 474): Significan lo mismo.

691

SI SE TIENE EN CUENTA QUE = Presenta una situación previa como explicación de una argumentación.

▸ *No habrá crisis en la empresa si se tiene en cuenta que ya estaba previsto una bajada de los beneficios anuales.*
▸ *Si, es cierto que no es la solución más adecuada. Pero, si se tiene en cuenta que no podría ser de otra forma, no está tan mal, ¿no?*

Gramática ▸ Locución conjuntiva de causa.
Estructura ▸ Se utiliza seguido de un verbo en Indicativo.

OTRAS EXPRESIONES SIMILARES:

▸▸**Como** + *causa* (ver entrada 135), **Puesto que** (ver entrada 595) y **Ya que** (ver entrada 796): Se utilizan en cualquier contexto en el que se presenta una situación previa, no sólo en la argumentación.
▸▸**Considerando que** (ver entrada 170): Es similar y sólo se utiliza en la argumentación.

692

SI YO FUERA TÚ / SI YO FUERA USTED = Da un consejo poniéndose en el lugar del otro.

▸ *Mire, si yo fuera usted, me tomaría unas vacaciones. Ha trabajado mucho y está muy cansado.*
▸ *Pues, si yo fuera tú, aceptaría ese trabajo. No es gran cosa, pero es un trabajo.*

Gramática ▸ Expresión de consejo.
Estructura ▸ Se utiliza seguido de una frase en Condicional.

OTRAS EXPRESIONES SIMILARES:

▸▸**En tu lugar / En su lugar** (ver entrada 315) y **Si (yo) estuviera en tu lugar / Si (yo) estuviera en su lugar** (ver entrada 688): Significan lo mismo.
▸▸**Yo que tú / Yo que usted** (ver entrada 799): Se utilizan en contextos informales.

Siempre < *semper* (lat.)
Usos del adverbio y la conjunción. Entradas 693 a 695.

693

SIEMPRE = Expresa la frecuencia con la que se hace una actividad.

▸ *Yo siempre desayuno té con leche.*
▸ *Mauricio siempre va a trabajar a pie.*

▶▶ | Gramática ▸ Adverbio de tiempo.
Estructura ▸ Se utiliza seguido de un verbo en Indicativo.
Uso ▸ En español nunca se utiliza con la idea de continuidad, que se expresa con *todavía* (ver entrada 738), ni la idea de repetición de una acción, que se expresa con *volver a* + infinitivo (ver entrada 775) o con *otra vez* (ver entrada 522).

694

SIEMPRE QUE = Indica que un acontecimiento ocurre cuando se produce otro.

▸ *Siempre que está enfermo, viene a casa.*
▸ *Estaré contigo siempre que me necesites.*

Gramática ▸ Conjunción de tiempo.
Estructura ▸ Se utiliza seguido de un verbo en:
■ Presente de Indicativo para referirse a acontecimientos habituales.
Siempre que paso por ese café, me acuerdo de ti.

■ Imperfecto de Indicativo para referirse a una costumbre pasada.
Cuando era pequeño, siempre que podía, iba a ver el escaparate de esa juguetería.

■ Indefinido o Perfecto para referirse a acontecimientos concretos.
Siempre que me necesitaste, vine en tu ayuda. No sé por qué ahora lo pones en duda y ya no me llamas.

■ Presente de Subjuntivo para referirse a acontecimientos futuros.
A partir de ahora, siempre que quieras hablar conmigo, llámame.

OTRAS EXPRESIONES SIMILARES:

▶▸ **Cada vez que** (ver entrada 125) y **Todas las veces que** (ver entrada 737): Significan lo mismo, aunque hacen más énfasis en el número de veces que se produce un acontecimiento.

695

SIEMPRE QUE + condición = Expresa una condición que se considera mínima.

▸ *Tienes muy buenas notas en esta asignatura, así que la aprobarás siempre que entregues tu trabajo a fin de curso.*
▸ *Te dejaría el coche siempre que no lo necesitara, pero es que tengo que hacer muchas cosas.*

Gramática ▸ Conjunción condicional.
Estructura ▸ Se utiliza siempre seguido de Subjuntivo.
■ Presente de Subjuntivo si la condición se considera probable.
Mañana organizaremos la fiesta en el jardín siempre que no llueva.

■ Imperfecto de Subjuntivo si la condición se considera poco probable o irreal.
Ya estarían aquí siempre que los trenes funcionaran puntualmente, pero últimamente van fatal.

■ Pluscuamperfecto de Subjuntivo cuando la condición es irreal porque no se ha producido en el pasado.
¿Sabes? Aprobarías siempre que hubieras estudiado un poquito pero es que no has hecho nada durante el curso.

▶▶

▶▶ CONTRASTE CON **OTRAS EXPRESIONES CONDICIONALES**:

▶▶**A menos que** (ver entrada 29), **A no ser que** (ver entrada 31), **Excepto que** (ver entrada 364) y **Salvo que** (ver entrada 637): Expresan lo único que podría ocurrir para que no se produzca algo.

*No te preocupes, llegaremos puntuales a la cita **a menos que** haya mucho tráfico.*

▶▶**Como** + *condición* (ver entrada 136): Expresa una advertencia.

***Como** sigas sin ir a clase, vas a suspender.*

▶▶**En caso de que** (ver entrada 304): Presenta una eventualidad, una posibilidad remota de que algo ocurra.

*Deja un recado **en caso de que** no esté en la oficina, pero suele estar.*

OTRAS EXPRESIONES SIMILARES:

▶▶**Con que** (ver entrada 158), **Con sólo** (ver entrada 161) y **Sólo con** (ver entrada 710): Significan lo mismo.

▶▶**Con tal de que** (ver entrada 162): Se utiliza muy frecuentemente en peticiones.

696

SIGUIENTE = Se refiere a una unidad de tiempo posterior.

▶ *Me fui de vacaciones un viernes y, al día siguiente, ya me estaban llamando de la oficina para solucionar un problema.*

▶ *Para mí, 1998 fue un año buenísimo, pero el año siguiente fue mucho mejor.*

Gramática ▶ Adjetivo.
Origen ▶ **Siguiente** < *sequens* (lat.), participio presente de *seguir*.
Estructura ▶ Se utiliza precedido de *el día, el mes, el año*.

CONTRASTE CON **OTRAS EXPRESIONES DE TIEMPO**:

▶▶**A + el / A la... siguiente** (ver entrada 15): Sitúa temporalmente un acontecimiento con relación a otro mencionado antes.

*Se fue a una fiesta y **al** día **siguiente** estaba fatal, no quería levantarse de la cama.*

▶▶**A los / A las** + *tiempo* (ver entrada 24): Expresa el tiempo transcurrido entre dos acontecimientos, pero no implica la simultaneidad de las acciones.

*Dijo que se iba y **a los** tres días se fue como había dicho.*

Sin < *sine* (lat.)
Usos de la preposición. Entradas 697 y 698.

697

SIN = Indica la falta de algo.

▶ *¿Cómo quieres el té, con leche o sin leche?*

▶ *Mario se ha ido de casa sin el abrigo. Se va a resfriar.*

Gramática ▶ Preposición.
Uso ▶ La preposición *sin* es la opuesta a *con*, aunque se utiliza menos.

698

SIN + actividad = Indica el modo de hacer algo por la ausencia de una actividad.

▸ *Se fue sin despedirse. Yo creo que estaba enfermo.*
▸ *El camarero está muy enfadado porque su cliente se marchó sin pagar.*

Gramática ▸ Preposición.
Estructura ▸ Se utiliza seguido de:
　　■ Infinitivo cuando el sujeto de los dos verbos es el mismo.
　　　Cuando vuelvas a casa, entra sin hacer ruido, que despiertas a tu madre.

　　La preposición *sin*, en este caso, es la opuesta al gerundio.
　　　Entró saludando a todo el mundo / Entró sin saludar a nadie.

　　■ *Que* + Subjuntivo cuando el sujeto de los dos verbos es diferente.
　　　Cuando vuelvas a casa entra sin que te oiga tu madre, que se despierta.

699

SIN EMBARGO = Expresa una oposición a una información expresada anteriormente.

▸ *Ana se parece mucho a su madre. Sin embargo, el carácter es de su padre.*
▸ *Tienen los mismos gustos y la misma forma de ser. Sin embargo, no se entienden.*

Gramática ▸ Conjunción adversativa.

CONTRASTE CON **OTRAS EXPRESIONES ADVERSATIVAS:**

▸▸**En cambio** (ver entrada 303): Significa lo mismo. Se utiliza en contextos más informales.
*La situación económica de la empresa no es buena. **Sin embargo**, haremos un esfuerzo para poder subir los sueldos este año.*

*La empresa no ha ido muy bien este año. Nosotros, **en cambio**, haremos un esfuerzo para poder subir los sueldos este año también.*

▸▸**Mientras que** (ver entrada 469): También significa lo mismo y tiene solamente la estructura de la frase diferente: información 1 + **mientras que** + información 2.
*La vida en el campo es muy tranquila, **mientras que** en la ciudad es más ajetreada.*

*La vida en el campo es muy tranquila. **Sin embargo**, la vida en la ciudad es más ajetreada.*

700

SINO = Corrige una información anterior.

▸ *No se trata de algo superfluo, sino de algo de suma importancia para nuestra empresa.*
▸ *No voy a venir solo, sino con toda mi familia.*

Gramática ▸ Conjunción adversativa.
Origen ▸ **Sino** < *si*, conjunción, y *no*, adverbio.
Estructura ▸ Se utiliza seguido de *que* y un verbo en Indicativo cuando se repite la acción que se corrige.
　　　No voy a ir solo, sino que voy a ir con toda mi familia.

▸▸

CONTRASTE CON PERO:

▸▸**Pero** (ver entrada 539): Se utiliza para presentar una nueva información que contrasta con otra anterior, pero no la niega ni la corrige. **Sino** o **Sino que**, en cambio, niegan o corrigen un parte de la información presentada antes.

*No se ha comprado un coche, **pero** quiere hacerlo / No se ha comprado un coche, **sino** una furgoneta.*

OTRA EXPRESIÓN SIMILAR:

▸▸**Antes bien** (ver entrada 87): Se utiliza en registros literarios o cultos.

701

SIQUIERA = Presenta una cantidad como la más baja que lógicamente se puede pensar.

▸ *Estás agotado. ¿Por qué no adelantas las vacaciones? Siquiera un par de días.*
▸ *Déjame algo de dinero, siquiera un par de euros para el autobús.*

Gramática ▸ Adverbio de cantidad.
Origen ▸ **Siquiera** < *si,* conjunción, y *quiera,* tercera persona del singular del Presente de Subjuntivo de *querer.*
Uso ▸ Se utiliza en contextos cultos y formales.

CONTRASTE CON OTRAS EXPRESIONES DE CANTIDAD:

▸▸**Al menos** (ver entrada 66) y **Por lo menos** (ver entrada 576): Se indica, además, que al hablante le gustaría que la cantidad fuera más alta.

*Espero que traiga **al menos** las dos maletas que le pedí.*

▸▸**Algo más de** (ver entrada 73) y **Un poco más de** (ver entrada 756): Presentan una cantidad como inferior a la real.

*Me he comido **algo más de** la mitad de la tarta, no puedo más.*

702

SO = Indica de forma metafórica que algo está por debajo de otra cosa.

▸ *Prohibido poner carteles so pena de multa.*
▸ *Le despidieron so pretexto de una regulación de empleo.*

Gramática ▸ Preposición.
Origen ▸ **So** < *sub* (lat.)
Uso ▸ Es una preposición muy arcaica y poco utilizada en la lengua actual. Sólo dos expresiones todavía sobreviven con ella:
- *So pena de = Bajo pena de.*
*Prohibido pisar el césped, **so pena de** multa (si pisas el césped te pondrán una multa).*
- *So pretexto de = Con el pretexto de.*
*Decidió salir antes del trabajo **so pretexto de** cumplir con sus obligaciones fiscales.*

Sobre < *super* (lat.)
Usos de la preposición. Entradas 703 a 706.

703

SOBRE = Ubica un elemento en una posición superior a otro.

  ▶ *Tu libro está sobre la mesa.*
  ▶ *Creo que he dejado el abrigo sobre la cama.*

Gramática ▶ Preposición para indicar posición.
Estructura ▶ Se utiliza seguido de un determinante y de un sustantivo.

> CONTRASTE CON **ENCIMA DE**:
>
> ▶▶**Encima de** (ver entrada 322): Indica la misma posición, pero no se implica contacto físico; con **Sobre**, sí.
>   *Las llaves están **sobre** la mesa.*
>
>   *Hay que colgar esa lámpara **encima de** la mesa.*

704

SOBRE + cantidad = Habla de una cantidad de forma aproximada.

  ▶ *Si vas a la calle, compra un paquete de harina. Cuesta sobre 0,60 euros.*
  ▶ *Un dólar vale sobre 1 euro con 20 céntimos.*

Gramática ▶ Preposición para indicar cantidad.
Estructura ▶ Se utiliza seguido de un artículo determinado, de un número cardinal y de una moneda.

705

SOBRE + tema = Se refiere a un tema o asunto de discusión.

  ▶ *- Quiero hablar contigo sobre el informe.*
      • Después de comer subo a tu despacho.
  ▶ *- Ya hablaremos sobre eso, ahora no tengo tiempo.*
      • Como quieras.
  ▶ *- He estado pensando sobre lo de que vayamos juntos a Acapulco y me parece bien.*
      • A mí también me parece buena idea.

Gramática ▶ Preposición para indicar asunto.
Estructura ▶ Se utiliza seguido de:
      ■ Un determinante y un sustantivo o de un pronombre demostrativo neutro (*esto, eso, aquello*).
          La reunión trató sobre aquello de la economía.

      ■ *Lo de que* (ver entrada 436), cuando se explica el tema de discusión.
          • Indicativo cuando estamos hablando o discutiendo sobre una opinión, una idea general.
              *Quiero hablar contigo **sobre lo de que** la economía va mal. ¿Te parece?*
          • Subjuntivo cuando se habla o discute sobre una propuesta, sobre la intención de hacer algo.
              *Quiero hablar contigo **sobre lo de que** vayamos a esa reunión. La verdad, no me apetece mucho ir.*

706

SOBRE + tiempo = Habla de una hora o fecha de forma aproximada.

▸ *Volvió a casa sobre las tres.*
▸ *Nació sobre el 6 ó 7 de marzo. No me acuerdo muy bien.*

Gramática ▸ Preposición para indicar hora o fecha.
Estructura ▸ Se utiliza seguido de la expresión de la hora o el artículo determinado *el* y el nombre de un día de la semana.

CONTRASTE CON **OTRAS EXPRESIONES DE TIEMPO:**

▸▸**A eso de la(s)** (ver entrada 16): Expresa una hora aproximada.
*Espérame **a eso de la** una.*

▸▸**Ahí por / Allá por** + *fecha* (ver entrada 58): Sitúa un acontecimiento en una fecha aproximada.
*Iré a veros **allá por** Navidad.*

▸▸**Alrededor de** + *tiempo* (ver entrada 80): Sitúa un acontecimiento en una hora o fecha aproximada.
*Vendrán después de comer, **alrededor de** las tres.*

▸▸**Hacia la(s)** + *hora* (ver entrada 396): Indica una hora o un día de la semana aproximado.
*Estará terminado **hacia las** cinco. Pero llame antes de venir, por si acaso.*

▸▸**Por** + *fecha* (ver entrada 556): Indica el tiempo aproximado en el que se produce un acontecimiento.
*Me compré el coche **por** marzo o abril.*

▸▸**Por** + *parte del día* (ver entrada 561): Sitúa un acontecimiento en una parte aproximada del día.
*Te llamo **por** la mañana y hablamos.*

707

SOLER = Indica que una actividad es habitual.

▸ *El jueves por la tarde no puedo ir, es que los jueves suelo jugar al fútbol.*
▸ *Cuando era pequeño solía jugar con mis primos.*

Gramática ▸ Verbo intransitivo defectivo.
Estructura ▸ Se utiliza seguido de infinitivo y en:
■ Presente de Indicativo cuando describimos costumbres actuales.
Yo no suelo dormir la siesta.

■ Imperfecto de Indicativo para describir costumbres del pasado.
De pequeños, solíamos pasar las vacaciones en Jávea.

OTRAS EXPRESIONES SIMILARES:

▸▸**Generalmente** (ver entrada 372) y **Por lo general** (ver entrada 575): Significan lo mismo.

Solo y Sólo < *solus* (lat.), único.
Usos del adverbio y adjetivo. Entradas 708 a 711.

708

SOLO / SOLA / SOLOS / SOLAS = Se refiere a un elemento como único.

> ▸ *El presidente del gobierno dio la rueda de prensa, solo sin sus ministros.*
> ▸ *Las asociaciones de pescadores solas lucharon contra la contaminación de las playas.*

Gramática ▸ Adjetivo.
Estructura ▸ Cuando se utiliza después del sustantivo se prefiere el uso del adverbio *sólo*:
  Sólo las asociaciones de pescadores lucharon contra la contaminación de las playas.

CONTRASTE CON ÚNICO:

>> **Único/a/os/as** (ver entrada 762): Indica que en esa situación es el elemento más apropiado.
> *El **único** que me puede ayudar eres tú.*

709

SÓLO + cantidad = Indica una cantidad pequeña como algo inferior a lo previsto.

> ▸ *- ¿Qué tal fue la fiesta?*
> • *Fue decepcionante. Sólo vinieron a la reunión diez invitados.*
> ▸ *Lo pasamos muy bien porque sólo dos personas no pudieron venir.*

Gramática ▸ Adverbio de modo.

CONTRASTE CON NO MÁS... DE:

>> **No más... de** (ver entrada 500): Expresa una cantidad más pequeña de lo previsto, pero no se indica que es una cantidad baja.
> *En la manifestación participaron **no más de** medio millón de personas.*

710

SÓLO CON = Expresa una condición única, pero suficiente para que ocurra algo.

> ▸ *Mira, no te han dado el trabajo porque asusta tu aspecto. Sólo con cortarte el pelo, conseguirías más cosas.*
> ▸ *No dormí nada anoche, estaba preocupado por ti. Sólo con llamarme, me habrías tranquilizado.*

Gramática ▸ Expresión condicional.
Estructura ▸ Se utiliza seguido de infinitivo.
  ■ Infinitivo Simple para referirse a acciones habituales o futuras. Es una condicion real.
    Sólo con hacer el examen bien, aprobarás.
  ■ Infinitivo Compuesto o Perfecto para referirse a acciones que ya han ocurrido. Es una condición irreal.
    Sólo con haber llegado a tiempo habrías causado buena impresión.

S

Contraste con otras expresiones condicionales:

▸▸**A menos que** (ver entrada 29), **A no ser que** (ver entrada 31), **Excepto que** (ver entrada 364) y **Salvo que** (ver entrada 637): Expresan lo único que podría ocurrir para que no se produzca algo.

*No te preocupes, llegaremos puntuales a la cita **a no ser que** haya mucho tráfico.*

▸▸**En caso de que** (ver entrada 304): Presenta una eventualidad, una posibilidad remota de que algo ocurra.

*Deja un recado **en caso de que** no esté en la oficina, pero suele estar.*

▸▸**Si** + *condición* (ver entrada 681): Es la conjunción más utilizada para expresar oraciones condicionales.

***Si** llego a tiempo, vamos al cine.*

Otras expresiones similares:

▸▸**Como** + *condición* (ver entrada 136): Expresa una advertencia.
▸▸**Con que** (ver entrada 158), **Con tal de que** (ver entrada 162), **Siempre que** + *condición* (ver entrada 695) y **Sólo si** (ver entrada 711): Expresan una condición que se considera mínima, imprescindible.

711

SÓLO SI = Expresa una condición que se considera mínima.

▸ *Bueno, te invito a cenar sólo si me ayudas a fregar los platos.*
▸ *Se puede votar sólo si tienes más de dieciocho años.*

Gramática ▸ Conjunción condicional.
Estructura ▸ Las oraciones condicionales con *sólo si* pueden ser:

1. **Reales. Sólo si + Presente de Indicativo.**

   Expresan una condición mínima futura que se considera posible. Pueden ser de tres tipos:

   ▪ **Sólo si** + Presente de Indicativo, Futuro. Expresan una condición en el futuro.
   Sólo si no hace mucho frío, saldremos a dar un paseo.

   ▪ **Sólo si** + Presente de Indicativo, Presente. Expresan una condición habitual.
   Sólo si es fin de semana, duermo la siesta.

   ▪ **Sólo si** + Presente de Indicativo, Imperativo. Da un consejo o hace una recomendación.
   Sólo si tienes muchas dificultades para resolver el problema de matemáticas, pregúntale la solución.

2. **Irreales. Sólo si + Imperfecto de Subjuntivo + Condicional.**
   Pueden ser de dos tipos:
   ▪ Expresan una condición de difícil realización.
   Sólo si tuviera dos días más, podría darte este presupuesto exacto. ¿Podría ser?

   ▪ Expresan una condición imposible.
   Sólo si Enrique estuviera aquí lo podríamos hacer, pero no vuelve hasta dentro de quince días.

3. **Imposibles: Sólo si + Pluscuamperfecto de Subjuntivo.**
Expresan una condición que no se puede realizar porque no ocurrió algo en el pasado. Pueden ser de dos tipos:

■ **Sólo si** + Pluscuamperfecto de Subjuntivo, Condicional Perfecto o Pluscuamperfecto de Subjuntivo.
Expresan que no se ha producido algo en el pasado porque no se cumplió una condición previa.

Sólo si me hubieras llamado, te habría invitado a comer con nosotros.

■ **Sólo si** + Pluscuamperfecto de Subjuntivo, Condicional Simple.
Expresan que no se ha producido algo en el presente o en el futuro porque no se ha cumplido una condición previa en el pasado.

Sólo si le hubieras preguntado a Alberto, sabrías la verdad. Pero como te has basado en tus hipótesis, pues ahora no sabes qué pasó realmente.

CONTRASTE CON **OTRAS EXPRESIONES CONDICIONALES:**

▶▶**A menos que** (ver entrada 29), **A no ser que** (ver entrada 31), **Excepto que** (ver entrada 364) y **Salvo que** (ver entrada 637): Expresan lo único que podría ocurrir para que no se produzca algo.

*No te preocupes, llegaremos puntuales a la cita **a no ser que** haya mucho tráfico.*

▶▶**Como** + *condición* (ver entrada 136): Expresa una advertencia.

***Como** sigas sin ir a clase, vas a suspender.*

▶▶**En caso de que** (ver entrada 304): Presenta una eventualidad, una posibilidad remota de que algo ocurra.

*Deja un recado **en caso de que** no esté en la oficina, pero suele estar.*

▶▶**Si** + *condición* (ver entrada 681): Es la conjunción más utilizada para expresar oraciones condicionales.

***Si** llego a tiempo, vamos al cine.*

OTRAS EXPRESIONES SIMILARES:

▶▶**Con que** (ver entrada 158), **Con sólo** (ver entrada 161), **Con tal de que** (ver entrada 162), **Siempre que** + *condición* (ver entrada 695) y **Sólo si** (ver entrada 711): Significan lo mismo.

---

712 **SU / SUS** = Adjetivos posesivos de tercera persona. Ver cuadro de posesivos.

---

713 **SÚBITAMENTE** = Presenta un acontecimiento como algo inesperado.

▸ *Se encontraba solo en casa cuando, súbitamente, se fue la luz.*
▸ *No quería hacer nada y, súbitamente, nos propuso salir a bailar.*

Gramática ▸ Adverbio de modo.
Estructura ▸ Se utiliza seguido de un verbo en Indefinido.

OTRAS EXPRESIONES SIMILARES:

▸▸**De pronto / De repente / De súbito** (ver entrada 230): Son más frecuentes estas expresiones que **Súbitamente.**

714

SUGERIR = Indica una propuesta.

▸ *Mi jefe me ha sugerido que le acompañe a la reunión. Creo que debo ir.*
▸ *Como nos sugirió que nos fuéramos, eso hicimos.*

Gramática ▸ Verbo transitivo.
Origen ▸ **Sugerir** < *suggerēre* (lat.)
Estructura ▸ Se utiliza seguido de:
■ Infinitivo cuando se dan consejos generales.
Como parece que va a hacer mal tiempo, sugiero hacer la fiesta en casa y no en el jardín.

■ *Que* + Subjuntivo cuando alguien da un consejo a otra persona. Los sujetos son diferentes.
Hace calor. Te sugiero que no te pongas esa ropa.

OTRAS EXPRESIONES SIMILARES:

▸▸**Aconsejar** (ver entrada 44): Da un consejo.
▸▸**Recomendar** (ver entrada 630): Da un consejo sobre algo cotidiano o poco importante.

715

SUMAMENTE = Matiza una valoración de manera positiva como sorprendente o insólita.

▸ *Este restaurante tiene una comida sumamente elaborada.*
▸ *Es un libro de poesía sumamente lírica.*

Gramática ▸ Adverbio de modo.
Estructura ▸ Se utiliza seguido de un adjetivo calificativo.
Uso ▸ Se utiliza en contextos formales.

CONTRASTE CON OTRAS EXPRESIONES DE VALORACIÓN:

▸▸**Especialmente** (ver entrada 339), **Realmente** (ver entrada 629) y **Verdaderamente** (ver entrada 773): Sirven para expresar el punto de vista sobre algo que se considera insólito o sorprendente, pero no necesariamente positivo.
*Es una casa **verdaderamente** grande. No sé qué van a hacer con tantas habitaciones, si sólo son dos.*

716 | **SUSODICHO / SUSODICHA / SUSODICHOS / SUSODICHAS** = Se refiere a otra persona ya mencionada.

> ▸ *Mauricio López fue el culpable del crimen. El susodicho delincuente fue capturado por la policía federal.*
> ▸ *Margarita Cienfuentes es, por lo tanto, heredera legítima. La susodicha Margarita Cienfuentes podrá disponer de los bienes en cuanto esta sentencia sea aprobada.*

Gramática ▸ Adjetivo.
Origen ▸ **Susodicho** < de *suso*, arriba, y de *dicho*.
Estructura ▸ Se utiliza precedido de un artículo determinado y seguido de un nombre propio de persona o de un sustantivo referido a una persona.
Uso ▸ Se utiliza en textos legales.

717 | **SUYO / SUYA / SUYOS / SUYAS** = Pronombres posesivo de tercera persona. Ver cuadro de posesivos.

718

TAL VEZ = Expresa la posibilidad de una acción.

> ▸ *Me dijo que tal vez volvía hoy. Si no, mañana.*
> ▸ *¡Qué raro que no venga! Tal vez no se encuentre bien.*

Gramática ▸ Locución adverbial de hipótesis.
Estructura ▸ Se utiliza seguido de:
  - ■ Indicativo cuando se expresa lo que se considera posible, pero con una gran duda.
    En la reunión de mañana, tal vez eligen al próximo delegado. Ya se rumorean varios nombres.
  - ■ Subjuntivo cuando se menciona una posibilidad remota, una conjetura, sin tener datos objetivos.
    Suena el teléfono. Tal vez sea tu madre. Contesta tú.

CONTRASTE CON **OTRAS EXPRESIONES DE HIPÓTESIS:**

> ▸▸**A lo mejor** (ver entrada 22): Informa de lo que se considera muy posible.
>   *A lo mejor me voy de vacaciones a la playa este verano.*
> ▸▸**Deber de** + *infinitivo* (ver entrada 244) y **Seguro que / Seguramente** + *Indicativo* (ver entrada 647): Expresan lo que se considera probable.
>   *Es muy joven, **debe de** tener unos veinticinco años.*
>   ***Seguramente** Celia llegará enseguida, es muy puntual.*
> ▸▸**Igual** (ver entrada 407): Expresa una hipótesis que se considera posible, pero de ser cierta, sería una sorpresa.
>   ***Igual** me dan la plaza de subsecretario en la nueva delegación que van a abrir.*
> ▸▸**Poder inlcuso que** (ver entrada 549) y **Poder ser que** (ver entrada 550): Expresan una hipótesis posible.
>   *No ha venido Mariano, **puede ser que** esté enfermo.*

OTRA EXPRESIÓN SIMILAR:

▸▸**Quizá(s)** (ver entrada 627): Significa lo mismo y se utiliza igual.

> También < *tan* y *bien*.
> Usos del adverbio. Entradas 719 y 720.

719

TAMBIÉN = Añade otro elemento.

> ▸ *El otro día vi a Juan. También me encontré a Pedro.*
> ▸ *Necesito un destornillador y también una llave inglesa.*

Gramática ▸ Adverbio de modo.

CONTRASTE CON **ASIMISMO / IGUALMENTE:**

> ▸▸**Asimismo** (ver entrada 102): Introduce una información nueva sobre una persona o una cosa ya presentadas.
>   *No tiene ni dinero ni ocupación y, **asimismo**, carece de vivienda.*

▶▶ **Igualmente** (ver entrada 408): Sirve para presentar un elemento parecido a otro presentado anteriormente.

- *Feliz fin de semana.*
- • *Igualmente.*

720

TAMBIÉN = Expresa que una afirmación recién dicha se aplica a otra persona.

▶ - *Mi abuelo es gallego.*
• *Yo también.*
▶ - *A mí me gusta mucho el queso.*
• *A ella también.*

Gramática ▶ Expresión de acuerdo.
Estructura ▶ Se utiliza precedido de un pronombre personal sujeto (*yo, tú, usted...*) o de la preposición *a* y un pronombre personal objeto (*a mí, a ti, a él...*).

Tampoco < *tan* y *poco*.
Usos del adverbio. Entradas 721 y 722.

721

TAMPOCO = Añade otro elemento negado.

▶ *No tengo dinero. Tampoco he traído las tarjetas. ¿Me puedes prestar algo?*
▶ *No me apetece mucho ir al cine. Tampoco al teatro. ¿Nos quedamos en casa?*

Gramática ▶ Adverbio de negación.
Origen ▶ **Tampoco** < *tan* y *poco*.

CONTRASTE CON **NI SIQUIERA**:

▶▶ **Ni siquiera** (ver entrada 491): Expresa que no parece normal que no se haya producido algo.

*En este viaje no he visto nada, **ni siquiera** el centro histórico.*

722

TAMPOCO = Expresa que una negación recién dicha se aplica a otra persona.

▶ - *No tengo hambre.*
• *Yo tampoco.*
▶ - *A mí no me gusta el fútbol.*
• *A mí tampoco.*

Gramática ▶ Expresión de acuerdo.
Estructura ▶ Se utiliza precedido de un pronombre personal sujeto (*yo, tú, usted...*) o de la preposición *a* y un pronombre personal objeto (*a mí, a ti, a él...*)

723

TAN = Matiza una valoración.

▶ *Es una chica tan guapa... Me gusta mucho, voy a invitarla a cenar.*
▶ *Es un coche muy bonito, pero tan caro... Voy a mirar más.*

Gramática ▶ Adverbio de cantidad.
Origen ▶ **Tan** < apócope de *tanto*.
Estructura ▶ Se utiliza seguido de un adjetivo calificativo o de un adverbio.
Uso ▶ Cuando se utiliza con enunciados negativos significa lo contrario de lo que dice la cualidad.
　　　*No me parece **tan** caro = Me parece bastante barato.*
　　　*No es **tan** malo = Es bueno.*

CONTRASTE CON MUY / TANTO:

▶▶**Muy** (ver entrada 478): Sirve para calificar algo de forma objetiva. Con **Tan** expresamos además que es una valoración subjetiva. Se utiliza, además, en muchos casos cuando es la primera vez que se menciona una cualidad, y **Tan** cuando ya ha sido mencionada.
*Es una película **muy** buena, **tan** buena que le han dado muchos premios.*

▶▶**Tanto/a/os/as** (ver entrada 726): Se utiliza para matizar un sustantivo.
*Tengo **tanto** trabajo que no sé si llegaré a tiempo.*

724

TAN... COMO = Hace una comparación de igualdad.

▶ *- Este pantalón es tan bonito como el otro, pero es más caro.*
　• Sí mucho más caro.
▶ *- Mira qué jersey. El verde no es tan caro como el rojo, ¿no?*
▶ *• No, pero es más feo.*

Gramática ▶ Expresión de comparación.

CONTRASTE CON OTRAS EXPRESIONES DE COMPARACIÓN:

▶▶**A cual más / A cual menos** (ver entrada 13): Establece una relación de igualdad entre dos elementos señalando el grado máximo o mínimo de lo que se compara. Con **Tan... como** se establece una relación entre dos elementos de forma general.
*Son dos chicos listísimos. **A cual más** inteligente.*

▶▶**Que** (ver entrada 597): Introduce el segundo término de la comparación en oraciones de superioridad e inferioridad.
*Este coche me gusta más **que** el otro.*

▶▶**Tanto como** (ver entrada 727): Se utiliza para comparar verbos.
*Este coche es **tan** rápido **como** el otro / Este coche corre **tanto como** el otro.*

725

TAN PRONTO COMO = Presenta un acontecimiento como inmediatamente posterior a otro.

> ▸ *Tan pronto como sepas el resultado, llámame.*
> ▸ *Se irá tan pronto como le den el billete.*

Gramática ▸ Locución conjuntiva de tiempo.
Estructura ▸ Se utiliza seguido de Subjuntivo porque nos referimos a un momento futuro.

OTRAS EXPRESIONES SIMILARES:

▸▸**Apenas** + *acontecimiento* (ver entrada 92) y **No bien** (ver entrada 495): Se utilizan en contextos más cultos.

▸▸**Así que** (ver entrada 100) y **En cuanto** (ver entrada 307): Significan lo mismo, pero se utilizan también para hablar de acciones habituales y acciones pasadas. **Tan pronto como**, en general, se utiliza sólo para referirse al futuro y tiene, además, una idea de urgencia.

Tanto < *tantus* (lat.)
Uso del adjetivo y adverbio. Entradas 726 a 728.

726

TANTO / TANTA / TANTOS / TANTAS = Se refiere a cantidades altas antes mencionadas.

> ▸ *Había mucha gente y, claro, tanta gente no cabía en esa sala pequeña.*
> ▸ *No puedo salir ahora. Tengo mucho trabajo. En realidad tengo tanto trabajo que no sé si lo podré terminar.*

Gramática ▸ Adjetivo.
Estructura ▸ Se utiliza seguido de un sustantivo.

CONTRASTE CON MUCHO / MUY / TAN:

▸▸**Mucho/a/os/as** (ver entrada 477): Se utiliza cuando se menciona por primera vez la idea de cantidad alta.
> *Hay **mucho** ruido aquí. Con **tanto** ruido no podemos hablar. Vámonos.*

▸▸**Muy** (ver entrada 478) y **Tan** (ver entrada 723): Se utilizan para matizar adjetivos o adverbios, es decir, características. **Mucho** y **Tanto** para matizar sustantivos, es decir, algo.
> *Este museo es **muy** bueno porque hay **muchos** cuadros.*

727

TANTO COMO = Hace una comparación de igualdad.

> ▸ *No sé cuál elegir. Ese me gusta tanto como este.*
> ▸ *Sinceramente este coche gasta tanto como el otro, pero es más seguro.*

Gramática ▸ Expresión de comparación.

Contraste con otras expresiones de comparación:

▸▸**Que** (ver entrada 597): Introduce el segundo término de la comparación en oraciones de superioridad e inferioridad.
> *Este coche me gusta más **que** el otro.*

▸▸**Tan... como** (ver entrada 724): Se utiliza para comparar cualidades, adjetivos o adverbios.
> *Este coche es **tan** rápido **como** el otro / Este coche corre **tanto como** el otro.*

728

TANTO MÁS... CUANTO QUE = Introduce una información que viene a justificar un argumento.

▸ *Era tan tímido que se quedó callado, tanto más callado cuanto que no conocía a nadie y todos le intimidaban.*
▸ *En su empresa le consideraban tanto más capaz cuanto que podía dirigir varios departamentos.*

Gramática ▸ Expresión enfática.
Estructura ▸ Se utiliza con un adjetivo o un adverbio y seguido de un verbo en Indicativo.
Uso ▸ Es una expresión muy poco frecuente y sólo utilizada en el lenguaje culto.

729

TE = Pronombre personal objeto de segunda persona del singular. Ver cuadro de pronombres personales.

> Tener < *tenēre* (lat.)
> Usos del verbo. Entradas 730 a 734.

730

TENER + participio = Explica el resultado de una acción.

▸ *Ya tengo hechos la mitad de los ejercicios. La semana que viene termino el resto.*
▸ *Estoy haciendo esta colección de sellos y ya tengo comprados casi todos.*

Gramática ▸ Perífrasis verbal perfectiva.

Otra expresión similar:

▸▸**Llevar** + *número* + *participio* (ver entrada 430): Tiene un significado parecido, pero se insiste en la idea de contar.

731

TENER GANAS DE = Expresa la voluntad o el deseo de hacer algo.

▸ *Tengo muchas ganas de salir esta noche. ¿Vamos a cenar?*
▸ *María tiene ganas de vernos. Dice que el próximo fin de semana estará aquí.*

Gramática ▶ Expresión de deseo.

Estructura ▶ Se utiliza seguido de:

■ Sustantivos cuando se expresa el deseo de comer algo.

Tengo ganas de un helado. ¿Vamos a tomar uno?

■ Un verbo cuando se expresa la voluntad de hacer algo.

• En infinitivo cuando el sujeto de los dos verbos es el mismo. Es decir, se expresa la intención de hacer algo.

Tengo ganas de pasear un poco, así que me voy a dar una vuelta.

• *Que* + Subjuntivo cuando el sujeto de los verbos es distinto. Esto es, cuando se expresa el deseo de que otra persona haga algo.

Tengo ganas de que vengas a verme.

OTRAS EXPRESIONES SIMILARES:

▶▶**Darle a uno la gana** (ver entrada 201): Se utiliza para expresar la voluntad caprichosa o arrogante de hacer algo.

▶▶**Hacer ilusión** (ver entrada 391): Se utiliza para expresar el deseo de algo poco importante.

▶▶**Querer** (ver entrada 622): Expresa un deseo de forma general. **Tener ganas de** expresa un deseo más inmediato.

732

TENER QUE + infinitivo = Expresa la obligación o necesidad de hacer algo.

▶ *Cuando cruces, tienes que mirar a la izquierda y a la derecha.*

▶ *Esto es peligroso, tenemos que ir con cuidado.*

■Gramática ▶ Perífrasis verbal de obligación.

CONTRASTE CON OTRAS PERÍFRASIS DE OBLIGACIÓN Y NECESITAR:

▶▶**Deber** + *infinitivo* (ver entrada 243): Expresa también una obligación, pero se da a entender que la persona que la expresa es el origen de lo dicho, mientras que con **Tener que** se da a entender que es una obligación motivada por la situación. Por ello, **Tener que** es más enérgico que **Deber**.

*Mira, a mí me parece que **debes** ponerte a trabajar cuanto antes. Yo a tu edad ya lo hacía.*

*Mira, hijo, no tenemos mucho dinero y, por eso, **tienes que** ponerte a trabajar ya y traer un sueldo más a casa.*

▶▶**Haber que** + *infinitivo* (ver entrada 382): Expresa una obligación de forma impersonal.

*Mira **hay que** comer de todo, pero tú **tienes que** cuidar además las grasas, que no te sientan bien.*

▶▶**Necesitar** (ver entrada 485): Expresa la necesidad de algo o de alguien.

Necesito *que envíes este fax urgentemente, por favor.*

733

TENER RAZÓN = Expresa acuerdo en una discusión o debate.

> ▸ *- Me parece horrible lo que dice Roberto.*
>   • *Tienes razón.*
> ▸ *- No salgas, que va a llover.*
>   • *Tienes razón. Me quedo en casa.*

▌Gramática ▸ Expresión de acuerdo.

OTRAS EXPRESIONES SIMILARES:

↠**Conforme** (ver entrada 164), **De acuerdo** (ver entrada 219) y **Vale** (ver entrada 766): Se utilizan para expresar acuerdo ante una propuesta. **Conforme** se emplea en contextos formales y **Vale** en contextos informales.
↠**Estar de acuerdo** (ver entrada 353): Significa lo mismo.
↠**Sí, quizás sí** (ver entrada 678): Se muestra reservas o dudas, aunque se está de acuerdo.

734

TENIENDO EN CUENTA QUE = Explica y limita el alcance de una información dicha anteriormente.

> ▸ *Lo ha hecho muy bien, teniendo en cuenta que tiene poca experiencia.*
> ▸ *A la conferencia vino mucha gente, teniendo en cuenta que no la habían anunciado.*

▌Gramática ▸ Locución conjuntiva de causa.
▌Estructura ▸ Se utiliza seguido de un verbo en Indicativo.

OTRAS EXPRESIONES SIMILARES:

↠**Considerando que** (ver entrada 170), **En cuanto que** (ver entrada 309) y **En la medida en que** (ver entrada 311): Significan lo mismo.

735

TERMINAR + gerundio = Indica que una acción o un acontecimiento finalmente ocurre.

> ▸ *Le insistimos tanto que terminó diciendo la verdad.*
> ▸ *Estudió tanto que terminó hablando correctamente español.*

▌Gramática ▸ Perífrasis verbal perfectiva.

OTRA EXPRESIÓN SIMILAR:

↠**Acabar** + *gerundio* (ver entrada 40): Significa lo mismo.

736

TI = Pronombre personal objeto de segunda persona del singular. Ver cuadro de pronombres personales.

737

TODAS LAS VECES QUE = Se refiere a que un acontecimiento ocurre siempre que se produce otro.

▸ *Todas las veces que te veo, llevas un abrigo distinto. Debes de tener muchos.*
▸ *Es muy amable. Todas las veces que le he pedido algo, lo ha hecho en seguida.*

Gramática ▸ Locución conjuntiva de tiempo.
Estructura ▸ Se utiliza seguido de:
- Presente de Indicativo para expresar acontecimientos habituales.
  Todas las veces que vuelvo a casa en Navidad, me acuerdo de lo bien que lo pasábamos cuando éramos niños.
- Imperfecto de Indicativo para referirse a una costumbre pasada.
  Todas las veces que venían los abuelos a vernos, nos traían caramelos.
- Indefinido o Perfecto para referirse a acontecimientos concretos.
  Todas las veces que te pedí algo, me lo diste. Eres un buen amigo.
- Presente de Subjuntivo para referirse a acontecimientos futuros.
  Todas las veces que tenga que volar, lo haré con esta compañía. Es muy cómoda y barata.

OTRAS EXPRESIONES SIMILARES:

▸▸**Cada vez que** (ver entrada 125) y **Siempre que** (ver entrada 694): Significan lo mismo.

738

TODAVÍA = Se refiere a momentos anteriores al instante en que se está hablando.

▸ *Todavía no ha llegado Pedro, ¡qué raro!*
▸ *¿Todavía conservas aquellas cartas que te escribí?*

Gramática ▸ Adverbio de tiempo.
Origen ▸ **Todavía** < *toda* y *vía*.
Uso ▸ Significa lo mismo que *aún* (ver entrada 105).

CONTRASTE CON OTRAS EXPRESIONES DE TIEMPO:

▸▸**Antes** (ver entrada 86): Se refiere sólo a los momentos anteriores al acto de habla, mientras que con **Aún** o **Todavía**, además se tiene en cuenta el momento actual.
Antes no sabía conducir, pero ya tengo el carné.

Todavía no sé conducir. No sé si algún día me sacaré el carné.

▸▸**Hasta ahora** (ver entrada 401): No hay ninguna presuposición. En cambio, con **Aún** y con **Todavía** se presupone que se terminará aquello de lo que se está hablando.
Hasta ahora no hemos ido nunca a la feria de Londres, este año será el primero.

▸▸**Ya** + *pasado* (ver entrada 792): Expresa que algo que se presuponía, ha ocurrido, pero con **Aún** y con **Todavía** ese acontecimiento no se ha producido.
- ¿*Ya* has hablado con él?
• No, **todavía** no. No he tenido tiempo.

Todo < *totus* (lat.)
Usos del adjetivo. Entradas 739 a 742.

739

TODO / TODA / TODOS / TODAS = Se refiere a la totalidad de los elementos presentados antes o supuestamente conocidos.

▸ *Enhorabuena por tus libros. Los he leído todos y me gustan mucho.*
▸ *Vino a verme toda la gente que había conocido en Italia.*

Gramática ▸ Adjetivo y pronombre indefinido.
Estructura ▸ Si es adjetivo se utiliza seguido de un determinante y de un sustantivo.

CONTRASTE CON **AMBOS** / **EL UNO Y/CON EL OTRO** / **LOS**:

▸▸**Ambos/as** (ver entrada 81): Remite a dos elementos presentados antes.
*Juan y Antonio están muy cansados. Han trabajado mucho y **ambos** se merecen un descanso.*

▸▸**El uno y/con el otro, La una y/con la otra** (ver entrada 290): Se utilizan para referirse a dos personas de forma recíproca.
*Son muy cariñosos **el uno con el otro**.*

▸▸**Los / Las** + *número* (ver entrada 442): Se utiliza cuando el número de elementos es exacto. En español no es posible decir **Todos los** + *número*.
*En mi familia somos cinco: mi mujer, los tres niños y yo. **Los** cinco vivimos en el pueblo.*

*En esta clase sois quince alumnos y **todos** tenéis que presentaros mañana en la secretaría.*

OTRA EXPRESIÓN SIMILAR:

▸▸**Entero/a** (ver entrada 326): Significa lo mismo. Se utiliza con sustantivos contables. **Todo** expresa también la totalidad, pero se aplica tanto a sustantivos contables como a incontables.

740

TODO / TODA + sustantivo = Aplica una característica esencial a cada uno de los miembros de un grupo.

▸ *Todo trabajador de esta empresa deberá hacerse un reconocimiento médico cada año.*
▸ *Hace unos años todo hombre tenía que hacer el servicio militar.*

Gramática ▸ Adjetivo indefinido.
Estructura ▸ Se utiliza seguido de un sustantivo singular.

OTRAS EXPRESIONES SIMILARES:

▸▸**Cualquier** (ver entrada 181) y **Cualquiera** (ver entrada 183): Expresan la indeterminación de una o varias cosas dentro de un grupo.

741

TODO EL MUNDO = Se refiere a las personas en general.

▸ *Mira, todo el mundo necesita cariño y comprensión. Sé amable con él.*
▸ *Es indispensable que todo el mundo tome precauciones.*

Gramática ▸ Expresión generalizadora.
Estructura ▸ Se utiliza seguido de un verbo en singular.

CONTRASTE CON **GENTE / SE:**

▸▸**Gente** (ver entrada 373): Significa lo mismo, pero no tiene el carácter de universalismo de **Todo el mundo**.
*La **gente** no puede entrar sin permiso en esta sala.*

▸▸**Se** + *verbo* + *complemento* (ver entrada 640): Presenta una información de forma general impersonal.
*Aquí **se** duerme muy bien, es un buen hotel.*

742

TODO LO MÁS = Presenta una cantidad alta como una valoración subjetiva.

▸ *Arturo tendrá, todo lo más, dieciséis años. No creo que pueda hacer este trabajo.*
▸ *Ven a casa, todo lo más, a las diez.*

Gramática ▸ Locución adverbial de cantidad.

OTRAS EXPRESIONES SIMILARES:

▸▸**A lo sumo** (ver entrada 23): Se emplea sólo en registros cultos.
▸▸**Como mucho** (ver entrada 138): Significa lo mismo. Es más utilizado.

Total < *totus* (lat.)
Usos del adverbio y de la locución. Entradas 743 y 744.

743

TOTAL = Expresa indiferencia ante una situación.

▸ *No voy a hablar con él. Total, no serviría de nada.*
▸ *¿Le llevamos uno de estos a Jesús? Total, no cuestan nada.*

Gramática ▸ Adverbio.
Estructura ▸ Se utiliza seguido de un verbo en Indicativo.

CONTRASTE CON **DAR IGUAL / ¡QUÉ MÁS DA!:**

▸▸**Dar igual** (ver entrada 199): Expresa indiferencia ante una elección.
- ¿Cuál te gusta?
• *Da igual*, los dos son muy bonitos. Compra uno y vámonos.
▸▸**¡Qué más da!** (ver entrada 612): Expresa indiferencia cuando nos informan de algo que no era lo que esperábamos.
- Mañana tienes que ir bien vestido a la reunión.
• No es mañana, es pasado mañana.
- Bueno, **¡qué más da!** Pero vete guapo.

744

TOTAL, QUE = Expresa las consecuencias finales de un razonamiento.

> ▸ *- Mañana hablaremos con él y le diremos que la empresa no va bien y que tenemos que ahorrar y que...*
> • *Total, que le vamos a despedir, ¿no?*
> ▸ *Hacía un tiempo malísimo y no tenía ganas de hacer nada. Total, que me quedé en casa.*

Gramática	▸ Locución conjuntiva de consecuencia.
Estructura	▸ Se utiliza seguido de un verbo en Indicativo.
Uso	▸ Se emplea en contextos familiares.

OTRA EXPRESIÓN SIMILAR:

➠ **De modo que** (ver entrada 227): Se utiliza en más contextos. **Total, que** se usa para interrumpir una explicación demasiado larga.

745

TRANSFORMARSE EN = Expresa cambios radicales en una persona o cosa.

> ▸ *Juan Gil se transformó en cantante de la noche a la mañana.*
> ▸ *Ese convento lo han transformado en una discoteca de moda.*

Gramática	▸ Verbo preposicional.
Estructura	▸ Se utiliza seguido de un sustantivo o de un adjetivo.

CONTRASTE CON OTROS VERBOS DE CAMBIO:

➠ **Convertirse en** (ver entrada 176): Significa lo mismo, pero es de uso más frecuente.
Ese convento lo han convertido en una discoteca de moda.

➠ **Llegar a** y **Llegar a ser** (ver entradas 427 y 428): Se refieren a cambios progresivos.
Con mucho esfuerzo mi padre llegó a ser el subdirector de su empresa.

➠ **Hacerse** (ver entrada 392): Se refiere a los cambios definitivos experimentados por una persona como resultado de la evolución natural o resultado de una decisión propia.
Se hizo budista.

➠ **Ponerse** (ver entrada 552): Se refiere a un cambio rápido e instantáneo y de poca duración.
Me he puesto muy nervioso, pero ya se me ha pasado.

➠ **Quedarse** + *cambio* (ver entrada 619): Se refiere a cambios como el resultado de una situación o acción anterior.
Voy a ponerme un jersey. Me he quedado frío de estar cenando en el jardín.

➠ **Volverse** (ver entrada 776): Se refiere a transformaciones rápidas, pero definitivas.
Jerónimo se ha vuelto muy callado. Con lo charlatán que era antes. ¿Qué le habrá pasado?

746

TRAS = Expresa posterioridad en el espacio o en el tiempo físico o figurado.

> ▸ *Tras aquellos incidentes se escondía una organización delictiva.*
> ▸ *Tras aquellas palabras escondía la intención de engañarnos.*

| Gramática | ▶ Preposición. |
| Origen | ▶ **Tras** < *trans* (lat.), al otro lado de, más allá de. |

CONTRASTE CON **OTRAS EXPRESIONES DE LUGAR**:

▸▸**Atrás** (ver entrada 103): Indica un espacio posterior, sin compararlo o relacionarlo con nada.
*Dad un paso hacia **atrás**.*

▸▸**Detrás de** (ver entrada 271): Localiza algo o a alguien en un lugar posterior a otro.
*El chico que está **detrás de** ti es Eugenio, el novio de Nuria.*

CONTRASTE CON **OTRAS EXPRESIONES DE TIEMPO**:

▸▸**Después** (ver entrada 267): Expresa un tiempo posterior sin especificar el momento exacto.
*Fuimos a su casa. **Después** salimos a dar un paseo.*

▸▸**Luego** (ver entrada 445): Se refiere a un tiempo posterior que los interlocutores saben cuál es.
*Esta tarde tengo una reunión hasta las ocho y media. Si quieres, podemos vernos **luego**.*

▸▸**Más tarde** (ver entrada 454): Indica un tiempo posterior específico.
*Nada más descubrir el robo, llamamos a la policía. Cinco minutos **más tarde** estaban en casa.*

747

TÚ = Pronombre personal sujeto de segunda persona del singular. Ver cuadro de pronombres personales.

748

TU / TUS = Adjetivo posesivo singular y plural de segunda persona del singular. Ver cuadro de posesivos.

749

TÚ QUE / USTED QUE / VOSOTROS QUE = Justifica el hecho de dirigirse o hablar con alguien.

▶ *Oye, Antonio. Tú que eres tan habilidoso, ¿me puedes ayudar a arreglar esto?*
▶ *Usted que sabe tanto de estos asuntos, ¿qué cree que es mejor?, ¿qué me aconseja?*

Gramática	▶ Expresión de justificación.
Estructura	▶ Se utiliza seguido de un verbo en Indicativo.
Uso	▶ Este tipo de estructura es utilizado con bastante frecuencia cuando pedimos algo, pedimos un favor, o cuando pedimos consejo.

750

TUYO / TUYA / TUYOS / TUYAS = Pronombres posesivos singular y plural, masculino y femenino de la segunda persona del singular. Ver cuadro de posesivos.

751

U = Indica una alternativa entre dos o varias posibilidades.

▸ *¿Prefieres plata u oro?*
▸ *¿Quieres este u otro?*

▌Gramática ▸ Conjunción disyuntiva.

CONTRASTE CON **O**:

▸▸**O** (ver entrada 516): Es la conjunción disyuntiva más general. **U** sólo se utiliza cuando la palabra del segundo elemento empieza por "o" o por "ho".
¿Quieres té o café?

Un, usos del artículo. Entradas 752 a 761.

752

UN / UNA / UNOS / UNAS = Artículos indeterminados. Ver cuadro de artículos.

753

UN (BUEN) DÍA = Presenta un acontecimiento como repentino sin especificar el momento exacto en que ocurre.

▸ *Tenemos que arreglar el tejado. Un buen día vamos a tener un disgusto.*
▸ *Hacía ya más de tres años que no lo veía y un día me lo encontré en el metro.*

▌Gramática ▸ Expresión de tiempo.
▌Estructura ▸ Se utiliza seguido de un verbo en Presente de Indicativo, Futuro o Indefinido.

OTRA EXPRESIÓN SIMILAR:

▸▸**Una vez** (ver entrada 761): Presenta un acontecimiento pasado sin especificar el momento exacto en que ocurre.

754

UN DÍA DE ESTOS = Se refiere a un momento indeterminado del futuro.

▸ *Ya verás como recibimos una carta suya un día de estos.*
▸ *Ya estoy de vacaciones. Así que, un día de estos, voy a visitarte.*

▌Gramática ▸ Expresión de tiempo.
▌Estructura ▸ Se utiliza seguido de un verbo en Presente o Futuro de Indicativo.

OTRAS EXPRESIONES SIMILARES:

▸▸**Cualquier día** (ver entrada 182): Se utiliza igual que **Un día de estos**, aunque da una cierta idea de más lejanía.
▸▸**De un momento a otro** (entrada 237): Se utiliza para referirse a un futuro muy próximo.

755

UN POCO = Indica cantidades bajas.

▶ *¿Me dejas un poco de arroz?*
▶ *Sí, sí, me gustó un poco.*

Gramática ▶ Locución adverbial de cantidad.
Estructura ▶ Se utiliza seguido de un sustantivo no contable.

CONTRASTE CON OTRAS EXPRESIONES DE CANTIDAD:

▸▸**Algo** + *adjetivo* (ver entrada 72), **Demasiado** (ver entrada 255) y **Un tanto** (ver entrada 759): Dan un matiz negativo al adjetivo al que acompañan.
  *Este jersey es bonito, pero **algo** llamativo para mi forma de ser, ¿no te parece?*
▸▸**Bastante** + *adjetivo* (ver entrada 111): Se utiliza para valorar positivamente una cualidad sin expresar entusiasmo.
  *La fiesta fue **bastante** divertida, pero, si lo sé, no voy.*
▸▸**Más bien** (ver entrada 452): Sirve para expresar que el objeto valorado tiene una tendencia hacia esa cualidad.
  *Es una chica **más bien** rubia, castaña clara, muy clara.*
▸▸**Nada** + *adjetivo* (ver entrada 482): Indica la ausencia de la cualidad expresada por el sustantivo.
  *No me gusta, no es **nada** atractivo, la verdad.*

OTRA EXPRESIÓN SIMILAR:

▸▸**Poco/a/os/as** (ver entrada 545): Se utiliza para referirse a cantidades bajas de una forma imprecisa.

756

UN POCO MÁS DE = Presenta una cantidad como inferior a la realidad.

▶ *Tengo un poco más de dos kilos en casa. ¿Quieres que te dé un poco?*
▶ *Se quedó con un poco más de la mitad para él y el resto lo repartió entre todos.*

Gramática ▶ Locución adverbial de cantidad.
Estructura ▶ Se utiliza seguido de un número cardinal o de un determinante y un sustantivo de cantidad.

CONTRASTE CON OTRAS EXPRESIONES DE CANTIDAD:

▸▸**Algo más de** (ver entrada 73): Significa lo mismo. Se utiliza para presentar una cantidad indicando que se está mencionando algo menor a la realidad.
  *Me he comido **algo más de** la mitad de la tarta. No puedo más.*
▸▸**Siquiera** (ver entrada 701): Presenta una cantidad como la más baja que lógicamente se puede pensar.
  *Estás agotado. ¿Por qué no adelantas las vacaciones? **Siquiera** un par de días.*

757

UN POCO MENOS DE = Presenta una cantidad como superior a la realidad.

▸ *Fíjate si es goloso que se comió él solito un poco menos de la mitad de la tarta.*
▸ *Acudieron a la fiesta un poco menos de trescientos invitados, doscientos ochenta y tres, para ser exactos.*

Gramática ▸ Locución adverbial de cantidad.
Estructura ▸ Se utiliza seguido de número cardinal o de un determinante y un sustantivo de cantidad.

758

UN TAL / UNA TAL = Se refiere a una persona que es poco conocida por quien habla y escucha.

▸ *Ha preguntado por ti un tal Sánchez.*
▸ *En el periódico dicen que han descubierto al culpable, un tal López.*

Gramática ▸ Expresión de indeterminación.
Estructura ▸ Se utiliza seguido de un nombre o apellido de persona.

CONTRASTE CON **CIERTO**:

▸▸**Cierto/a** (ver entrada 131): Habla de alguien o algo con un matiz de indeterminación. Se refiere tanto a personas como a cosas. **Un tal** se refiere siempre a personas.
He oído que tienen ustedes cierta máquina que limpia las manchas de tinta, ¿no?

759

UN TANTO = Describe una cosa o persona con un matiz negativo.

▸ *Bueno, es una chica un tanto alocada.*
▸ *A mí no me gusta, es un tanto pedante.*

Gramática ▸ Expresión de valoración.
Estructura ▸ Se utiliza seguido de un adjetivo.
Uso ▸ Se suele utilizar para hacer una valoración negativa, pero evitando herir los sentimientos del oyente o siendo prudentes con él.

CONTRASTE CON **OTRAS EXPRESIONES DE VALORACIÓN**:

▸▸**Algo** + *adjetivo* (ver entrada 72), **Demasiado** (ver entrada 255) y **Un poco** (ver entrada 755): Dan un matiz negativo al adjetivo al que acompañan.
La película que me recomendaste era algo aburrida, ¿no te parece?
Este jersey es bonito, pero un poco llamativo para mi forma de ser, ¿no te parece?
▸▸**Bastante** + *adjetivo* (ver entrada 111): Se utiliza para valorar positivamente una cualidad sin expresar entusiasmo.
La fiesta fue bastante divertida, pero, si lo sé, no voy.
▸▸**Harto** (ver entrada 397): Expresa una valoración negativa de algo porque supera los límites tolerables.
Su propuesta es harto complicada para debatirla hoy.

▶▶

> ▶▶**Ligeramente** (ver entrada 426): Describe una cosa o persona de forma un poco negativa.
>
> *Esta sopa está **ligeramente** salada.*
>
> ▶▶**Más bien** (ver entrada 452): Se utiliza para expresar que el objeto valorado tiene una tendencia hacia esa cualidad, se acerca a eso.
>
> *Es una chica **más bien** rubia, castaña clara, muy clara.*
>
> ▶▶**Nada** + *adjetivo* (ver entrada 482): Se utiliza para expresar la ausencia de la cualidad señalada.
>
> *No me gusta, no es **nada** atractivo, la verdad.*

760

UNA DE = Señala una gran cantidad de algo.

> ▶ *En la fiesta de Juan había una de gente que no se cabía.*
> ▶ *Estoy lleno. He comido una de espaguetis que no quiero nada más. Estaban riquísimos.*

Gramática	▶ Locución adjetiva.
Estructura	▶ Se utiliza seguido de un sustantivo incontable en singular o de un sustantivo contable en plural.
Uso	▶ Se utiliza en contextos informales.

OTRA EXPRESIÓN SIMILAR:

▶▶**Mucho** (ver entrada 476): Es la expresión más utilizada para expresar cantidades altas de forma imprecisa.

761

UNA VEZ = Presenta un acontecimiento pasado sin especificar el momento exacto en que ocurrió.

> ▶ *Una vez fui a Sevilla en autostop y conocí a mi mujer.*
> ▶ *He ido en globo una vez en mi vida y me gustó la experiencia.*

Gramática	▶ Expresión de tiempo.
Estructura	▶ Se utiliza seguido de un verbo en Perfecto o en Indefinido.

OTRA EXPRESIÓN SIMILAR:

▶▶**Un (buen) día** (ver entrada 753): Se utiliza para hablar de un acontecimiento repentino sin especificar el momento exacto en que sucede.

762

ÚNICO / ÚNICA / ÚNICOS / ÚNICAS = Se refiere a alguien o algo extraodinario.

> ▶ *Eres la única persona que me comprende.*
> ▶ *Mira, haz lo que quieras, pero el único que puede ayudarte es Luis.*

Gramática ▸ Adjetivo.
Origen ▸ **Único** < *unĭcus* (lat.)
Estructura ▸ Se utiliza antepuesto del artículo determinado *el, la.*

OTRA EXPRESIÓN SIMILAR:

⇥ **Solo/a/os/as** (ver entrada 708): Se refiere a un elemento como único. Con **Único** se indica que en esa situación es el elemento más apropiado.

Unos, usos del artículo.
Entradas 763 y 764.

763

UNOS / UNAS + cantidad = Se refiere a una cantidad aproximada.

▸ *A mi boda vinieron unos doscientos invitados.*
▸ *Necesito unas tres tazas de harina para hacer este pastel.*

Gramática ▸ Artículo indeterminado plural.

764

UNOS CUANTOS / UNAS CUANTAS = Señala una cantidad limitada.

▸ *- ¿Cuántas galletas quieres?*
  • *No sé, unas cuantas.*
▸ *Alicia me ha dado unos cuantos libros para ti. Los he dejado en la mesa.*

Gramática ▸ Expresión de cantidad.
Estructura ▸ Cuando es adjetivo se utiliza seguido de un sustantivo contable plural.

CONTRASTE CON UNOS:

⇥ **Unos/as + *cantidad*** (ver entrada 763): Significan lo mismo, pero con **Unos cuantos** se hace más énfasis en la idea de cantidad imprecisa.
*Necesito **unas** tres tazas de harina para hacer este pastel.*

765

USTED / USTEDES = Pronombres personales sujeto de segunda persona del singular y plural. Ver cuadro de pronombres personales.

766

VALE = Indica la aprobación de una propuesta.

> ▶ *Vale, voy contigo. Pero no conduzcas muy rápido.*
> ▶ *- ¿Nos vemos mañana?*
>   • *Vale, a las cinco en la plaza.*

Gramática ▶ Interjección.
Origen ▶ **Vale** < *vale*, consérvate sano, 2.ª pers. del sing. del Imper. de *valēre* (lat.), estar sano.
Estructura ▶ Se utiliza seguido de un verbo en Indicativo.
Uso ▶ Se utiliza en contextos informales y coloquiales.

OTRAS EXPRESIONES SIMILARES:

▶▶**Conforme** (ver entrada 164): Se utiliza ante una propuesta en contextos serios y formales.
▶▶**De acuerdo** (ver entrada 219): Significa lo mismo. **Vale** es más coloquial e informal.
▶▶**Sí, quizás sí** (ver entrada 678): Se utiliza para mostrar reservas o dudas aunque se esté de acuerdo.
▶▶**Tener razón** (ver entrada 733) y **Estar de acuerdo** (ver entrada 353): Se utilizan en contextos más generales.

767

VARIAS VECES = Expresa la repetición de una acción.

> ▶ *He leído varias veces este libro y siempre me parece maravilloso.*
> ▶ *Estuve varias veces en México, pero nunca fui a Acapulco.*

Gramática ▶ Expresión de frecuencia.
Estructura ▶ Se utiliza seguido de un verbo en Perfecto o Indefinido.

Venir < *venīre* (lat.)
Usos del verbo. Entradas 768 a 771.

768

VENGA = Incita a alguien a hacer algo o da ánimo.

> ▶ *Cómete todo lo que tienes en el plato. Venga, que nos tenemos que ir.*
> ▶ *Venga, ánimo, que vamos a ganar el partido.*

Gramática ▶ Expresión de ánimo.
Estructura ▶ Imperativo del verbo *venir*.
Uso ▶ Se utiliza en contextos informales y coloquiales.

769

VENGA, VENGA = Incita a alguien a hacer algo con prisa o da ánimo.

> ▶ *¿No has terminado? Venga, venga.*
> ▶ *Venga, venga, vámonos que es muy tarde.*

Gramática ▶ Expresión de ánimo.
Estructura ▶ Imperativo del verbo *venir*.
Uso ▶ Se emplea en contextos informales y coloquiales.

770

VENIR A + infinitivo = Expresa un dato de forma aproximada.

 ▸ *Una semana en la playa viene a costar 600 euros.*
 ▸ *No se le entendió muy bien, pero vino a decir que había que cambiar la gestión de la empresa.*

▌Gramática ▸ Perífrasis verbal de hipótesis o aproximativa.

 OTRA EXPRESIÓN SIMILAR:

 ↠**Deber de** + *infinitivo* (ver entrada 244): Expresa una hipótesis de forma general.

771

VENIR + gerundio = Expresa que un acontecimiento se produce de forma progresiva.

 ▸ *Los precios de los pisos vienen aumentando desde hace diez años.*
 ▸ *Cada vez la prensa viene siendo más catastrofista.*

▌Gramática ▸ Perífrasis verbal durativa.

772

¿VERDAD? = Comprueba que una información es correcta.

 ▸ *Te vas mañana, ¿verdad?*
 ▸ *¿Verdad que dijo que venía hoy?*

▌Gramática ▸ Expresión interrogativa de afirmación.
▌Estructura ▸ Puede ir seguido de *que* y un verbo en Indicativo.

773

VERDADERAMENTE = Matiza una valoración sorprendente o insólita.

 ▸ *Es una persona verdaderamente peculiar. No conozco a nadie como ella.*
 ▸ *Es muy gracioso, tiene un humor verdaderamente sorprendente.*

▌Gramática ▸ Adverbio.
▌Estructura ▸ Se utiliza seguido de un adjetivo calificativo.

 CONTRASTE CON OTRAS EXPRESIONES DE VALORACIÓN:

 ↠**Bastante** + *adjetivo* (ver entrada 111): Se utiliza para valorar positivamente una cualidad sin expresar entusiasmo.
 *Es **bastante** bonito, aunque prefiero el otro modelo.*

 ↠**Especialmente** (ver entrada 339) y **Realmente** (ver entrada 629): Significan lo mismo.
 *Este niño es **realmente** listo para su edad. Tiene cuatro años y habla de maravilla.*

 ↠**Más bien** (ver entrada 452): Se utiliza para expresar que el objeto valorado tiene una tendencia hacia esa cualidad, se acerca a eso.
 *Es una chica **más bien** rubia, castaña clara, muy clara.*

 ↠**Sumamente** (ver entrada 715): Sirve para expresar el punto de vista sobre algo, en general, positivo.
 *Es una obra **sumamente** divertida. Te la recomiendo, si te gustan las comedias, claro.*

774

VEZ AL/A LA , VECES AL/A LA = Indica la frecuencia o periodicidad con la que se realiza algo.

- ▸ *Yo suelo ir a esquiar dos o tres veces al año.*
- ▸ *Tiene que tomarse una pastilla una vez al día.*

Gramática ▸ Expresión de frecuencia
Estructura ▸ Se utiliza precedido de un número cardinal o *algunas veces, muchas veces* y seguido de *día, semana, mes, año...*

775

VOLVER A + infinitivo = Expresa la repetición de una acción.

- ▸ *El año pasado estuve de vacaciones en Argentina y este año vuelvo a ir.*
- ▸ *Antonio, después del divorcio tan difícil que tuvo, se volvió a enamorar de ella.*

Gramática ▸ Perífrasis verbal reiterativa.
Origen ▸ **Volver** < *volvĕre* (lat.)
Uso ▸ Es muy usual en relatos. No es frecuente con el verbo *volver* en Imperfecto.

OTRAS EXPRESIONES SIMILARES:

▸▸**De nuevo** (ver entrada 229) y **Otra vez** (ver entrada 522): Se utilizan también para expresar la repetición de una acción. **De nuevo** es más literario y formal que **Otra vez.**

776

VOLVERSE = Expresa un cambio rápido y definitivo experimentado por una persona.

- ▸ *Antonio se ha vuelto muy antipático.*
- ▸ *¿Te acuerdas de que era muy generoso? Pues se ha vuelto un avaro.*

Gramática ▸ Verbo pronominal.
Estructura ▸ Se utiliza seguido de un adjetivo.
Uso ▸ Se refiere a transformaciones rápidas.

CONTRASTE CON OTROS VERBOS DE CAMBIO:

▸▸**Convertirse en** (ver entrada 176) y **Transformarse en** (ver entrada 745): Se refieren a cambios radicales en una persona.
Ese convento lo han convertido en una discoteca de moda.
▸▸**Hacerse** (ver entrada 392): Se refiere a cambios pensados o programados o producto de una evolución natural.
¡Cómo ha cambiado tu hija! El año pasado era una niña y ya se ha hecho una mujer.
▸▸**Llegar a** y **Llegar a ser** (ver entradas 427 y 428): Se refieren a cambios progresivos.
Con mucho esfuerzo mi padre llegó a ser el subdirector de su empresa.
▸▸**Ponerse** (ver entrada 552): Se refiere a un cambio rápido e instantáneo y de poca duración.
Me he puesto muy nervioso, pero ya se me ha pasado.
▸▸**Quedarse** + *cambio* (ver entrada 619): Se refiere a cambios como el resultado de una situación o acción anterior.
Voy a ponerme un jersey. Me he quedado frío de estar cenando en el jardín.

V

777 **VOS** = Pronombre personal sujeto de segunda persona del singular. Ver cuadro de pronombres personales.

778 **VOSOTROS / VOSOTRAS** = Pronombres personales sujeto masculino y femenino de segunda persona del plural. Ver cuadro de pronombres personales.

779 **VUESTRO / VUESTRA / VUESTROS / VUESTRAS** = Adjetivos y pronombres posesivos masculino y femenino, singular y plural de segunda persona del plural. Ver cuadro de posesivos.

Y < *et* (lat.)
Usos de la conjunción. Entradas 780 a 790.

780

Y = Añade un nuevo elemento.

> ▸ *Comimos sopa y un pescado muy rico.*
> ▸ *Creo que no debemos ir y, además, no es conveniente salir ahora de casa.*

▍Gramática ▸ Conjunción copulativa.

OTRA EXPRESIÓN SIMILAR:

▸▸**E** (ver entrada 283): Sustituye a **Y** cuando la palabra siguiente empieza por "i" o "hi".

781

Y + hora = Indica los minutos o la fracción de hora en la expresión de la hora.

> ▸ *Son las tres y cinco.*
> ▸ *Nos vemos a las dos y media.*

▍Gramática ▸ Conjunción copulativa.

782

Y + número = Indica decenas y unidades.

> ▸ *En total me costó cuarenta y cinco euros.*
> ▸ *Vivo en la calle Canarias, número setenta y dos.*

▍Gramática   ▸ Conjunción copulativa.
Estructura ▸ Se utiliza entre dos números cardinales.
> ▸ El resto de los números (centenas, millares, etc.) se unen sin la conjunción.
> > *Doscientos setenta.*
> > *Mil cuatrocientos noventa.*

783

¿Y A MÍ QUÉ? = Expresa de forma impertinente indiferencia ante lo que nos están contando.

> ▸ - *Es muy tarde.*
>   • *¿Y a mí qué?*
> ▸ - *Quédate en casa, que va a venir la abuela a visitarnos.*
>   • *¿Y a mí qué?*

▍Gramática ▸ Expresión de indiferencia.
▍Uso   ▸ Se utiliza en contextos familiares y coloquiales.

784

¿Y ENTONCES? = Incita a alguien a que continúe un relato.

> ▸ - *Yo estaba en el metro, había poca gente. Vi entrar a un hombre de mal aspecto y, claro, me asusté. El metro se quedó parado en un túnel, se fueron las luces...*
>   • *¿Y entonces?*
> - *Pues nada, se puso a cantar, le dimos unas monedas y se fue.*

> - *Pues resulta que no se encontraba muy bien, parece ser que los médicos le habían visto algo raro, pero ella no quería volver.*
> • *¿Y entonces?*
> - *Pues fue y le pusieron un tratamiento.*

Gramática	▸ Expresión de interés.
Uso	▸ Se utiliza en contextos familiares y coloquiales.

785

¿Y ESO? = Pide una explicación de algo que nos sorprende.

> - *Se han ido a vivir a Huelva.*
> • *¿Y eso?*
> - *Han trasladado a Manuel.*
> - *No voy a poder ir a tu fiesta.*
> • *¿Y eso?*
> - *Es que tengo mucho trabajo y voy a tener que quedarme hasta muy tarde en la oficina.*

Gramática	▸ Expresión para preguntar por una causa.
Uso	▸ Se utiliza en contextos familiares y coloquiales.

786

Y ESO QUE = Da una información negativa y después, aumenta la gravedad de la información.

> *Se fue sin despedirse, y eso que le habíamos ayudado a hacer el trabajo.*
> *No consiguió el puesto, y eso que su padre había hablado con el jefe, que es amigo suyo.*

Gramática	▸ Locución conjuntiva concesiva.
Estructura	▸ Se utiliza seguido de un verbo en Indicativo.
Uso	▸ Se emplea en contextos familiares y coloquiales.

787

Y MIRA QUE = Da una información negativa y no aceptada, y después explica por qué no se acepta.

> *No nos contó lo de su enfermedad, y mira que somos amigos. ¿No te parece raro?*
> *Se portó fatal conmigo, y mira que lo quiero. Pero es así.*

Gramática	▸ Expresión ponderativa.
Estructura	▸ Se utiliza seguido de un verbo en Indicativo.
Uso	▸ Se emplea en contextos familiares y coloquiales.

CONTRASTE CON **CON LA DE... QUE / CON LO... QUE:**

▸▸**Con la de... que** (ver entrada 156): La explicación de no aceptar algo es por una cantidad grande de algo.

*Ahora dice que no sabe nada. **Con la de** veces **que** se lo he dicho.*

▸▸**Con lo... que** (ver entrada 157): La explicación de no aceptar algo es por una cualidad de algo.

*Le ha dejado su novia de toda la vida. **Con lo** bueno **que** es. Pobrecillo.*

788

¿Y QUÉ? = Formula una pregunta cuando no se ha entendido por qué se ha dicho algo.

> ▸ *- Es un hombre muy divertido.*
>   ● *¿Y qué?*
>   *- Pues que me gustaría invitarle a la fiesta. Si no te importa, claro.*
> ▸ *- No me gusta nada el fútbol.*
>   ● *¿Y qué?*
>   *- Pues que apagues la tele y vámonos al cine o a dar una vuelta.*

Gramática ▸ Expresión interrogativa.
Uso ▸ Se utiliza en contextos familiares y coloquiales.

789

¿Y SI? = Propone una actividad.

> ▸ *¿Y si vamos al cine esta tarde?*
> ▸ *¿Y si llamamos a Susana y nos vamos a dar un paseo?*

Gramática ▸ Expresión interrogativa.
Estructura ▸ Se utiliza seguido de un verbo en Indicativo.

CONTRASTE CON OTRAS EXPRESIONES DE PROPUESTAS:

▸▸**A ver si** (ver entrada 36): Expresa una invitación para hacer algo, un reto que cumplir.
*No nos vemos nunca. **A ver si** quedamos un día con más tiempo.*

▸▸**¿Por qué no?** (ver entrada 584): Significa lo mismo.
*Si te encuentras mal, ¿**por qué no** te acuestas?*

790

Y TÚ, ¿POR QUÉ? / Y USTED, ¿POR QUÉ? = Expresa una crítica.

> ▸ *Y tú, ¿por qué hiciste esto si sabías que estaba mal?*
> ▸ *Y usted, ¿por qué no vino con nosotros? Le hubiéramos invitado encantados.*

Gramática ▸ Expresión de reproche.
Estructura ▸ Se utiliza seguido de un verbo en Indicativo.

Ya < *iam* (lat.)
Usos del adverbio y la locución. Entradas 791 a 797.

791

YA + futuro = Señala un momento del futuro sin especificar cuándo.

> ▸ *- No puedo hacerlo.*
>   ● *No te preocupes, ya lo haré yo.*
> ▸ *- ¿Y si no funciona?*
>   ● *Ya veremos entonces. De momento lo dejamos así.*

Gramática ▸ Adverbio de tiempo.
Estructura ▸ Se utiliza seguido de un verbo en Futuro o en Presente con valor de futuro.

792

YA + pasado = Se refiere a un tiempo anterior del que se habla.

> ▸ - *Ya he leído tu libro. Toma, gracias.*
> • *¿Te ha gustado?*
> ▸ - *Me voy a casar.*
> • *Ya lo sabía, me lo dijo Eduardo.*

Gramática ▸ Adverbio de tiempo.
Estructura ▸ Se utiliza seguido de un verbo en pasado.

CONTRASTE CON **OTRAS EXPRESIONES DE TIEMPO:**

▸▸**Antes** (ver entrada 86): Se refiere al pasado sin especificar el momento exacto.
*   **Antes** *no había tanto tráfico ni tanto ruido en la ciudad.*

▸▸**Aún** (ver entrada 105) y **Todavía** (ver entrada 738): Se presupone que se terminará aquello de lo que se está hablando.
*   **Aún** *no ha venido Juan, pero no creo que tarde en llegar.*

▸▸**Hasta ahora** (ver entrada 401): Se refiere a momentos anteriores al instante en que se está hablando.
*   **Hasta ahora** *no he conseguido ver esa película.*

793

YA + presente = Se refiere al instante inmediatamente después del que se habla.

> ▸ - *Ven.*
> • *Ya voy.*
> ▸ - *Hazlo, pero ya, que me corre mucha prisa.*
> • *Bueno, ahora mismo lo hago.*

Gramática ▸ Adverbio de tiempo.
Estructura ▸ Se utiliza seguido de un verbo en Presente de Indicativo.

OTRA EXPRESIÓN SIMILAR:

▸▸**Ahora** (ver entrada 59): Indica el mismo momento en que se habla.

794

YA ESTÁ = Indica que algo está terminado o hecho.

> ▸ - *Carlos, limpia tu cuarto.*
> • *Ya está, mamá.*
> ▸ - *Ya está, he terminado este ejercicio tan complicado.*
> • *¡Qué bien! A mí todavía me falta un poco.*

Gramática ▸ Expresión de tiempo.
Uso ▸ Se utiliza en contextos coloquiales e informales.

795

YA NO = Describe una situación después de la interrupción de una acción.

> ▶ *Arturo ya no juega al tenis, así tiene más tiempo para sus estudios.*
> ▶ *No, ya no vivo solo. Comparto mi piso con un amigo.*

Gramática ▶ Locución adverbial de tiempo.
Estructura ▶ Se utiliza seguido de un verbo en Presente de Indicativo.

CONTRASTE CON **DEJAR DE / PARAR DE:**

▶▶**Dejar de** + *infinitivo* (ver entrada 251) y **Parar de** + *infinitivo* (ver entrada 533): Expresan la interrupción de una acción, pero hacen más énfasis en la interrupción en sí que en la situación posterior.

*Arturo **ha dejado de** jugar al tenis. No tenía tiempo.*

796

YA QUE = Expresa que lo dicho por quien escucha es la causa de algo.

> ▶ *- Me voy a comprar el periódico.*
>   *• Ya que vas, compra también el pan.*
> ▶ *- Bueno, ya he terminado.*
>   *• Ya que no tienes nada que hacer, ayúdame, por favor.*

Gramática ▶ Locución conjuntiva de causa.
Estructura ▶ Se utiliza seguido de un verbo en Indicativo.
Uso ▶ Es una estructura muy utilizada para pedir favores aprovechando lo que la otra persona ha dicho.

CONTRASTE CON **OTRAS EXPRESIONES DE CAUSA:**

▶▶**Al** + *infinitivo* (ver entrada 63): Indica la causa conocida por el interlocutor.

- *Sé que han operado a Alberto. ¿Qué tal está?*
• *Al ser una operación tan simple, ya está trabajando.*

▶▶**Como** + *causa* (ver entrada 135) y **En vista de** (ver entrada 319): Informan de una causa como situación previa a un acontecimiento.

Como no tengo paraguas, me voy antes de que empiece a llover.

▶▶**Puesto que** (ver entrada 595): Significa lo mismo pero es de uso más culto y formal.

- *No quiero hacer este trabajo.*
• *Puesto que no quieres, se lo doy a Benjamín. Luego no protestes, ¿eh?*

OTRA EXPRESIÓN SIMILAR:

▶**Porque** (ver entrada 588): Es la expresión más general de causa. Suele ir en el centro de la frase.

797 **YA SEA... (YA SEA...)** = Presenta una alternativa futura en la que hay duda.

> ‣ *Tienes que elegir uno de los dos, ya sea el blanco o el verde.*
> ‣ *Es importante que hables con él, ya sea por teléfono, ya sea viéndolo en persona.*

Gramática ‣ Locución conjuntiva distributiva.
Estructura ‣ Se usa seguido de un determinante y un sustantivo o de un adjetivo o de un verbo en gerundio (+ otra vez la expresión *ya sea* + otro sustantivo u otro gerundio).

798 **YO** = Pronombre personal sujeto de primera persona del singular. Ver cuadro de pronombres personales.

799 **YO QUE TÚ / YO QUE USTED** = Da un consejo poniéndose en el lugar de la otra persona.

> ‣ *Mira, yo que tú, me tomaría unas vacaciones. Estás muy cansado.*
> ‣ *Pues, yo que tú, aceptaría ese trabajo.*

Gramática ‣ Expresión de consejo.
Estructura ‣ Se utiliza seguido de un verbo en Condicional.

OTRAS EXPRESIONES SIMILARES:

▸▸**En tu lugar / En su lugar** (ver entrada 315): Significa lo mismo.
▸▸**Si (yo) estuviera en tu lugar / Si (yo) estuviera en su lugar** (ver entrada 688) y **Si yo fuera tú / Si yo fuera usted** (ver entrada 692): Se utilizan en contextos formales.

800

ZUTANO / ZUTANA = Habla de forma hipotética de la identidad de alguien.

> ▸ *- Imagínate que tres hombres llegan, Fulano, Mengano y* Zutano, *y cada uno quiere sentarse en la misma mesa. ¿Qué hacemos?*
> • *Pues el primero que llegue, elige.*
> ▸ *Estoy harto de los clientes. Fulano quiere una cosa, Mengano otra y* Zutano *no sé qué.*

| Gramática | ▸ Sustantivo. |
| Origen | ▸ **Zutano** < *citano* (lat.) |

OTRAS EXPRESIONES SIMILARES:

▸▸**Fulano/a** (ver entrada 371): Se utiliza para referirse a una primera persona.

▸▸**Mengano/a** (ver entrada 460): Se utiliza para referirse a una segunda persona.

Apéndice
gramatical

[En el siguiente apéndice encontrará números
que remiten a las fichas del libro.]

Determinantes

1. Artículos

Artículos determinados [285]

Singular			Plural	
Masculino	Femenino	Neutro	Masculino	Femenino
El *El cuaderno*	**La** *La mesa*	**Lo** *Lo fácil*	**Los** *Los cuadernos*	**Las** *Las mesas*

- El artículo concuerda en género y número con el sustantivo al que acompaña.
   El *niño,* **la** *niña,* **los** *niños,* **las** *niñas.*
- El artículo determinado se utiliza cuando el sustantivo ya ha aparecido en el discurso.
   Tengo un coche nuevo. **El** *coche me lo compré el año pasado.*

Se utiliza	No se utiliza
• Con sustantivos sujetos de oración. **La** *manzana es una fruta muy sana.*	• Con nombres propios. *Elena es muy divertida.*
• Con sustantivos objetos directos de oración cuando son específicos. *He visto a* **la** *madre de Susana por la calle.*	• Cuando el objeto directo es genérico. *He visto a madres protestando por la educación de sus hijos.*
• Con sustantivos no contables con carácter identificador. *Acércame* **la** *leche que está en la nevera.*	• Con sustantivos no contables para indicar cantidades indeterminadas. *Compra leche.*
• Con el apellido introducido por señor/es, señora/as, señorita/s. **El** *señor Sacristán es profesor.*	• Con el apellido introducido por señor/es, señora/as, señorita/s cuando se habla con la persona. *Señor Sacristán, ¡buenos días!*
• Con los días de la semana o estaciones del año. **El** *viernes me voy de vacaciones.*	• Con el verbo *ser* y los días de la semana o las estaciones, para indicar la fecha. *Hoy es viernes, 15 de septiembre.*
• Con el verbo *ser* y un atributo para identificar. *Lorenzo es* **el** *profesor de este curso.*	• Con el verbo *ser* y un atributo, para hablar de forma genérica. *Lorenzo es profesor.*
• Para hablar de las partes del cuerpo, los números y los accidentes geográficos. **El** *río Guadalquivir pasa por Sevilla.*	
• Para indicar la hora. *Son* **las** *cinco y media de la tarde.*	

- El artículo neutro **lo** sólo se utiliza con adjetivos o frases relativas.
  Lo bueno de este libro es que es muy práctico.
- **Lo** + *adjetivo* [432], **lo** + *adjetivo / adverbio* + que [433], **lo de** [435], **lo de que** [436] y **lo que** [438].

Contracciones del artículo determinado	
a + el = **al**	*Nosotros vamos **al** parque a pasear y Vicente a la piscina.*
de + el = **del**	*Ese autobús viene **del** centro, el otro de la plaza de Castilla.*

Artículos indeterminados [752]

Singular		Plural	
Masculino	Femenino	Masculino	Femenino
Un *Un cuaderno*	**Una** *Una mesa*	**Unos** *Unos cuadernos*	**Unas** *Unas mesas*

- El artículo concuerda en género y número con el sustantivo al que acompaña.
  ***Un** niño, **una** niña, **unos** niños, **unas** niñas.*
- El artículo indeterminado se utiliza cuando el sustantivo aparece en el discurso por primera vez.
  *Tengo **un** coche nuevo. El coche me lo compré el año pasado.*

Se utiliza	No se utiliza
• Con sustantivos sujetos de oración. ***Un** amigo me ha regalado este reloj.*	• Con nombres propios. *Juan me ha regalado este reloj.*
• Con sustantivos objetos directos. *¿Quieres **un** vaso de agua?*	
• Con el verbo ser para identificar. *Lorenzo es **un** profesor de este instituto.*	• Con el verbo ser para clasificar o definir a alguien. *Lorenzo es profesor de este instituto.*

Casos especiales de concordancia:

- Cuando una palabra femenina empieza por **a** tónica (agua, águila, etc.) se utiliza el artículo masculino singular para evitar confusión de sonidos.
  ***El** / **un** **a**gua fría, **el** / **un** **á**guila blan**c**a.*

2. Demostrativos

Adjetivos y pronombres demostrativos

	Singular			Plural	
	Masculino	Femenino	Neutro	Masculino	Femenino
Persona o cosa próxima a quien habla y alejada de quien escucha.	Este [358]	Esta [358]	Esto [359]	Estos [358]	Estas [358]
Persona o cosa alejada de quien habla y próxima a quien escucha.	Ese [335]	Esa [335]	Eso [336]	Esos [335]	Esas [335]
Persona o cosa alejada de quien habla y de quien escucha.	Aquel [93]	Aquella [93]	Aquello [94]	Aquellos [93]	Aquellas [93]

- Los adjetivos demostrativos:

  - Concuerdan en género y número con el sustantivo al que acompañan.

    Este / ese / aquel niño, esta / esa / aquella niña, estos / esos / aquellos niños, estas/ esas / aquellas niñas.

  - Suelen ir delante del sustantivo al que acompañan excepto cuando llevan un artículo determinado.

    Este libro es mío / El libro este es muy malo.

  - A veces van detrás del sustantivo para indicar un cierto desprecio.

    El libro ese que me prestaste no me gusta nada.

- Los pronombres demostrativos:

  - Se escriben generalmente con acento, pero pueden ir sin acento si no hay posibilidad de confusión.

    Trae una silla, porque ésta está rota y esta es para mi novia.

  - Tienen formas neutras: **esto, eso** y **aquello**. Se refieren a cosas que no podemos o no queremos nombrar.

    ¿Qué es esto?

    Aquello que se ve a lo lejos es un avión.

- Los demostrativos y los adverbios de lugar:

  - **Este/a/os/as** señalan personas o cosas relacionadas con lugares expresados por **acá** [38] o **aquí** [95].

    Estos libros que tengo acá son muy antiguos.

  - **Ese/a/os/as** señalan personas o cosas relacionadas con lugares expresados por **ahí** [57].

    ¿Qué son esos papeles que tienes ahí?

  - **Aquel / Aquella / Aquellos / Aquellas** señalan personas o cosas relacionadas con lugares expresados por **allí** o **allá** [77].

    ¿Ves aquella casa de allá? Era de tus bisabuelos.

3. Posesivos

Adjetivos posesivos

		Singular	Plural	
UN POSEEDOR		Mi	Mis	[465]
		Tu	Tus	[748]
		Su	Sus	[712]
DOS O MÁS POSEEDORES		Nuestro, nuestra	Nuestros, nuestras	[514]
		Vuestro, vuestra	Vuestros, vuestras	[779]
		Su	Sus	[712]

- **Tu** es el posesivo de segunda persona del singular. Se diferencia del pronombre personal sujeto, **tú**, porque no lleva tilde (acento gráfico).
  *¿Éste de la foto eres **tú** o es **tu** padre? Os parecéis mucho.*

- **Nuestro/a/os/as** y **vuestro/a/os/as** son las únicas formas del adjetivo posesivo que concuerdan en género con el sustantivo que acompañan.
  ***Vuestro** coche es más rápido que mi moto.*

Pronombres posesivos

		Singular		Plural		
		Masculino	Femenino	Masculino	Femenino	
UN POSEEDOR		Mío	Mía	Míos	Mías	[471]
		Tuyo	Tuya	Tuyos	Tuyas	[750]
		Suyo	Suya	Suyos	Suyas	[717]
DOS O MÁS POSEEDORES		Nuestro	Nuestra	Nuestros	Nuestras	[514]
		Vuestro	Vuestra	Vuestros	Vuestras	[779]
		Suyo	Suya	Suyos	Suyas	[717]

- Los pronombres posesivos concuerdan en género y número con el sustantivo al que sustituyen, no con la persona poseedora.
  *Miguel, mira estas llaves. ¿Son **tuyas**?*

- Pueden ir precedidos del artículo neutro **lo**: **lo mío** / **lo tuyo** [437]:
  ***Lo mío** es la cocina y **lo tuyo** planchar, ¿de acuerdo?*

4. Indefinidos

- Pueden ser adjetivos, pronombres o adverbios.

    ***Algunas** personas creen que esto está bien.* (Adjetivo).
    *No ha venido a verte **nadie**.* (Pronombre).
    *Me gusta **mucho**.* (Adverbio).

- Se refieren a una persona o cosa indefinida:

	Afirmativo	Negativo
De persona	**Alguien** [74]	**Nadie** [484]
De cosa	**Algo** [71]	**Nada** [481]

*¿Hay **alguien** en casa?*   *No, no contesta **nadie**.*
*¿Quieres **algo**?*   *No, muchas gracias, no quiero **nada**.*

- Se refieren a un número indeterminado de personas o cosas:

	Singular		Plural		
	Masculino	Femenino	Masculino	Femenino	
Afirmativos	**Algún** [75] **Alguno**	**Alguna**	**Algunos**	**Algunas**	[76]
	Bastante		**Bastantes**		[110]
	Mucho	**Mucha**	**Muchos**	**Muchas**	[477]
	Poco	**Poca**	**Pocos**	**Pocas**	[545]
	Todo	**Toda**	**Todos**	**Todas**	[739]
Negativos	**Ninguno**	**Ninguna**	**Ningunos**	**Ningunas**	[492]

*Hay **mucha** gente en este fiesta y **bastantes** son amigos míos.*
*Tengo **pocos** huevos y **ninguna** patata. No puedo hacer una tortilla.*

- Se refieren a personas o cosas diferentes:

	Singular		Plural		
	Masculino	Femenino	Masculino	Femenino	
Otro		**Otra**	**Otros**	**Otras**	[523]
	Diferente		**Diferentes**		
Diverso		**Diversa**	**Diversos**	**Diversas**	
Vario		**Varia**	**Varios**	**Varias**	
			Demás		[443]

*Necesito **otro** cuaderno y **otros** bolis, estos escriben mal.*
*La noticia fue publicada por **diferentes** medios de comunicación, como radio, televisión y **otros**.*

- Se refieren a personas o cosas parecidas:

Singular		Plural		
Masculino	Femenino	Masculino	Femenino	
Mismo	**Misma**	**Mismos**	**Mismas**	[475]
Tal		**Tales**		
Semejante		**Semejantes**		
Igual		**Iguales**		

*Se parecen mucho, tienen la **misma** forma de ser y el **mismo** color de pelo.*
*Aunque actúan de forma diferente, tiene **iguales** intenciones. **Semejantes** personas no son buenas.*

- Expresan distribución o indiferencia:

Singular		
Masculino	Femenino	
Cada		[121]
Cada uno de	**Cada una de**	[124]
Cada cual		[122]
Cualquier		[181]
Cualquiera		[183]
Quienquiera		[626]

***Cada** dos días tengo clases de informática.*

- Se refieren a la intensidad de una cualidad (más adjetivo) o a la intensidad con la que se realiza una acción (con verbo). Son adverbios:

Mucho	[476]
Muy	[478]
Demasiado	[255]
Bastante	[109]
Algo	[71]
Poco	[544]
Nada	[481]

*Me duele **mucho** el estómago.*

5. Numerales

Cardinales

1	Uno	10	Diez	20	Veinte	100	Cien
2	Dos	11	Once	21	Veintiuno	200	Doscientos
3	Tres	12	Doce	22	Veintidós	300	Trescientos
4	Cuatro	13	Trece	30	Treinta	400	Cuatrocientos
5	Cinco	14	Catorce	40	Cuarenta	500	Quinientos
6	Seis	15	Quince	50	Cincuenta	600	Seiscientos
7	Siete	16	Dieciséis	60	Sesenta	700	Setecientos
8	Ocho	17	Diecisiete	70	Setenta	800	Ochocientos
9	Nueve	18	Dieciocho	80	Ochenta	900	Novecientos
		19	Diecinueve	90	Noventa		

1.000	Mil	1.000.000	Un millón
2.000	Dos mil	10.000.000	Diez millones
10.000	Diez mil	1.000.000.000	Mil millones
100.000	Cien mil	1.000.000.000.000	Un billón

- El número **uno** y todos los acabados en **-ientos** tienen dos formas, una masculina (**uno** y **-ientos**) y otra femenina (**una** y **-ientas**). El resto de los números, sólo tiene una forma.
  *Tengo muchas monedas extranjeras. Mira, dosc**ientas** coron**as**, quin**ientos** dólar**es** y veinti-cinco libr**as**.*

- Las decenas y las unidades van conectadas por **y** [782].
  *El precio es mil ochocientas treinta **y** cinco.*

- En español, al escribir las cifras, se coloca un punto (**.**) en cada millar.
  En España hay aproximadamente 43.000.000 millones de habitantes.

- **Uno** se apocopa cuando:
  - Va ante un nombre masculino.
    *Quiero **un** helado de fresa.*
  - Va junto a decenas ante un nombre masculino.
    *Cincuenta y **un** deportistas participaron en la carrera.*
  - Va delante de **mil**.
    *La casa ha costado ciento **un mil** euros.*

- **Ciento** se apocopa en **cien** cuando:
  - Va antepuesto a un sustantivo.
    *A mi boda vinieron **cien** invitados.*
  - Va ante **mil**, **millones**….
    ***Cien** mil estudiantes se manifestaron por la ciudad.*
  - En la expresión **100%** (**cien por cien**). En otros porcentajes no se apocopa.
    *El **cien** por **cien** de los entrevistados / El diez por **ciento** de los entrevistados.*

Ordinales

Masculino		Femenino		Masculino		Femenino	
1º	Primero	1ª	Primera	20º	Vigésimo	20ª	Vigésima
2º	Segundo	2ª	Segunda	30º	Trigésimo	30ª	Trigésima
3º	Tercero	3ª	Tercera	40º	Cuadragésimo	40ª	Cuadragésima
4º	Cuarto	4ª	Cuarta	50º	Quincuagésimo	50ª	Quincuagésima
5º	Quinto	5ª	Quinta	60º	Sexagésimo	60ª	Sexagésima
6º	Sexto	6ª	Sexta	70º	Septuagésimo	70ª	Septuagésima
7º	Séptimo	7ª	Séptima	80º	Octogésimo	80ª	Octogésima
8º	Octavo	8ª	Octava	90º	Nonagésimo	90ª	Nonagésima
9º	Noveno	9ª	Novena	100º	Centésimo	100ª	Centésima
10º	Décimo	10ª	Décima				
11º	Undécimo	11ª	Undécima				
12º	Duodécimo	12ª	Duodécima				

- **Primero** y **tercero**, en su forma masculina, se apocopan en **primer** y **tercer** cuando van acompañando a un sustantivo.

  *Yo vivo en el **primer** piso. Mis padres también viven en el **primero**, pero en otro edificio.*

- A partir de **13º** el número ordinal se forma con la decena y la unidad ordinal correspondiente. Se escriben en una sola palabra los ordinales que van del **decimotercero** al **decimonoveno** y en dos a partir del **vigésimo primero**.

  Decimotercero, decimocuarto, vigésimo primero...

- En la lengua oral sólo es frecuente escuchar hasta el **décimo**, el resto se dice como los números cardinales.

  *Antes estábamos en el piso **segundo** de este edificio, pero ahora estamos en el piso **catorce**.*

Otros números especiales

Para hablar de cantidades de tiempo • Década / Decenio = 10 años. • Siglo = 100 años.	**Para hablar de la edad** • Quinceañero / Quinceañera = tiene 15 años. • Cuarentón / Cuarentona = tiene 40 años. • Cincuentón / Cincuentona = tiene 50 años.

Para hablar de la música
- Dúo = de dos músicos o instrumentos.
- Terceto = de tres músicos o instrumentos.
- Cuarteto = de cuatro músicos o instrumentos.
- Quinteto = de cinco músicos o instrumentos.
- Sexteto = de seis músicos o instrumentos.

Partitivos			Multiplicativos
• Indican partes de una unidad.			Doble Triple Cuádruple Quíntuple
1/2 medio / mitad	1/6 sexto	1/10 décimo	
1/3 tercio	1/7 séptimo	1/11 onceavo	
1/4 cuarto	1/8 octavo	1/12 doceavo...	
1/5 quinto	1/9 noveno		

Nombres o sustantivos

- Son variables en género y número.

1. Género

- En español los nombres o sustantivos pueden ser masculinos o femeninos.
- Son masculinas o femeninas las palabras que se refieren a una persona o animal de sexo determinado:

Parentescos

Masculino	Femenino
Hombre	Mujer
Padre	Madre
Marido	Mujer
Yerno	Nuera
...	...

Masculino			Femenino
Hermano	-o	-a	Hermana
Abuelo			Abuela
Nieto			Nieta
Hijo			Hija
Tío			Tía
Primo			Prima
Suegro			Suegra
Cuñado			Cuñada
...			...

Animales

Masculino	Femenino
Gallo	Gallina
Toro, buey	Vaca
Caballo	Yegua
...	...

Masculino			Femenino
Gato	-o	-a	Gata
Perro			Perra
...			...

Profesiones

Masculino			Femenino
Alumno	-o	-a	Alumna
Enfermero			Enfermera
...			...
Doctor	-or	-ora	Doctora
Profesor			Profesora
...			...

Masculino			Femenino
Periodista	-ista	-ista	Periodista
Artista			Artista
...			...
Cantante	-ante	-ante	Cantante
Estudiante			Estudiante
...			...

- Algunos grupos semánticos concretos:

Son masculinos	Son femeninos
• Los días de la semana. • Los meses del año. • La mayoría de los ríos, mares, montes, lagos y océanos. • Los números. • Los colores.	• Las letras del alfabeto.

- Las palabras con marca de género:

Son masculinas las palabras terminadas en...		...excepto
-o	el metro	• Las palabras que se refieren al sexo femenino (como *la modelo, la soprano,* etc.), las abreviaturas de palabras femeninas (*la foto, la moto...*) y las palabras *la radio* y *la mano.*
-ma	el problema	
-aje, -an	el oleaje, el pan	
-or	el color	• *La flor, la labor, la coliflor.*

Son femeninas las palabras terminadas en...		...excepto
-a	la casa	• Las palabras que se refieren al sexo masculino (*el policía, el periodista,* etc.) y las que se refieren a seres inanimados y son de origen griego (*el problema, el planeta...*).
-dad o -tad	la libertad	
-tud	la solicitud	
-umbre	la lumbre	
-ción, -sión o -zón	la razón	• *El corazón, el buzón, el tropezón.*
-ez	la solidez	• *El pez, el juez.*

2. Número

- En español los nombres o sustantivos pueden ser singulares o plurales.

Los nombres terminados en:	Hacen el plural:	
Vocal	-s	mesa - mesas
Consonante	-es	camión - camiones
Y o I acentuada		ley - leyes
-Z	-ces	juez - jueces

- Hay algunas palabras que normalmente sólo van en plural: *gafas, tijeras, pantalones,* etc.
- Los nombres colectivos (que engloban a un nombre masculino y a otro femenino), son masculinos, como el apellido de una familia (*los Rodríguez*) o palabras como *los padres, los hermanos*, etc.

Atributos

1. Adjetivos

- Matizan una cualidad de un nombre.
- Concuerdan siempre con el nombre al que acompañan en género y número.

Género

Masculino	Femenino	
-o	-a	alt*o* - alt*a*
-e o en consonante	No cambian	grand*e* - grand*e*
-án, -or, -ón	-ana, -ora, -ona	charlat**án** - charlat**ana**
		trabaja**dor** - trabaja**dora**
		cuarent**ón** - cuarent**ona**

- Si hay varios nombres, uno masculino y otro femenino, el adjetivo concuerda con ellos en masculino.
  *El abrig**o** y la fald**a** son **blancos**.*
- El adjetivo suele ir detrás del nombre.
  *El mar **azul**.*
- Algunos adjetivos, como **bueno** y **malo**, pierden la *-o* final cuando van delante del nombre.
  *Un **buen** hombre.*

Número

Los adjetivos terminados en...	...hacen el plural:	
Vocal	-s	alt*o* - alt*os*
Consonante y en vocal acentuada	-es	marroqu*í* - marroqu*íes*
-z	-ces	capa*z* - capa*ces*

2. Comparativos

De superioridad	**Más... que** [455] **Más de...** [453] *Alberto es **más** alto **que** su hermano.* *Ayer comí **más de** la cuenta.*
De inferioridad	**Menos... que** [464] **Menos de...** [462] *No es muy bonito, pero es **menos** caro **que** el otro.* *Tengo **menos de** 6 euros, no creo que pueda ir al cine.*
De igualdad	**Tan... como** [724] **Tanto como** [727] *Este pantalón es **tan** bonito **como** el otro, pero es más caro.* *Sinceramente, este gasta **tanto como** el otro pero es más seguro.*

Apéndice gramatical

3. El superlativo

- Se forma añadiendo **- ísimo**, **- ísima** (según el genero) al adjetivo.

  *Alt**ísimo** - Alt**ísima***
  *Grand**ísimo** - Grand**ísima***

- Algunos superlativos irregulares son:

Adjetivo	Superlativo
Antiguo	Antiquísimo
Fiel	Fidelísimo
Fuerte	Fortísimo
Largo	Larguísimo
Pobre	Paupérrimo
Rico	Riquísimo
Simple	Simplicísimo

- El grado superlativo también se puede expresar con el adverbio **muy** o con otros adverbios como **verdaderamente**, **extraordinariamente**, **increíblemente**, etc.

Comparativos y superlativos especiales

Adjetivo	Adverbio	Comparativo	Superlativo
Bueno [116]	Bien [113]	Mejor [458]	Óptimo
Malo	Mal [113]	Peor	Pésimo [543]
Grande		Mayor	Máximo
Pequeño		Menor	Mínimo
Bajo		Inferior	Ínfimo
Alto		Superior	Supremo

- El superlativo relativo se utiliza para comparar una cualidad de alguien o algo con respecto a un conjunto. Se forma con un artículo determinado y los adverbios **más** o **menos**.

  ***El más** alto de mi familia es Guillermo.*
  ***La menos** trabajadora del grupo es Inmaculada.*

Pronombres personales

1. Sujeto

Persona	Pronombre			
	Singular		Plural	
	Masculino	Femenino	Masculino	Femenino
Primera	**Yo** [798]		**Nosotros** [513]	**Nosotras** [513]
Segunda	**Tú** [747] **Vos** [777] **Usted** [765]		**Vosotros** [778] **Ustedes** [765]	**Vosotras** [778]
Tercera	**Él** [291]	**Ella** [291]	**Ellos** [291]	**Ellas** [291]

- **Tú** es la forma de segunda persona del singular informal.
  Tú eres la persona que busco.
- **Usted** es la forma de segunda persona del singular formal. Va con un verbo en tercera persona del singular.
  *¿Dónde va **usted**?*
- **Vos** se utiliza en algunos países de América, como Argentina, Uruguay, etc., en lugar de **tú**, más generalizado en España.
  ***Vos** sabés que lo mejor es intervenir.*
- **Vosotros** y **vosotras** (masculino y femenino) son los pronombres de segunda persona del plural informal. Sólo se utiliza en algunas partes de España. En el sur de la Península y en todos los países hispanoamericanos se utiliza la forma **ustedes** como una forma de segunda persona del plural.
  *Hijos, **vosotros** vais con papá / Hijos, **ustedes** van con papá.*
- En español existe el pronombre neutro **ello** [292], de uso muy poco frecuente, sólo para referirse a un tema, un concepto abstracto. Para referirse a cosas se utiliza el pronombre **él** o **ella**, dependiendo del género de la palabra.
  *Hubo una gran crisis. **Ello** se debió a una cierta inestabilidad del mercado.*
- Como el verbo lleva la marca de la persona gramatical, en español no es necesario utilizar el pronombre sujeto, excepto:
  - Para identificar a una persona.
    *¿Quién eres **tú**? No te reconozco.*
  - Cuando hay varios sujetos de una misma frase.
    *Juan, María y **yo** fuimos el jueves al cine.*

2. Complemento

Sujeto	Complemento directo	Complemento indirecto	Con preposición
Yo	**Me** [456]	**Me** [456]	**Mí** [466]
Tú, vos	**Te** [729]	**Te** [729]	**Ti** [736]
Él, ella, usted	**Lo**, **la**	**Le**	**Sí, usted, él, ella**
Nosotros, nosotras	**Nos** [512]	**Nos** [512]	**Nosotros, nosotras** [513]
Vosotros, vosotras	**Os** [521]	**Os** [521]	**Vosotros, vosotras** [778]
Ellos, ellas, ustedes	**Los**, **las**	**Les**	**Sí, ustedes, ellos, ellas**

Complemento directo

- Cuando el complemento directo es masculino de persona, es posible decir **le** o **les** en vez de **lo** o **los**.

    Le vi la última vez en la feria de Barcelona (a él).

- **Lo**, **los**, **la** y **las** son también las formas del pronombre complemento directo para **usted** y **ustedes**.

    La conozco a usted hace tiempo, ¿verdad, doña Clara?

- El pronombre personal complemento directo siempre va junto al verbo. Suele ir delante de éste, excepto cuando es un infinitivo, gerundio, participio o un Imperativo. En este caso se escribe en una única palabra.

    Voy a comprarlo (el libro) antes de que se agote.

Complemento indirecto

- **Se** + **lo**, **la**, **los** o **las**. Cuando en una misma frase se utilizan el pronombre complemento directo de tercera persona y el pronombre complemento indirecto también de tercera persona, éste se convierte de **le** o **les** a **se**, para evitar la cacofonía (sonidos iguales repetidos).

    Se lo he dicho antes de salir.

- **Le** y **les** son también las formas del pronombre complemento indirecto para **usted** y **ustedes**.

    Les he dicho que enseguida viene el doctor.

- El pronombre personal complemento indirecto suele ir delante del verbo, excepto cuando éste es un infinitivo, gerundio, participio o un Imperativo. En este caso se escribe en una única palabra.

    Dile, por favor, que suba a mi despacho.

- En el caso en que en una frase se utilice el pronombre complemento directo e indirecto, el indirecto va antes que el directo. Ambos van delante del verbo, excepto si es un infinitivo, gerundio, participio o Imperativo. En este caso se escribe en una única palabra.

    Nos lo (el viaje) han regalado por nuestro aniversario.

Pronombres con preposición

- **Mí**, **ti** y **sí** son las únicas formas que son diferentes con respecto al pronombre personal sujeto.

    Me gusta este pantalón para ti.

- Con las preposiciones **entre**, **excepto**, **hasta**, **incluso**, **menos**, **salvo** y **según** no se utiliza **mí**, **ti** o **sí**, sino el pronombre sujeto.

    Excepto tú, los demás iremos en autobús.

- Los pronombres con preposición van en cualquier lugar de la frase, aunque son más usuales al principio o al final, y no en medio.

    Recuerdos de parte de él.

- **Sí** es de uso muy poco frecuente y sólo en contextos reflexivos. En los demás casos, se utiliza la preposición más el pronombre sujeto.

3. Pronombre con la preposición *con*

Persona	Con la preposición *con*	Persona	Con la preposición *con*
Yo	**Conmigo** [166]	Nosotros, nosotras	**Con nosotros** o **nosotras**
Tú	**Contigo** [166]	Vosotros, vosotras	**Con vosotros** o **vosotras**
Él, ella, usted	**Consigo**, [166] **con usted, él** o **ella**	Ellos, ellas, ustedes	**Consigo, con ustedes, con ellos** o **ellas**

- **Conmigo**, **contigo** y **consigo** son las únicas formas especiales.

  *Espera un momento, voy **contigo**.*

- **Consigo** es de uso muy poco frecuente y sólo en contextos reflexivos. En los demás casos se utiliza la preposición **con** y el pronombre sujeto.

  *Su problema es **consigo** mismo.*

4. Pronombres reflexivos

Persona	
Yo	**Me** [456]
Tú, vos	**Te** [729]
Él, ella, usted	**Se** [638]
Nosotros, nosotras	**Nos** [512]
Vosotros, vosotras	**Os** [521]
Ellos, ellas, ustedes	**Se** [638]

- Los pronombres reflexivos siempre van delante del verbo, excepto con infinitivo, gerundio, participio e Imperativo. En este caso se escriben en una única palabra.

  *Yo **me** corto el pelo cada dos meses.*

- El pronombre **se** también es muy utilizado para indicar la impersonalidad [639 y 640].

  ***Se** detuvo al ladrón pocos minutos después del robo.*

Interrogativos y exclamativos

- Introducen oraciones interrogativas y exclamativas.

	Pronombres interrogativos o exclamativos
Preguntar o exclamar por un modo	**Cómo** [140]
Preguntar o exclamar por un tiempo o un momento	**Cuándo** [188]
Preguntar o exclamar por una cantidad	**Cuánto** [193]
Preguntar o exclamar por un lugar	**Adónde** [53] y **Dónde** [279]
Preguntar o exclamar por un motivo	**Por qué** [583]
Preguntar o exclamar por una cosa	**Qué** [605, 606 y 607] o **Cuál/es** [180]
Preguntar o exclamar por una persona	**Quién/es** [624] o **Cuál/es** [180]

- Las oraciones interrogativas suelen ir marcadas por los signos de interrogación inicial y final (**¿?**).

  *¿**Cómo** te llamas?*

- Las oraciones exclamativas van marcadas por los exclamativos (**¡!**).

  *¡**Qué** cuadro tan bonito!*

Pronombres y adverbios relativos

- Se refieren a una palabra (antecedente), presente o no en el discurso, conocida por la persona que habla.

		Singular	Plural
Se refieren a personas	El antecedente está en la misma oración.	Que [596]	
		Quien [625]	Quienes [625]
	El antecedente no está especificado o entre éste y el relativo hay un elemento.	El que La que } [288] El cual La cual } [287] Quien [625]	Los que Las que } [288] Los cuales Las cuales } [287] Quienes [625]
Se refieren a cosas	El antecedente está en la misma oración.	Que [596]	
	El antecedente no está especificado o entre éste y el relativo hay un elemento.	El que La que } [288] El cual La cual } [287]	Los que Las que } [288] Los cuales Las cuales } [287]
		Cuanto Cuanta } [192]	Cuantos Cuantas } [192]
Se refiere a temas o conceptos abstractos		Lo que [438]	
Indican la propiedad de alguien o algo		Cuyo, Cuya [195]	Cuyos, Cuyas [195]
Se refieren a un lugar		Adonde [53] Donde [277]	
Se refiere a un tiempo		Cuando [187]	
Se refiere a un modo		Como [137]	

- Los pronombres y adverbios relativos introducen una oración de relativo.
  *El último libro **que** ha escrito Vargas Llosa es muy bueno.*
- La oración de relativo introduce una calificación sobre el antecedente. Ésta puede ser especificativa, cuando describe o aclara el antecedente al que se refiere, o explicativa, cuando da una explicación. En este caso la oración va entre comas, en el lenguaje escrito, o entre pausas, en el lenguaje oral.
  ***Los que** tengan el examen de matemáticas **que** vayan al aula 5.* (Especificativa).
  *Los estudiantes, **que** van a hacer el examen hoy, están muy nerviosos.* (Explicativa).
- En las oraciones especificativas el verbo de la oración de relativo puede ir en Indicativo o en Subjuntivo dependiendo de si el antecedente descrito es conocido y específico (con Indicativo) o es genérico o negado (con Subjuntivo).
  *Quiero el cuadro **que** está en el catálogo.*
  *Quiero un cuadro **que** esté en el catálogo.*

Verbos

1. Indicativo

- **El Indicativo en español es el modo verbal de la información. Sirve para introducir información que se considera nueva para quien escucha.**

1.1. Presente

Uso
- Para expresar acciones actuales.
  *Ahora **vivo** en Mallorca.*
- Para hablar de acciones habituales.
  ***Empiezo** a trabajar a las nueve de la mañana.*
- Para presentar una información como una verdad general.
  *España **está** en Europa.*
- Para anunciar acciones futuras programadas, planeadas o decididas.
  *El fin de semana **vamos** de excursión al campo.*
- Para referirse a acciones pasadas como si fueran presentes. Presente histórico.
  *El 23 de abril de 1616 **muere** Miguel de Cervantes.*
- Para dar una orden de forma imperativa y muy directa.
  *Te **callas** y te **estás** quieto.*

Conjugación regular

Persona	Verbos -AR	Verbos -ER	Verbos -IR
Yo	canto	como	vivo
Tú	cantas	comes	vives
Él, ella, usted	canta	come	vive
Nosotros, nosotras	cantamos	comemos	vivimos
Vosotros, vosotras	cantáis	coméis	vivís
Ellos, ellas, ustedes	cantan	comen	viven

Conjugación irregular

- Verbos que diptongan E › IE

Persona	Verbos -AR	Verbos -ER	Verbos -IR
Yo	cierro	quiero	miento
Tú	cierras	quieres	mientes
Él, ella, usted	cierra	quiere	miente
Nosotros, nosotras	cerramos	queremos	mentimos
Vosotros, vosotras	cerráis	queréis	mentís
Ellos, ellas, ustedes	cierran	quieren	mienten
	empezar, pensar, despertar, ascender, etc.	entender, perder, defender, etc.	concernir, preferir, sentir, etc.

- Verbos que diptongan O › UE

Verbos -AR	Verbos -ER	Verbos -IR
vuelo	suelo	duermo
vuelas	sueles	duermes
vuela	suele	duerme
volamos	solemos	dormimos
voláis	soléis	dormís
vuelan	suelen	duermen
contar, recordar, encontrar, etc.	volver, morder, etc.	morir, etc.

- Verbos de cambio vocálico E › I

Verbos -IR
pido
pides
pide
pedimos
pedís
piden
repetir, seguir, servir, corregir, despedir, elegir, etc.

- Verbos que terminan en **-go** en primera persona del singular: **Poner** › *pongo; venir, hacer, tener, caer, decir, salir, valer, traer*, etc.

- Verbos de irregularidad propia.

Oír	Decir	Ser	Estar	Ir	Dar
oigo	digo	soy	estoy	voy	doy
oyes	dices	eres	estás	vas	das
oye	dice	es	está	va	da
oímos	decimos	somos	estamos	vamos	damos
oís	decís	sois	estáis	vais	dais
oyen	dicen	son	están	van	dan

- Verbos de cambio ortográfico (sólo en la primera persona del singular).

Terminados en **-cer** o **-cir**	Terminados en **-ger** o **-gir**	Terminados en **-acer, -ecer, -ocer** y **-ucir**
venzo	dirijo	nazco
vences	diriges	naces
vence...	dirige...	nace...
convencer, ejercer, torcer, cocer, esparcir, mecer, etc.	acoger, coger, elegir, encoger, escoger, proteger, recoger, reelegir, etc.	agradecer, aparecer, conocer, crecer, establecer, lucir, obedecer, parecer, permanecer, pertenecer, traducir, etc.

Excepciones: *hacer, satisfacer* y *cocer,* que tienen otras irregularidades.

- Verbos que cambian **i** a **y** entre vocales.

Terminados en **-uir**	
huyo huyes huye huimos huis huyen	atribuir, concluir, constituir, construir, contribuir, destituir, destruir, disminuir, distribuir.

1.2. Pretérito Imperfecto

Uso

- Para describir las situaciones o circunstancias de las acciones en las que ocurren los acontecimientos expresados por el Indefinido o Perfecto.
  Estaba tomando el sol cuando empezó a llover.
- Para evocar el pasado marcado por periodos concretos expresados por el Indefinido.
  En 1999 estuve en Perú. Trabajaba en un banco.
- Para narrar hábitos y costumbres pasadas.
  Cuando era pequeño, iba siempre de vacaciones a la playa.
- Para describir el pasado.
  La casa de mis abuelos era muy grande y tenía un jardín con columpios.
- Para pedir cosas en una tienda, bar o restaurante de forma cortés.
  Quería un café con leche, por favor.
- Para hablar de dos acciones paralelas.
  Lo hicimos muy rápido, pues mientras Elena doblaba las cartas, Ana las metía en el sobre.

Conjugación regular

Verbos -AR	Verbos -ER	Verbos -IR
cantaba	comía	vivía
cantabas	comías	vivías
cantaba	comía	vivía
cantábamos	comíamos	vivíamos
cantabais	comíais	vivíais
cantaban	comían	vivían

Conjugación irregular

IR	SER	VER
iba	era	veía
ibas	eras	veías
iba	era	veía
íbamos	éramos	veíamos
ibais	erais	veíais
iban	eran	veían

1.3. Pretérito Indefinido

Uso

- Para hablar de acontecimientos pasados. Se utiliza con expresiones de tiempo como *el año pasado, ayer...*
  Estuve en los Pirineos el año pasado.
- Para marcar los periodos del pasado.
  De 1980 a 2004 trabajé en una empresa de publicidad.
- Para valorar acontecimientos pasados.
  Fue una obra muy buena.

Conjugación regular

Verbos -AR	Verbos -ER	Verbos -IR
canté	comí	viví
cantaste	comiste	viviste
cantó	comió	vivió
cantamos	comimos	vivimos
cantasteis	comisteis	vivisteis
cantaron	comieron	vivieron

Conjugación irregular

Poder	Pud-	
Saber	Sup-	
Haber	Hub-	
Tener	Tuv-	-e
Caber	Cup-	-iste
Poner	Pus-	-o
Estar	Estuv-	-imos
Andar	Anduv-	-isteis
Querer	Quis-	-ieron
Venir	Vin-	
Hacer	Hic- (hizo)	

Decir	Dij-	-e
Traer	Traj-	-iste
		-o
Conducir	Conduj-	-imos
		-isteis
		-eron

Huir	Hu-	-í
Construir	Constru-	-iste
		-yó
Caer	Ca-	-imos
		-isteis
Oír	O-	-yeron

- Otros verbos:

  IR y **SER**: fui, fuiste, fue, fuimos fuisteis fueron.
  DAR: di, diste, dio, dimos disteis dieron.
  PEDIR: pedí, pediste, pidió, pedimos, pedisteis, pidieron.

- Verbos terminados en **-ir** con cambio vocálico. Los verbos que en Presente tienen cambio vocálico son irregulares en las terceras personas del Indefinido.

Verbos *e > i*	Verbos *o > u*	Verbos *e > i*
mentí	dormí	pedí
mentiste	dormiste	pediste
mintió	durmió	pidió
mentimos	dormimos	pedimos
mentisteis	dormisteis	pedisteis
mintieron	durmieron	pidieron
concernir, preferir, sentir, etc.	morir, etc.	corregir, despedir, repetir, seguir, etc.

1.4. Pretérito Perfecto

Uso {

- Se utiliza para hablar de acontecimientos pasados, como el Indefinido. Se diferencian en que el Perfecto se utiliza con expresiones de tiempo no terminadas (*esta mañana, esta semana, hoy*) o cuando se quiere indicar una proximidad de la acción pasada con el presente.

  *Esta mañana **he ido** a esquiar con Pedro.*

- Para contar acciones pasadas sin precisar el momento.

  *¿A qué hora **ha venido** el cartero?*

- Para preguntar e informar por experiencias personales con marcadores como *ya, todavía, no, nunca...*

  ***Nunca** he montado en avión.*

Verbo HABER en Presente	+ Participio Pasado
he	
has	
ha	-AR > **-ado**
hemos	-ER / -IR > **-ido**
habéis	
han	

1.5. Pretérito Pluscuamperfecto

Uso {
- Para indicar un acontecimiento pasado anterior a otro acontecimiento o a una situación también pasada expresada o no en el discurso.
  *Cuando llegué no **había empezado** la función.*

Verbo **HABER** en Imperfecto	+ Participio Pasado
había	
habías	
había	-AR › **-ado**
habíamos	-ER / -IR › **-ido**
habíais	
habían	

1.6. Futuro Imperfecto

Uso {
- Se utiliza para expresar una previsión sobre el futuro.
  *Mañana **lloverá** en la zona norte.*
- Para hacer hipótesis sobre el presente.
  *No tengo reloj. ¿Qué hora **será**?*
- Para dar órdenes de forma categórica: leyes, mandamientos, preceptos, etc.
  *A partir de ahora no **llegarás** nunca tarde a la oficina.*

Conjugación regular

Infinitivo +	-é
	-ás
	-á
	-emos
	-éis
	-án

Conjugación irregular

Caber	Cabr-	-é
Decir	Dir-	
Haber	Habr-	
Hacer	Har-	-ás
Poder	Podr-	-á
Poner	Pondr-	
Querer	Querr-	-emos
Saber	Sabr-	-éis
Salir	Saldr-	-án
Tener	Tendr-	
Venir	Vendr-	

1.7. Futuro Perfecto

Uso {
- Para referirse a una acción futura anterior a otra acción también futura.
  *En 2012 Madrid inaugurará las Olimpiadas y ya antes **habrán terminado** las obras del estadio.*
- Para hacer hipótesis en el presente sobre una acción pasada.
  *Me imagino que Arturo ya **habrá llegado**.*

Verbo **HABER** en Futuro	+ Participio Pasado
habré	
habrás	
habrá	-AR ‹ **-ado**
habremos	-ER / -IR ‹ **-ido**
habréis	
habrán	

1.8. Condicional Imperfecto

Uso
- Para formular preguntas cortésmente, dar consejos o sugerencias.
  *Yo que tú lo **compraría**. Es una buena oportunidad.*
- Para indicar que una acción depende de una condición.
  *Si fuera rico, **daría** la vuelta al mundo.*
- Para hacer una hipótesis pasada.
  *Si no respondió al teléfono, es que **estaría** en el jardín.*
- Para referirse a una acción futura con respecto a otra pasada.
  *Me dijo que **estaría** aquí a las siete.*

Conjugación regular

Infinitivo +
-ía
-ías
-ía
-íamos
-íais
-ían

Conjugación irregular

Caber	Cabr-	
Decir	Dir-	
Haber	Habr-	
Hacer	Har-	-ía
Poder	Podr-	-ías
Poner	Pondr-	-ía
Querer	Querr-	-íamos
Saber	Sabr-	-íais
Salir	Saldr-	-ían
Tener	Tendr-	
Venir	Vendr-	

1.9. Condicional Perfecto

Uso
- Para expresar el deseo imposible de que algo hubiera ocurrido en el pasado.
  *Te **habría visitado**.*
- Par indicar que una acción no ocurrió en el pasado porque dependía de una condición que no se produjo.
  *Te **habría felicitado** si me hubieras dicho que era tu cumpleaños.*
- Para hacer una hipótesis sobre una acción pasada anterior a otra acción también pasada.
  *Se imaginó que no **habrías llegado**. Por eso no te llamó.*

Verbo HABER en Condicional	+ Participio Pasado
habría habrías habría habríamos habríais habrían	-AR › -**ado** -ER / -IR › -**ido**

2. Subjuntivo

- **El Subjuntivo en español es el modo verbal que sirve para hablar de lo ya conocido por el interlocutor, bien porque se haya expresado en el discurso, bien porque esté sobrentendido en el contexto.**
- Se sitúa casi siempre después de una estructura o un verbo. Es decir, en muy raras ocasiones se encuentra sólo en una frase.
- El Subjuntivo sólo se utiliza de forma independiente para las formas **nosotros, nosotras, usted** y **ustedes** del Imperativo afirmativo, y para todas las formas del Imperativo negativo. También con la frase reduplicativa (*sea quien sea, vaya quien vaya, lo haga como lo haga*), que indica indiferencia, y en la expresión de la hipótesis con **quizás** [627], **seguramente** [647], etc.

2.1. Presente

Conjugación regular

Verbos -AR	Verbos -ER / -IR	
cante	coma	viva
cantes	comas	vivas
cante	coma	viva
cantemos	comamos	vivamos
cantéis	comáis	viváis
canten	coman	vivan

Conjugación irregular (tienen casi la misma irregularidad que en Presente de Indicativo):

- Verbos que diptongan E › IE

Verbos -AR	Verbos -ER	Verbos -IR
cierre	quiera	mienta
cierres	quieras	mientas
cierre	quiera	mienta
cerremos	queramos	mintamos
cerréis	queráis	mintáis
cierren	quieran	mientan
despertar, empezar, pensar, etc.	ascender, entender, perder, defender, etc.	preferir, sentir, etc.

- Verbos que diptongan O › UE
- Verbos de cambio vocálico E › I

Verbos -AR	Verbos -ER	Verbos -IR
vuele	suela	duerma
vueles	suelas	duermas
vuele	suela	duerma
volemos	solamos	durmamos
voléis	soláis	durmáis
vuelen	suelan	duerman
contar, recordar, encontrar, etc.	volver, morder, etc.	morir, etc.

Verbos -IR
pida
pidas
pida
pidamos
pidáis
pidan
seguir, repetir, servir, corregir, despedir, elegir, etc.

• Verbos que toman **-go** en la primera persona del singular del Presente de Indicativo, **Poner** › *pongo*.

Oír	Decir	Poner	Venir	Hacer	Tener
oi**ga**	di**ga**	pon**ga**	ven**ga**	ha**ga**	ten**ga**
oi**gas**	di**gas**	pon**gas**	ven**gas**	ha**gas**	ten**gas**
oi**ga**	di**ga**	pon**ga**	ven**ga**	ha**ga**	ten**ga**
oi**gamos**	di**gamos**	pon**gamos**	ven**gamos**	ha**gamos**	ten**gamos**
oi**gáis**	di**gáis**	pon**gáis**	ven**gáis**	ha**gáis**	ten**gáis**
oi**gan**	di**gan**	pon**gan**	ven**gan**	ha**gan**	ten**gan**

• Verbos de irregularidad propia:

SER: sea, seas, sea, seamos, seáis, sean.

IR: vaya, vayas, vaya, vayamos, vayáis, vayan.

2.2. Pretérito Imperfecto

• Se forma con la tercera persona del plural del Pretérito Indefinido quitando **-on**.

Verbos en -AR	Verbos en -ER	Verbos en -IR
cant**ara/se**	beb**iera/se**	viv**iera/se**
cant**aras/ses**	beb**ieras/ses**	viv**ieras/ses**
cant**ara/se**	beb**iera/se**	viv**iera/se**
cant**áramos/semos**	beb**iéramos/semos**	viv**iéramos/semos**
cant**arais/seis**	beb**ierais/seis**	viv**ierais/seis**
cant**aran/sen**	beb**ieran/sen**	viv**ieran/sen**

2.3. Pretérito Perfecto

Verbo **HABER** en Presente de Subjuntivo	+ Participio Pasado
haya hayas haya hayamos hayáis hayan	-AR < **-ado** -ER / -IR < **-ido**

2.4. Pretérito Pluscuamperfecto

Verbo **HABER** en Imperfecto de Subjuntivo	+ Participio Pasado
hubiera *o* hubiese hubieras *o* hubieses hubiera *o* hubiese hubiéramos *o* hubiésemos hubierais *o* hubieseis hubieran *o* hubiesen	-AR < **-ado** -ER / -IR < **-ido**

Contraste Indicativo / Subjuntivo

Indicativo	Subjuntivo

Expresar la opinión
• Verbos de actividad mental: *pensar, creer, imaginar, suponer, afirmar, opinar...*
   *Pensamos que **es** mejor vender la empresa.*
	• Cuando estos verbos están en forma negativa.
	   *No pensamos que **sea** mejor vender la empresa.*

• Con expresiones de constatación de la realidad: *es verdad, es cierto, está claro, está visto, está comprobado...*
   *Está claro que este año **suben** los impuestos.*
	• Con expresiones negativas de constatación.
	   *No está claro que este año **suban** los impuestos.*

	• Con expresiones de valoración de esa realidad: *es horrible, es bueno, es malo...* *Es horrible que **hayan cerrado** la fábrica.*
	• Con expresiones de sentimientos y reacciones: *es muy raro que, que pena que, me da miedo que...* *Es muy raro que no **haya venido**.*

• Con verbos de habla que introducen informaciones: *hablar, decir, contar, informar, narrar, comentar...*
   *Ha dicho que **está** aquí a las diez.*
	• Con verbos de habla que transmiten la intención de influir (en alguien): *sugerir, pedir, solicitar, mandar...* o una orden.
	   *Hemos pedido que **nos dejen** salir antes.*

Expresar un deseo
• Con la expresión de deseo *a ver si.*
   *A ver si **nos vemos** pronto.*
	• Con expresiones de deseo e influencia: *querer, desear, ojalá, que...*
	   *Ojalá **nos veamos** pronto.*

Expresar una causa
• En las oraciones causales, para justificar una información: *porque, como, dado que, puesto que, ya que...*
   *Nos hemos borrado del gimnasio **porque** el horario no nos iba bien.*
	• Cuando las expresiones de causa están negadas o cuando expresamos que algo, que supuestamente es la causa de una información, no lo es.
	   *Nos hemos borrado del gimnasio no **porque** no nos gustara, es que el horario no nos iba bien.*

Expresar una consecuencia • Con conjunciones y locuciones consecutivas: *así que, de manera que, de modo que, de tal modo que, de tanto que...* *No me cuido nada, ya estoy un poco mayor y mi salud no es muy buena. De modo que, a partir de mañana, **empiezo** el régimen.*	

Indicativo	Subjuntivo
Expresar una finalidad	• Con conjunciones finales, para explicar lo que se pretende conseguir con algo: *para que, a fin de que, con el fin de que...* *Se interrogó a todos los testigos el mismo día a fin de que no **se despistara** ninguno.*

Expresar una condición
• Con la conjunción condicional *si* para expresar condiciones reales.
 	
    *Si **vienes** antes de las ocho, te espero.*
	• Con la conjunción *si* para expresar condiciones irreales o imposibles y con las demás expresiones condicionales: *a no ser que, con tal de que, siempre que, siempre y cuando, en caso de que, excepto que, salvo que...*
	
	    *Te espero a las ocho, a no ser que **tenga** que quedarme en la oficina.*

Expresar una oposición
• Con *sin embargo* y conjunciones y locuciones concesivas, cuando se indica una información nueva: *aunque, aun cuando, a pesar de que, y eso que, por más que, por mucho que...*
 	
    *Nos vamos de paseo, aunque **llueve mucho**.*
	• Con conjunciones y locuciones concesivas cuando no se da información nueva: *aunque, aun cuando, a pesar de que, y eso que, por más que, por mucho que...*
	
	    *Está muy nublado, pero esta tarde nos vamos de paseo aunque **llueva**.*

Describir una persona o un objeto
• Cuando tenemos experiencia de la persona o el objeto o nos referimos a alguien o algo concreto y específico.
 	
    *Busco a María, la chica que **habla** chino.*
	• Cuando nos referimos a alguien o algo genérico del que no tenemos experiencia.
	
	    *Busco a una persona que **hable** chino.*
	--- 	
	• Cuando describimos algo que no existe: *no hay nadie que...*
	
	    *No hay nadie en esta ciudad que **hable** chino.*

Describir un momento o un tiempo
• Cuando describimos un momento presente o pasado: *cuando, tan pronto como, en cuanto, así que, mientras, mientras tanto...*
 	
    *Fui al hospital tan pronto como **me llamaron**.*
	• Cuando describimos un momento futuro: *cuando, tan pronto, en cuanto, así que, mientras...*
	
	    *Estaré en el hospital tan pronto como **me llames**.*

Describir un modo
• Cuando nos referimos a una manera de actuar conocida y experimentada: *como, conforme, de manera que, de modo que, según...*
 	
    *¿Por qué no preparas ese pescado como lo **prepara** tu madre?*
	• Cuando nos referimos a una manera de actuar no conocida y experimentada, bien porque es futura, bien porque expresa el deseo de cómo debe ser: *como, conforme, de manera que, de modo que, según...*
	
	    *Prepara el pescado como **quieras**.*

3. Imperativo

- **El Imperativo en español es el modo verbal de la influencia, aunque hay otras muchas formas de expresarla.**

- El Imperativo negativo tiene las mismas formas que el Presente de Subjuntivo en forma negativa.

- Los pronombres reflexivos, de complemento directo e indirecto se unen a la forma del Imperativo afirmativo: *bébelo, díselo...*

Uso
- Para conceder permiso ante una petición.   *Adelante, **entre, entre**.*
- Para dar consejo.   ***Cómpratelo**, es muy bonito.*
- Para indicar instrucciones.   ***Ponga** la carne a fuego lento.*
- Para ofrecer algo en situaciones cotidianas e informales.   ***Toma**, es para ti.*
- Para dar órdenes de forma familiar o informal.   ***Ven** aquí ahora mismo.*

Conjugación regular

Persona	Verbos -AR	Verbos -ER	Verbos -IR
Tú	canta	bebe	vive
Usted	cante	beba	viva
Nosotros, nosotras	cantemos	bebamos	vivamos
Vosotros, vosotras	cantad	bebed	vivid
Ustedes	canten	beban	vivan

Conjugación irregular (son los mismos verbos que son irregulares en Presente de Indicativo).

- Verbos que diptongan E › IE

Verbos -AR	Verbos -ER	Verbos -IR
cierra	quiere	miente
cierre	quiera	mienta
cerremos	queramos	mintamos
cerrad	quered	mentid
cierren	quieran	mientan

- Verbos que diptongan O › UE

Verbos -AR	Verbos -ER	Verbos -IR
vuela	vuelve	duerme
vuele	vuelva	duerma
volemos	volvamos	durmamos
volad	volved	dormid
vuelen	vuelvan	duerman

- Verbos que toman **-go** en la primera persona. Presente de Indicativo, **Poner** › *pongo*.

Oír	Decir	Poner	Venir	Hacer	Tener	Salir
oye	di	pon	ven	haz	ten	sal
oiga	diga	ponga	venga	haga	tenga	salga
oigamos	digamos	pongamos	vengamos	hagamos	tengamos	salgamos
oíd	decid	poned	venid	haced	tened	salid
oigan	digan	pongan	vengan	hagan	tengan	salgan

- Verbos de irregularidad propia:
  SER: sé, sea, seamos, sed, sean.
  IR: ve, vaya, vayamos, id, vayan.

Formas no personales

1. Infinitivo

- Formación: Toma la terminación -AR (*cantar*), -ER (*beber*), -IR (*vivir*).
- El infinitivo tiene funciones de **sustantivo**.
- Se puede utilizar con preposición y adopta otros valores:

• **Al** + infinitivo. [62] Valor temporal. Equivale a *cuando*.	***Al** salir, se cayó.*
• **Con** + infinitivo. [151] Valor concesivo. Equivale a *aunque*.	***Con** esconderte, no conseguirás nada.*
• **De** + infinitivo. [211] Valor condicional.	***De** haberlo sabido, te lo habría comprado.*

- **Perífrasis con infinitivo.** El infinitivo en las perífrasis da a la acción un carácter progresivo y orientado hacia el futuro.

2. Gerundio

- Formación:

-AR	-ER	-IR
cant**ando**	beb**iendo**	viv**iendo**

Gerundios irregulares:			
IR	yendo	OÍR	oyendo
LEER	leyendo	DORMIR	durmiendo

- El gerundio tiene funciones de **adverbio**.
- Además, puede tener estos valores:

• Causal. Equivale a *como* con Presente.	***Suponiendo** que no vendrías, me fui.*
• Condicional. Equivale a *si*.	***Viviendo** cerca del mar, es más fácil navegar.*
• Concesivo. Equivale a *aunque*.	***Estando** tan ocupado, siempre tiene tiempo para ti.*
• Modal.	*Acabamos **gritando**.*

- **Perífrasis con gerundio.** El gerundio en las perífrasis da un carácter durativo.

3. Participio

- Formación:

-AR	-ER	-IR
cant**ado**	beb**ido**	viv**ido**

Participios pasados irregulares							
SER	sido	VER	visto	PONER	puesto	ESCRIBIR	escrito
ABRIR	abierto	VOLVER	vuelto	HACER	hecho	DECIR	dicho

- El participio tiene funciones de **adjetivo**. Se utiliza también en la formación de los **tiempos compuestos**.
- Además, puede tener estos valores:

• Causal. Equivale a *como*.	***Convocada** la huelga, decidimos no salir de viaje.*
• Concesivo. Equivale a *aunque*.	***Descontento** con las condiciones, aceptó el trabajo.*
• Temporal. Equivale a *cuando*.	***Terminadas** las clases, se fueron de vacaciones.*

- **Perífrasis con participio.** El participio en las perífrasis da a la acción un carácter terminado, y orientado hacia el pasado.

Perífrasis verbales

- La perífrasis es una construcción de un verbo conjugado (+ una preposición) y un verbo no personal: infinitivo, gerundio o participio. El significado de la acción lo da la forma no personal. El verbo conjugado aporta un matiz concreto.

<u>Incoativas</u>
- Indican el inicio de una acción expresada por el infinitivo.

Echar(se) a + *infinitivo* [284]	**Ir a** + *infinitivo* [412]
Estar al + *infinitivo* [348]	**Pensar** + *infinitivo* [536]
Estar para + *infinitivo* [354]	**Ponerse a** + *infinitivo* [553]
Estar por + *infinitivo* [355]	

<u>Aproximativas o hipotéticas</u>
- Indican que la información que se está dando es aproximada o es una hipótesis.

Deber de + *infinitivo* [244]	**Venir a** + *infinitivo* [770]

<u>Reiterativas</u>
- Indican que la acción expresada por la forma no personal se repite.

Andar + *gerundio* [82]	**Volver a** + *infinitivo* [775]

<u>Obligativas</u>
- Indican la obligación, necesidad, permiso o prohibición de realizar la acción expresada por el infinitivo.

Deber + *infinitivo* [243]	**Haber que** + *infinitivo* [382]
Dejar + *infinitivo* [248]	**Poder** + *infinitivo* [548]
Haber de + *infinitivo* [381]	**Tener que** + *infinitivo* [732]

<u>Durativas</u>
- Indican que la acción expresada por la forma no personal tiene una duración larga.

Andar + *participio* [83]	**Llevar** + *gerundio* [429]
Continuar / Seguir + *gerundio* [172 y 641]	**Llevar sin** + *infinitivo* [431]
Estar + *gerundio* [343]	**Venir** + *gerundio* [771]
Ir + *gerundio* [411]	

<u>Resultativas</u>
- Indican la necesidad de hacer algo como resultado de una acción anterior.

Estar sin + *infinitivo* [357]	**Quedar por / sin** + *infinitivo* [617]

<u>Perfectivas o terminativas</u>
- Indican acciones terminadas y resultados de las acciones.

Acabar + *gerundio* [40]	**No llegar a** + *infinitivo* [498]
Acabar de + *infinitivo* [42]	**No pasar de** + *infinitivo* [502]
Acabar por + *infinitivo* [43]	**Parar de** + *infinitivo* [533]
Dar por + *participio* [200]	**Quedar** + *participio* [615]
Dejar + *algo* + *participio* [250]	**Quedarse** + *gerundio* [620]
Dejar de + *infinitivo* [251]	**Quedarse** + *participio* [621]
Estar + *participio* [345]	**Ser** + *participio* [661]
Ir + *participio* [413]	**Tener** + *participio* [730]
Llegar a + *infinitivo* [427]	**Terminar** + *gerundio* [735]
Llevar + *número* + *participio* [430]	

Adverbios

- Son palabras invariables cuya función consiste en complementar el significado de un verbo, de un adjetivo o de otro adverbio.
- Pueden ser de:

Afirmación	Duda	Negación
Claro [132]	**Igual** [407]	**Apenas** [91]
Evidentemente [362]	**Posiblemente** [589]	**No** [493]
Sí [de 674 a 677]	**Probablemente** [591]	**Tampoco** [721]
También [720]	**Quizá** [627]	
	Tal vez [718]	

Cantidad	Locuciones de cantidad	Lugar
Además [49]	**A lo sumo** [23]	**Abajo** [37]
Algo [72]	**Algo más de** [73]	**Acá** [38]
Bastante [109 y 110]	**Alrededor de** [78]	**Adelante** [48]
Casi [126 y 127]	**Como mucho** [138]	**Adentro** [50]
Cuán [185]	**De lo más** [226]	**Adonde** [51]
Demasiado [255]	**De un** [236]	**Afuera** [54]
Harto [397]	**Poco menos de** [547]	**Ahí** [57]
Más [449]	**Por ciento** [568]	**Allí / Allá** [77]
Menos [461]	**Por lo menos** [576]	**Aquí** [95]
Mucho [476]	**Todo lo más** [742]	**Arriba** [96]
Muy [478]	**Un poco** [755]	**Atrás** [103]
Nada [482]	**Un poco más de** [756]	**Donde** [277]
Poco [544]	**Un poco menos de** [757]	**Enfrente** [323]
Siquiera [701]		**Dondequiera** [281]
Tan [723]		**Lejos** [425]

Tiempo	Locuciones de tiempo	Modo
Ahora [59]	**A más tardar** [26]	**Así** [97 y 98]
Antaño [84]	**Acto seguido** [47]	**Asimismo** [102]
Antes [86]	**Antes de** [88 y 89]	**Aun** [104]
Aún [105]	**Cada día más** [123]	**Bien / Mal** [113 y 114]
Cuando [187]	**Cuanto antes** [194]	**Como** [134]
Después [267]	**De momento** [228]	**Como** [137]
Enseguida [325]	**De pronto** [230]	**Comoquiera** [146]
Entonces [328]	**De una vez por todas** [238]	**Conforme** [166]
Entretanto [330]	**En aquella época** [302]	**Especialmente** [339]
Hoy [405]	**En esto** [310]	**Francamente** [367]
Jamás [415]	**En punto** [314]	**Igualmente** [408]
Mañana [448]	**Inmediatamente después** [410]	**Justo** [418]
Nunca [515]	**Más tarde** [454]	**Raramente** [628]
Siempre [693]	**Mientras tanto** [470]	**Realmente** [629]
Todavía [738]	**Nada más** [483]	**Sólo** [709]
Ya [de 791 a 793]	**Por ahora** [567]	**Súbitamente** [713]
	Ya no [795]	**Sumamente** [715]

		Locuciones de modo
		A medio [28]
		De esta manera / modo [225]
		De verdad [240]
		La verdad [424]
		Poco a poco [546]

Preposiciones

A	**A** + *algo* [1] **A** + *alguien* [2] **A** + *alguien / algo* [3] **A** + *fase de desarrollo* [4] **¡A** + *infinitivo/sustantivo!* [5] **A** + *lugar* [6] **A** + *lugar no concreto* [7] **A** + *modo* [8] **A** + *número (de algo) + por* *+ unidad* [9] **A** + *número de medida* *de espacio* [10] **A** + *número de medida* *de tiempo* [11] **A** + *precio* [12]	**A** + *el / la + tiempo* [14] **A** + *el / la... siguiente* [15] **A la(s)** [19] **A la** + *adjetivo* [20] **A lo** + *nombre / adjetivo* [21] **A los / A las** + *tiempo* [24] **A los** + *número + tiempo* *(de edad)* [25] Expresiones **A cual más / menos** [13] **A eso de la(s)** [16] **A fin de** [17] **A fuerza de** [18] **A lo mejor** [22]	**A lo sumo** [23] **A más tardar** [26] **A medida que** [27] **A medio** [28] **A menos que** [29] **A menudo / veces** [30] **A no ser que** [31] **A partir de** [32] **A pesar de** [33] **A poder ser** [34] **A través de** [35] **A ver si** [36]
Ante	**Ante** [85]		
Bajo	**Bajo** [108]		
Con	**Con** + *alguien/algo* [147 y 148] **Con** + *característica* [149] **Con** + *contenido* [150] **Con** + *infinitivo* [151] **Con** + *ingrediente* [152] **Con** + *instrumento* [153]	Expresiones **Con el objeto de** [154] **Con frecuencia** [155] **Con la de... que** [156] **Con lo... que** [157] **Con que** [158]	**Con razón** [159] **Con respecto a** [160] **Con sólo** [161] **Con tal de que** [162] **Con vistas a** [163]
Contra	**Contra** + *algo* [173]	**Contra** + *algo / alguien* [174]	
De	**De** + *algo* [204] **De** + *alguien* [205] **De** + *año / mes* [206] **De** + *característica* [207] **De** + *causa* [208] **De** + *etapa de la vida* [209] **De** + *grupo* [210] **De** + *infinitivo* [211] **De** + *infinitivo* [212] **De** + *lugar* [213] **De** + *material* [214] **De** + *país o ciudad* [215] **De** + *parte del día* [216] **De** + *unidad* [217] **De** + *uso* [218]	Expresiones **De acuerdo** [219] **De aquí a** [220] **De ahí** [221] **De cuando en cuando** [222] **De día / noche** [223] **De eso ni hablar** [224] **De esta manera /** **este modo** [225] **De lo más** [226] **De modo que** [227] **De momento** [228] **De nuevo** [229] **De pronto / repente /** **súbito** [230]	**De puro** [231] **De quién/es + ser** [232] **De tanto** [233] **De tanto/a/os/as** [234] **De todas formas /** **maneras** [235] **De un** [236] **De un momento** **a otro** [237] **De una vez** **por todas** [238] **De veras / verdad** [239] **De verdad** [240] **De vez en cuando** [241]
Desde	**Desde** + *fecha* [258] **Desde** + *lugar* [259] **Desde** + *lugar de origen* [260] **Desde cuándo** [261] **Desde hace** + *tiempo* [262] **Desde que** [266]	Expresiones **Desde luego** [263 y 264] **Desde luego que no** [265]	

Durante	Durante [282]		
En	**En** + *cantidad de tiempo* [293] **En** + *ciencia* [294] **En** + *fecha futura* [295] **En** + *lugar* [296] **En** + *lugar interior* [297] **En** + *modo* [298] **En** + *precio* [299] **En** + *tiempo* [300] **En** + *vehículo* [301]	Expresiones **En aquella época** [302] **En cambio** [303] **En caso de que** [304] **En contra de** [305] **En contra de lo que** [306] **En cuanto** [307] **En cuanto a** [308] **En cuanto que** [309] **En esto** [310] **En la medida en que** [311]	**En la vida / mi vida** [312] **En lugar de** [313] **En punto** [314] **En tu lugar / su lugar** [315] **En última instancia / último término** [316] **En una de estas** [317] **En vez de** [318] **En vista de** [319]
Entre	**Entre** [329]		
Excepto	**Excepto** [363]		
Hacia	**Hacia** + *lugar* [394]	**Hacia** + *persona* [395]	**Hacia la(s)** + *hora* [396]
Hasta	**Hasta** [398] **Hasta** + *lugar* [399]	**Hasta** + *tiempo* [400] **Hasta ahora** [401]	**Hasta cuándo** [402] **Hasta que** [403]
Incluso	**Incluso** [409]		
Mediante	**Mediante** [457]		
Para	**Para** + *fecha* [525] **Para** + *finalidad* [526] **Para** + *infinitivo* [527]	**Para** + *lugar* [528] **Para** + *opinión* [529] **Para** + *persona* [530]	Expresiones **Para el/la/lo que** [531] **¿Para qué?** [532]
Por	**Por** + *algo / alguien* [554] **Por** + *causa* [555] **Por** + *fecha* [556] **Por** + *finalidad* [557] **Por** + *lugar* [558] **Por** + *lugar aproximado* [559] **Por** + *medio / instrumento* [560] **Por** + *parte del día* [561] **Por** + *persona* [562 y 563] **Por** + *precio* [564] **Por** + *unidad de tiempo* [565] **Por** + *tiempo superado* [566]	Expresiones **Por ahora** [567] **Por ciento** [568] **Por cierto** [569] **Por culpa de** [570] **Por el contrario** [571] **Por eso** [572] **Por favor** [573] **Por fin** [575] **Por lo general** [575] **Por lo menos** [576] **Por lo que respecta a** [577]	**Por (lo) tanto** [578] **Por lo visto** [579] **Por más que / por mucho que** [580] **Por muy... que** [581] **Por poco** [582] **¿Por qué?** [583] **¿Por qué no...?** [584] **Por si acaso** [585] **Por si no** [586] **Por último** [587]
Según	**Según** + *algo* [642] **Según** + *alguien* [643]	**Según** + *modo* [644] **Según** + *variación* [645]	**Según** + *verbo* [646]
Sin	**Sin** [697] **Sin** + *actividad* [698]	**Sin embargo** [699]	
So	**So** [702]		
Sobre	**Sobre** [703] **Sobre** + *cantidad* [704]	**Sobre** + *tema* [705]	**Sobre** + *tiempo* [706]
Tras	**Tras** [746]		

Conjunciones y locuciones conjuntivas

COORDINACIÓN

Copulativas

E [283], Ni [486] e Y [780, 781 y 782].

- Unen elementos de igual categoría.
  *Hoy he comido **y** he cenado con María.*

Disyuntivas

O [516] y U [751].

- Expresan una elección entre dos o más elementos.
  *¿Quieres café **o** chocolate?*

Adversativas

Ahora bien [60], Antes bien [87], Así y todo [101], Aun así [106], En cambio [303], Eso sí [338], Mas [449], Mientras que [469], No... antes bien [494], No..., sino (que) [508], Pero [539], Por el contrario [571], Sin embargo [699] y Sino [700].

- Expresan una oposición.
  *Quiero ver la última película de Almodóvar, **pero** no tengo tiempo.*

Ilativas

Bien mirado [115], Con respecto a [160], Conque [169], Entonces [327], Es decir [332], Es más [333], Esto es [360], Luego [446], Más aún [451], Mejor dicho [459], Mirándolo bien [474], O sea [517], y Si se mira bien [690].

- Expresan una aclaración.
  *Está muy nublado, **es decir** no podemos ir de excursión.*

Distributivas

Ya sea... (ya sea) [797].

- Plantean una alternativa.
  *Tienen que elegir uno de los dos, **ya sea** el blanco o el verde.*

SUBORDINACIÓN

Causales

Como [135], Considerando que [170], Debido a [245], El hecho de que [289], En cuanto que [309], En la medida en que [311], En vista de que [319], Gracias a que [376], Lo que pasa es que [439], Por culpa de que [570], Porque [588], Pues [594], Puesto que [595], Que [599], Si se tiene en cuenta que [691], Teniendo en cuenta que [734] y Ya que [796].

- Expresan el motivo o la causa para que se produzca o no lo indicado en la oración principal.
- Se utilizan seguidas de un verbo en Indicativo.
  ***Como** no tengo paraguas, me voy antes de que empiece a llover.*

Comparativas

Como si [139], Más... que [455], Menos... que [464], Ni que [489], Tan... como [724], y Tanto como [427].

- Establecen una comparación.
- Se utilizan con Indicativo cuando la comparación es real.
  *Alberto es **más** alto **que** su hermano.*
- Se utilizan con Subjuntivo cuando la comparación es hipotética.
  *Me duele la cabeza **como si** me dieran golpes.*

Concesivas

A pesar de que [33], Al menos [67], Aunque [107], Contrariamente a lo [175], En contra de lo que [306], Mal que [447], Por más que/Por mucho que [580], Si bien es cierto [685] y Y eso que [786].

- Expresa que un acontecimiento ocurre aunque hay un impedimento para ello.
- Se utilizan con Indicativo cuando presentamos el impedimento como una información nueva.
    - *Aunque no tenía dinero, se compró ese coche.*
- Se utilizan con Subjuntivo cuando presentamos el impedimento como una idea conocida.
    - *Aunque tuviera el dinero, no me compraría ese coche.*

Condicionales

A menos que [29], A no ser que [31], Como [136], Con que [158], Con sólo [161], Con tal de que [162], En caso de que [304], Excepto que [364], Mientras [468], No sea que [507], Salvo que [637], Si [681, 682 y 683], Si acaso [684], Siempre que [685], Sólo con [710] y Sólo si [711].

- Expresan una condición para que se realice la acción de la oración principal.
- Se utilizan con Indicativo cuando se expresa una condición que se considera probable.
    - *Si puedo, iré a verte después del trabajo.*
- Se utilizan con Subjuntivo cuando se expresa una condición de difícil realización o imposible.
    - *Si me lo hubieras dicho ayer, habría venido a verte.*

Consecutivas

Ahora que [61], Así (es) que [99], De ahí que [221], De modo que [227], O sea, que [518], Por eso [572], Por (lo) tanto [578] y Total, que [744].

- Expresan las consecuencias finales del verbo indicado en la oración principal.
- Se utilizan seguidas de un verbo en Indicativo.
    - *Nadie lo quería. **Por eso**, hicimos un sorteo. Y me tocó a mí.*

Finales

A fin de que [17], Con el objeto de que [154], Con vistas a que [163], Para que [526] y Que [601].

- Expresan la finalidad del verbo de la oración principal.
- Se utilizan seguidas de Subjuntivo.
    - *Te envío el informe **para que** lo leas.*

Modales

Como [137], La manera en que [419] y Según [646].

- Expresan la manera en que se realiza la acción principal.
- Se utilizan seguidas de Indicativo cuando nos referimos a un modo de actuar conocido y experimentado.
    - *Me encanta **la manera en que** me miras a los ojos.*
- Se utilizan seguidas de Subjuntivo cuando describimos un modo de actuar que no conocemos.
    - *No me importa **la manera en que** vuelvas, pero vuelve pronto.*

Temporales

A medida que [27], Antes de que [90], Apenas [92], Así que [100], Cada vez que [125], Conforme [165], Cuando [186], De aquí a que [220], Desde que [266], Después de que [268], En cuanto [307], Hasta que [403], Mientras [467], No bien [495], Siempre que [694], Tan pronto como [725] y Todas las veces que [737].

- Expresan el tiempo en que se realiza la acción del verbo indicado en la oración principal.
- Se utilizan con Indicativo cuando nos referimos a acontecimientos habituales o pasados.
    - *Cuando tengo tiempo, me gusta pasear.*
- Se utilizan con Subjuntivo cuando nos referimos a acontecimientos futuros.
    - *Te lo prometo, **cuando** tenga tiempo, iré a visitarte.*